A antropologia do tempo

Coleção Antropologia

– *As estruturas elementares do parentesco*
Claude Lévi-Strauss
– *Os ritos de passagem*
Arnold van Gennep
– *A mente do ser humano primitivo*
Franz Boas
– *Atrás dos fatos – Dois países, quatro décadas, um antropólogo*
Clifford Geertz
– *O mito, o ritual e o oral*
Jack Goody
– *A domesticação da mente selvagem*
Jack Goody
– *O saber local – Novos ensaios em antropologia interpretativa*
Clifford Geertz
– *Estrutura e função na sociedade primitiva*
A.R. Radcliffe-Brown
– *O processo ritual – Estrutura e antiestrutura*
Victor W. Turner
– *Sexo e repressão na sociedade selvagem*
Bronislaw Malinowski
– *Padrões de cultura*
Ruth Benedict
– *O Tempo e o Outro – Como a antropologia estabelece seu objeto*
Johannes Fabian
– *A antropologia do tempo – Construções culturais de mapas e imagens temporais*
Alfred Gell
– *Antropologia – Prática teórica na cultura e na sociedade*
Michael Herzfeld

Dados Internacionais de Catalogação na Publicação (CIP)
(Câmara Brasileira do Livro, SP, Brasil)

Gell, Alfred
A antropologia do tempo : construções culturais de mapas e imagens temporais /
Alfred Gell ; tradução de Vera Joscelyne. – Petrópolis, RJ : Vozes, 2014.
(Coleção Antropologia).

Título original : The anthropology of time : cultural constructions of temporal
maps and images
Bibliografia
ISBN 978-85-326-4687-3

1. Antropologia – Filosofia 2. Tempo – Estudos interculturais I. Título.

13-10611   CDD-304.2

Índices para catálogo sistemático:
1. Antropologia do tempo : Sociologia   304.2

Alfred Gell

A antropologia do tempo

Construções culturais de mapas e imagens temporais

Tradução de Vera Joscelyne

EDITORA
VOZES

Petrópolis

Título original inglês: *The Anthropology of Time – Cultural Constructions of Temporal Maps and Images*

Tradução autorizada por Bloomsbury Publishing Plc.

Direitos de publicação em língua portuguesa – Brasil:
2013, Editora Vozes Ltda.
Rua Frei Luís, 100
25689-900 Petrópolis, RJ
Internet: http://www.vozes.com.br
Brasil

Diretor editorial
Frei Antônio Moser

Editores
Aline dos Santos Carneiro
José Maria da Silva
Lídio Peretti
Marilac Loraine Oleniki

Secretário executivo
João Batista Kreuch

Editoração: Maria da Conceição B. de Sousa
Diagramação: Sheilandre Desenv. Gráfico
Capa: Felipe Souza⎟Aspectos
Imagem de capa: Ilustração a partir de relógio astrológico.
Felipe Souza⎟Aspectos.

ISBN 978-85-326-4687-3 (edição brasileira)
ISBN 978-0-85496-890-9 (edição inglesa)

Editado conforme o novo acordo ortográfico.

Este livro foi composto e impresso pela Editora Vozes Ltda.

Sumário

Figuras e tabelas

Tabelas

Agradecimentos

A composição deste livro ocupou-me intermitentemente por um número muito maior de anos do que eu gostaria de imaginar, e no decorrer desse período acumulei uma série de dívidas. Delas, talvez a mais importante seja a dívida que tenho com Bruce Kapferer, o editor da série "Explorações na Antropologia", que me encorajou a rever e publicar o manuscrito original deste livro, sobre o qual eu tinha chegado à triste conclusão de que provavelmente não iria atrair ninguém além de meu círculo imediato. Ultimamente, relendo o manuscrito já completo, estou mais confiante do que estava naquela época de que entre estas páginas haverá algumas capazes de seduzir, ou até mesmo de instruir, um público mais diverso do que eu temia em meus momentos de maior desânimo. O estímulo editorial de Bruce Kapferer foi ainda mais extraordinário pelo fato de eu estar bem consciente de que, em questões teóricas, muitas vezes adotei posições que são diametralmente opostas às dele. Levei em conta seus comentários da melhor maneira possível, e realmente eles foram muito úteis, mas estou particularmente consciente de sua indulgência editorial e grato por ela. Posso dizer o mesmo com relação a Jadran Mimica que inicialmente chamou a atenção de Kapferer para o manuscrito. Só posso concluir que esses dois se comportaram de uma maneira genuinamente altruísta durante todo esse tempo e o que é que o autor de um "agradecimentos" pode dizer que seja mais importante do que isso?

Entre outras dívidas estão as que tenho para com colegas atuais e passados na London School of Economics, principalmente Maurice Bloch, a quem recompensei com um buquê de críticas e reclamações, uma forma de gratidão bem típica do departamento. Bloch leu o manuscrito original e debateu detalhadamente muitos pontos comigo. Christina Toren também leu a versão original e me aconselhou com relação a questões psicológicas, mas não deve, de forma alguma, ser considerada responsável pela minha discussão sobre cognição. Estou também particularmente grato a Ward Keeler que, durante uma das conversas antropológicas mais memoráveis que já tive o privilégio de desfrutar, forneceu-me os dados sobre Bali que reproduzi (espero que corretamente) nas páginas 78-80. Nem é preciso acrescentar, quaisquer deficiências no meu relato de Bali não são atribuíveis a ele. Nancy Munn leu a minuta final completa, e embora estivesse sob muita pressão em virtude de sua crítica a ser publicada brevemente da literatura da série "Antropologia do Tempo" para fazer comentários detalhados, minha confiança foi enormemente restaurada graças a sua reação que, em geral, foi favorável. Seções deste livro também foram apresentadas em seminários na LSE, na Universidade de Oxford e na Universidade de Nova York, onde membros do público fizeram uma série de comentários bastante úteis.

Agradeço à London School of Economics e a meu departamento por me concederem um ano sabático durante o qual pude rever e substancialmente reescrever este livro.

Finalmente, devo agradecer a Simeran Gell e Rohan por me aguentarem enquanto eu me dedicava a meu trabalho solitário. Espero que tudo tenha valido a pena.

PARTE I
DIFERENÇAS NA COGNIÇÃO DO TEMPO ATRIBUÍDAS À SOCIEDADE E À CULTURA

1
Durkheim

(A origem da antropologia do tempo, em sua forma contemporânea, pode ter sido uma passagem bastante conhecida do capítulo introdutório do livro de Durkheim: *The Elementary Forms of the Religious Life* [As formas elementares da vida religiosa], 1915: 9-11).

> O que os filósofos chamam de categorias de conhecimento, as ideias de tempo, espaço, classe, número, causa, personalidade... correspondem às propriedades mais universais das coisas... são como a moldura sólida em torno de todo pensamento (que) não parece ser capaz de libertar-se delas sem se destruir, pois parece que não podemos pensar em objetos que não estejam no tempo e no espaço, que não tenham número etc. Ora, quando crenças primitivas são sistematicamente analisadas, as principais categorias são encontradas naturalmente. Elas nascem na religião e da religião, são um produto do pensamento religioso... Representações religiosas são representações coletivas, que expressam realidades coletivas... portanto, se as categorias são de origem religiosa, elas deveriam participar desta natureza comum a todos os fatos religiosos... é permissível supor que elas sejam ricas em elementos sociais.
>
> Tente representar, por exemplo, o que seria a noção de tempo sem os processos pelos quais o dividimos, o medimos ou o expressamos com símbolos objetivos, um tempo que não fosse uma sucessão de anos, meses, semanas, dias e horas... Não podemos conceber o tempo a não ser distinguindo seus vários momentos. Ora, qual é a origem dessa diferenciação? (*Durkheim, neste ponto, brevemente descarta a ideia de que as intuições individuais de experiências sucessivas sejam adequadas para isso.*)... na realidade, a observação demonstra que estas diretrizes indispensáveis (que fornecem)... uma moldura abstrata e impessoal... como um mapa infinito, onde toda a duração se estende diante da mente e no qual todos os eventos possíveis podem ser localizados com relação a diretrizes fixas e determinadas... são extraídas da

vida social. As divisões em dias, semanas, meses, anos etc. correspondem à repetição periódica de festas e cerimônias públicas. Um calendário expressa o ritmo das atividades coletivas, enquanto sua função é, ao mesmo tempo, assegurar sua regularidade... o que a categoria de tempo expressa é o tempo comum para o grupo, um tempo social, por assim dizer.

Esta afirmação teórica, extraordinariamente direta, faz duas coisas: primeiro, coloca o problema da sociologia do tempo em um arcabouço filosófico explícito; e, segundo, revela a circularidade inerente à sociologia interpretativa do tipo iniciado por Durkheim na qual as representações coletivas (de tempo, espaço etc.) são *derivadas* da sociedade e também *dão ordens* à sociedade. Isso não é dizer que essa circularidade seja necessariamente má; ela pode ser descrita como cibernética, dialética ou hermenêutica, a partir de diferentes pontos de vista. Ao abraçar esta circularidade, Durkheim iniciou uma fase distinta na história do pensamento, para a qual, nem é preciso dizer, Marx, Weber, Pareto e Simmel também contribuíram: isto é, a era da interpretação e da explicação sociológicas.

Durkheim coloca a questão do tempo em um contexto filosófico (metafísico) e associa sua noção de "tempo social" à tradição filosófica do racionalismo de Kant. Rejeita a suposição "realista ingênua" de que o tempo só é o que é e de que os conceitos de cômputo do tempo permitem às pessoas "segurar" o tempo como se ele fosse mais um fato externo da natureza, entre muitos. Isto, sem dúvida, significa um avanço crucial. É somente neste momento – acham muitos antropólogos – que o problema do "tempo" se tornou realmente interessante, ou seja, quando surge a possibilidade de as representações coletivas do tempo não o refletirem de uma forma passiva, mas, na verdade, *criarem* o tempo como um fenômeno captado por seres humanos conscientes. Esta é uma proposição intrinsecamente estimulante por, pelo menos, duas razões. Em primeiro lugar, ela sugere uma maneira de solucionar os sentimentos de perplexidade que a própria noção do tempo sempre pareceu gerar, desde os dias de Santo Agostinho. O mistério do tempo será desvendado, fica implícito, quando a sociologia descobrir suas origens na área familiar da vida coletiva. A compreensão sociológica é apresentada como um caminho para a transcendência racional, proporcionando os benefícios existenciais de fé religiosa, sem a necessidade da própria fé. E segundo, a tese da origem social da experiência temporal humana oferece a perspectiva da variedade ilimitada de experiências vicárias de mundos desconhecidos, exóticos, temporais, a serem adquiridas através do estudo de uma miríade de formas de sociedade, que desenvolveram e mantiveram suas próprias temporalidades em diferentes locais e em diferentes épocas históricas. Esta é uma visão fascinante e tentadora.

Somente um leitor sem qualquer imaginação deixaria de responder ao poderoso fascínio da doutrina de Durkheim, da origem social do "tempo" como uma categoria da mente. Direta ou indiretamente, ele inspirou muitas análises etnográficas excelentes do tempo social, das quais só me será possível mostrar algumas aqui. Durkheim também foi a inspiração para outros trabalhos teóricos sobre o tempo social (p. ex., HALBWACHS, 1925), inclusive o presente trabalho, que, sem Durkheim, ficaria sem tema. Mesmo os mais terríveis críticos do sociólogo francês, como Bloch (1977), trabalham dentro do campo de investigação definido por ele e raciocinam de acordo com os parâmetros da interpretação sociológica que ele foi o primeiro a estabelecer.

Mas, embora seja difícil exagerar a importância de *Formas elementares da vida religiosa* como contribuição para o desenvolvimento da teoria sociológica em geral e para o estudo do tempo social em particular, há uma falha fundamental no argumento de Durkheim, que precisa ser esclarecida. Ela é resultado de sua tentativa de elevar a análise sociológica ao nível da metafísica, identificando representações coletivas do tempo com as "categorias" de Kant. Nos próximos capítulos, demonstrarei que essa tentativa abre as portas para uma variedade de interpretações relativistas do tempo social que, como é possível demonstrar, são incoerentes e enganosas. A primeira tarefa, contudo, é destrinçar os detalhes do argumento de Durkheim.

A tese de Durkheim é de que o tempo existe para nós porque somos seres sociais. A onipresença do tempo, a maneira misteriosa como ele parece abranger tudo, sem exceção, de modo que não nos é possível sequer pensar como contorná-lo, revela as origens sociais do tempo, porque a sociedade também é assim, ou seja, ela abrange tudo e não pode ser compreendida por um indivíduo desassistido. Ao tratar o tempo desta maneira, Durkheim aplica a ele sua teoria mais geral da determinação social dos conceitos. Mas com uma diferença. Uma coisa é argumentar que a "sociedade" é responsável pela formação de conceitos como "cão" ou "gato", ou "tio", ou "sagrado" ou "profano", pois estes são objetos e qualidades específicas e podemos imaginar o mundo sem eles, ou seja, sem tios, cães ou gatos, ou entidades designadas como possuindo qualidades sagradas ou profanas. Há, no entanto, uma classe de conceitos muito gerais, que, para muitos filósofos, são considerados a base de todo pensamento discursivo. São eles conceitos como tempo, espaço, número, causa, e assim por diante, sem os quais seria impossível pensar em qualquer mundo existente. Na linguagem kantiana, esses conceitos são promovidos ao *status* de "categorias" e a questão essencial da filosofia é determinar de onde essas categorias, que são a estrutura básica de todo pensamento e experiência, se originam.

O objetivo de Durkheim é dar uma nova resposta a este eterno tópico de especulação filosófica. Ele não está, portanto, simplesmente buscando esclarecer as questões empíricas sobre como, através de representações coletivas, os seres humanos têm procurado codificar o tempo; está também levantando a questão muito mais problemática de como ocorre o fato de o tempo existir para ser codificado.

Deixem-me esboçar, brevemente, alguns aspectos do contexto filosófico. Os filósofos sugeriram dois tipos de solução para o problema da explicação da origem das categorias. Ignorando uma infinidade de variações importantes, embora sutis, de pontos de vista, um grupo de filósofos negou que haja qualquer coisa sobre as categorias que não possa ser obtida através da experiência. O mundo é real, está lá fora, temos consciência da forma como ele é através dos nossos sentidos, e ele realmente é temporal, espacial, permeado por relações de causa e efeito, e é povoado por seres objetivos que podem ser classificados em tipos "naturais", através de semelhanças, proximidade no espaço e no tempo etc. Esta é a doutrina do empirismo realista e, em sua forma mais extrema, nega que as categorias sejam, de alguma forma, especiais ou diferentes de conceitos empíricos. Os conceitos de categoria são generalizações de nível muito elevado, a partir da experiência. Eles se baseiam em induções que se revelaram verdadeiras, de uma forma tão invariável, que são aceitas como verdade absoluta, mas que podem, não obstante, revelarem-se falsas. J.S. Mill, no meio século que antecedeu à publicação da obra de Durkheim, sustentou que as verdades da lógica eram assim, ou seja, generalizações de linhas de pensamento frequentemente bem-sucedidas, não fundamentalmente diferentes das verdades empíricas. A abordagem empírico-realista na epistemologia é historicamente aliada ao individualismo e utilitarismo em questões sociais. Se as verdades da lógica pudessem, em princípio, ser alcançadas por um único indivíduo supermetódico, pela reflexão sobre o caráter repetitivo da experiência, então seria possível a um indivíduo sozinho determinar os critérios adequados para julgar as ações certas ou erradas, ou as leis justas ou injustas. As ações e as leis podem ser julgadas objetivamente pela sua contribuição para a soma da felicidade humana e para a promoção da ordem e do progresso na sociedade. Além disso, tal indivíduo poderia assumir completamente a responsabilidade pessoal pela condução de seu comportamento social em relação aos outros, através de *contratos* firmados com eles, de forma explícita e responsável.

Tudo isto é um anátema para Durkheim, como, aliás, sempre foi para a maioria dos filósofos europeus. Como um dos principais fatores que motivou a sociologia de Durkheim foi a hostilidade contra os pontos de vista sociais dos adeptos do utilitarismo do século XIX, ele naturalmente não se mostrou inclinado a aceitar a epistemologia empirista, que era também defendida pelos utilitaristas. Isto talvez seja lastimável, pois o empirismo é uma filosofia mais tolerante do que Durkheim admite. A união do empirismo e do utilitarismo contra o racionalismo e o antiutilitarismo era dada como certa na época de Durkheim e não é de todo surpreendente que Durkheim, cuja ambição era formular uma base não utilitarista para uma ordem social moralmente justa e unida, propusesse pontos de vista sobre a cognição que explicitamente se afastassem do empirismo, a favor de uma forma de racionalismo. Mas, primeiramente, é necessário que eu diga algo sobre o racionalismo em geral.

O racionalismo se opõe ao empirismo quando afirma que é a razão, e não a experiência, que dá a garantia da verdade e que as categorias não são alcançadas por indução, a partir da experiência, mas são formas de pensamento básicas, sem as quais não nos seria possível sequer *ter* experiências. Os filósofos europeus Descartes, Leibniz e Kant são o protótipo dos racionalistas, assim como os filósofos anglo-escoceses Hume e Mill são o protótipo dos empiristas, o Canal Inglês, como de costume, desempenhando o papel decisivo na epidemiologia das convicções filosóficas (SPERBER, 1985). O racionalismo de Durkheim é resultado da tradição e da pedagogia e não da discussão e do debate – que é exatamente o que um bom durkheimiano poderia supor. Ao mesmo tempo, seu tipo de racionalismo é, na verdade, altamente revisionista, uma vez que identifica a razão, garantidora da verdade, com representações coletivas, baseadas em condições sociais e históricas transitórias. A "razão" impessoal é realmente a sociedade, que obriga as pessoas a pensarem umas como as outras porque suas vidas são vividas em comum. Este ponto de vista é diametralmente oposto ao racionalismo ortodoxo da linha cartesiana, onde a ênfase é colocada na certeza particular e apodítica do *cogito* solitário, em oposição a todo o resto, inclusive o corpo, o mundo externo das aparências, outros seres animados ou sensíveis etc., tudo isso duvidoso e possivelmente ilusório.

O racionalismo de Durkheim não é do tipo solitário, do tipo que brinca com o fruto proibido do solipsismo. Suas concepções baseiam-se não em Descartes, mas em Kant e toda sua doutrina, tanto a religiosidade secular do seu programa social e ético como o tom racionalista de sua teoria cognitiva assemelham-se bastante às partes equivalentes do trabalho de Kant, com a única e notória diferença de que, enquanto para Kant a razão é um aspecto da natureza, para Durkheim ela é um aspecto da sociedade.

São duas as doutrinas de Kant que devemos considerar (KANT, 1929; WILKERSON, 1976):

(1) *Idealismo transcendental*: O mundo de aparências sensoriais, para o qual o termo de Kant é traduzido como "representações" em inglês e em francês (cf. representações coletivas), pertence à ordem dos fenômenos. O mundo fenomênico é totalmente distinto do substrato do númeno que é, em última análise, o mundo real das coisas em si mesmas. Não podemos especular sobre a ordem numênica porque nosso pensamento e experiência estão confinados ao mundo dos fenômenos; mas a verdade final do mundo e a lei moral definitiva são numênicas e não fenomênicas.

(2) *A dependência das intuições (experiências sensoriais) dos conceitos (categorias):* as "representações" não podem ser coerentes, a não ser em conjunto com uma "estética transcendental", isto é, certas condições básicas, ajudadas por uma faculdade inerente ao sujeito que percebe, que liga as matérias-primas das intuições, de tal forma que elas se manifestam como objetos externos limitados no tempo e no espaço. O aparecimento de um universo externo composto de objetos dispostos no tempo e no espaço é produzido "subjetivamente", não no sentido de que o universo externo seja determinado pelo capricho particular do sujeito, mas

sim no sentido de que apenas a "faculdade" presente no sujeito consciente, que impõe os pré-requisitos categóricos para o *status* fenomênico (isto é, espacialidade, temporalidade, número etc.) sobre a ordem numênica, pode tornar possível que o numênico se manifeste como fenomênico.

Tempo e espaço são "puros conceitos do entendimento". Com isto, Kant quer dizer não apenas que eles são ajudados pela compreensão do processo de representação do numênico como fenomênico, mas também que eles pertencem unicamente ao entendimento e que não se originam do mundo das aparências, que permitem que o entendimento represente a si próprio. Um dos argumentos mais importantes de Kant é que os conceitos puros do entendimento e as manipulações lógicas destes conceitos puros (p. ex., a matemática, a metafísica, a lógica) não incorporam, e não podem, por si mesmos, ser forçados a dispensar o conhecimento positivo sobre a natureza contingente da verdade numênica do mundo.

Podemos agora reconsiderar esses pontos, enquanto esboçamos a reformulação "sociológica" do racionalismo kantiano, feita por Durkheim.

(1) Durkheim é um racionalista ao negar que os sentidos podem fornecer os dados necessários para formar uma representação do mundo, sem a contribuição adicional de ideias organizadoras. Até aqui, ele segue Kant. Contudo, embora Durkheim esteja trabalhando com uma noção de dois níveis de "realidade" – um substrato pré-conceitual sobreposto por uma "realidade fenomenal" pós-conceptual – da mesma forma que Kant, o intervalo crucial entre os dois níveis está posicionado de forma muito diferente em cada caso. Na teoria kantiana as categorias (ou conceitos puros do entendimento) mediam a transição entre o numênico e o "natural", ao passo que, para Durkheim, elas mediam a transição entre o natural e o social. Durkheim não tem nada a dizer sobre a área numênica das coisas-em-si, imaginada por Kant; o lugar equivalente em sua teoria da cognição é desempenhado pela área das aparências naturais, que antecede a toda ordenação conceitual, algo semelhante, talvez, ao "florescimento, zumbido, confusão", evocado por William James, em sua não muito diferente descrição da natureza dos processos cognitivos (JAMES, 1963). Para Kant, o estrato primordial não é apenas invisível, ele é anterior a toda a visão; não é apenas não representado, é totalmente irrepresentável. Bem diferente é o estrato primordial pressuposto por Durkheim, que é manifesto para os sentidos e para a mente, mas é indistinto, caótico e desprovido dos marcos familiares e das diretrizes que tornam a realidade compreensível para nós.

As representações coletivas, enquanto categorias, fazem com que a "natureza" seja colocada "dentro da sociedade", como Durkheim diz. Ele não quer dizer, com isso, que o sol ou a lua, ou mesas e cadeiras, sejam membros desta ou daquela sociedade, mas que o sol-que-eu-conheço, a lua-que-eu-conheço etc., não existiriam como objetos-de-conhecimento que realmente são nas mentes dos sujeitos que os percebem, se esses sujeitos não fossem capazes de aplicar sobre eles uma série de esquemas conceituais, originários da sociedade. Kant e Durkheim, portanto, compartilham a visão de que o mundo fenomenal é estruturado por fundamentos conceituais inventados pela mente. O mundo "real" é criado por nossas ideias; este é o ponto essencial, que foi negado pelo empirismo.

(2) Durkheim é bastante explícito ao identificar os conceitos fundamentais que delimitam a realidade, previstos em sua teoria, com as categorias kantianas, incluindo o tempo, categoria que nos interessa antes de tudo. O substrato de natureza pré-categorial é atemporal, ou pelo menos desprovido de tempo, tal como o reconhecemos. A concepção de Durkheim sobre a categoria tempo, contudo, é oposta à de Kant (pelo menos implicitamente; cf. a passagem sobre espaço que vem imediatamente após a passagem sobre tempo, citada acima, p. 15). Durkheim diz que as categorias kantianas de tempo e espaço são "homogêneas", mas tempo e espaço, como conhecidos pelos seres humanos através das representações coletivas, estão longe de serem inexpressivos; caso contrário, tempo e espaço permaneceriam ainda imperceptíveis.

Na verdade, Durkheim está errado ao dizer que tempo e espaço, como previsto por Kant (como "conceitos puros do entendimento"), são homogêneos. Kant, seguindo Newton mais do que Leibniz, considerou tempo e espaço como absolutos e não como simplesmente relacionais. Tudo indica que Kant entendeu o tempo como sendo absolutamente direcional com relação ao antes e depois. A distinção entre eventos temporalmente anteriores e temporalmente posteriores é uma função da assimetria do tempo como categoria e não uma função das propriedades dos próprios eventos. A alegação infundada de Durkheim de que Kant acreditava que a categoria tempo era "homogênea", em vez de ordenada com relação ao antes e depois, tem um papel importante em sua argumentação porque lhe dá uma nova vantagem ao introduzir as discriminações do tempo "social" no lugar da categoria kantiana, altamente inexpressiva. De fato, na categoria de tempo de Kant, cada evento possível é ordenado em relação a qualquer outro evento possível, precedendo-o, acompanhando-o ou seguindo-o. Isto não é dizer que sabemos automaticamente, ou que jamais sejamos capazes de descobrir, em que ordem ocorreu um determinado conjunto de eventos. Contudo, do ponto de vista de Kant, esta não é uma pergunta basicamente impossível de ser feita.

Durkheim, por sua vez, ao rejeitar as alternativas kantianas, enriquece o tempo e o espaço, mesmo em suas formas categoriais mais básicas, com uma complexa rede de distinções, que não pode originar-se na psique isolada, na faculdade de cognição "escondida no fundo da alma humana", invocada por seu antecessor racionalista. As distinções que Durkheim tem em mente remontam-se às necessidades sociais e organizacionais da vida coletiva.

Por mais meritória que a influência das ideias de Durkheim sobre o "tempo social" possa ter sido no sentido de direcionar a atenção para o papel da ação coletiva na formação da consciência temporal humana (um tema que em breve será explorado em detalhes consideráveis), é impossível prosseguir sem ressaltar que Durkheim não está sendo sincero neste ponto. Sua linha de argumentação é a seguinte:

1) O mundo objetivo não pode ser vivenciado, exceto através das categorias.

2) O tempo é uma dessas categorias.

3) Podemos pensar sobre o tempo a não ser que seja em termos de períodos? (Resposta: Não)

4) As periodizações convencionais do tempo têm sua origem na sociedade? (Resposta: Sim)

5) Então, não podemos ter qualquer experiência do mundo objetivo, exceto à luz de períodos de duração originários da sociedade, que constituem a categoria "tempo". (E idem para espaço, causa e as outras categorias.)

6) Portanto, toda experiência do mundo objetivo tem sua origem na sociedade.

Mesmo se admitirmos, para fins de debate, os passos 1 e 2 do argumento, nenhum dos passos 3 a 6 decorre dos passos 1 e 2 ou é convincente por si só.

Contra o passo 3: Não há razão para dizer que não podemos pensar em relações temporais a não ser em termos de periodizações. Suponha que voltemos para o tempo kantiano, que é assimétrico no que se refere ao antes e depois, mas que, de resto, é inexpressivo. Se, então, destacarmos um evento e, podemos dizer, *a priori*, que o evento e ocorre em T e. Se o tempo é assimétrico, sabemos que para qualquer $e^\textrm{l}$, para qualquer evento que não seja o próprio e, T $e^\textrm{l}$ é simultâneo, anterior ou posterior a T e. Todos os eventos são semiordenados (apenas "semiordenados", pois podem ser simultâneos entre si, assim como anteriores/posteriores uns aos outros) em relação a todos os outros eventos. Esta conclusão é redundante, dada a assimetria incorporada na categoria de tempo kantiana. Assim, longe de não fornecer quaisquer meios para conceitualizar os relacionamentos temporais entre eventos, a categoria de tempo prevista por Kant possui toda a definição exigida para especificar *todas* as relações temporais entre *todos* os eventos possíveis, praticamente sem fazer referência a qualquer conceito de um esquema regular e periódico, seja ele qual for.

Contra o passo 4: Descendo dessas considerações abstratas, podemos notar que o caso empírico para o passo 4 não é assim tão claro. A maioria das pessoas diria que as periodicidades sociais comuns (dia, mês e ano) são obtidas através do comportamento do sol e da lua, que exerce um efeito contingente tanto na vida social como no registro do tempo. E mesmo periodicidades que não possuem os determinantes astronômicos, tais como a semana das compras de mercado, estão assim dispostos por razões que estão inevitavelmente ligadas a considerações materiais, limitações de armazenamento e transporte e afins. Uma coisa é não discordar da proposição de que a vida social determina quais periodicidades são consideradas socialmente importantes, outra muito diferente é afirmar que essas periodicidades têm sua origem unicamente na sociedade. Assim, as estações podem ser convencionalmente indicadas por meio de festas religiosas e não por referência aos fenômenos naturais, ou seja, época de Natal, Quaresma, Páscoa etc., mas porque estas festas e jejuns são realizados nessas estações específicas? Historicamente, as respostas são claramente ecológicas. No mínimo, é preciso que seja dito que as fontes de periodicidades socialmente relevantes não são, elas próprias, meras invenções da mente humana e sim adaptações ao ambiente físico no qual a vida social precisa acontecer.

Contra o passo 5: O cerne do argumento de Durkheim é alcançado neste passo. Com efeito, Durkheim diz que o fato de ser impossível pensar sobre os relacionamentos temporais a não ser em termos de periodizações originárias da sociedade significa que quando o "tempo" figura como uma das categorias constitutivas de todas as representações cognitivas do mundo fenomenal, como acontece na Estética Transcendental de Kant, ele deve fazê-lo com uma aparência "social" predeterminada. Kant afirma que é impossível conceber um objeto externo, como por exemplo um elefante, a menos que ele seja um elefante no tempo e no espaço. Mas, definitivamente, não faz parte da afirmação de Kant que para se conceber um elefante é preciso posicioná-lo em algum *ponto de localização específico* no tempo e no espaço. Ele apenas tem que ser um elefante que não esteja completamente fora dos limites do tempo e do espaço. Contudo, é exatamente essa condição que Durkheim introduz aqui para dar credibilidade à sua argumentação metafísica. Tendo postulado a ideia de que, para especificar uma localização temporal, deve ser utilizado um sistema de periodização e que os sistemas de periodização são sociais em sua origem, ele se sente habilitado a dizer que as bases temporais da cognição são originárias da sociedade, porque a cognição temporal de objetos externos consiste em lhes dar um ponto de localização no tempo. E, da mesma maneira, para espaço, causa, número etc.

Seu raciocínio, no entanto, é inválido. Em primeiro lugar, é perfeitamente fácil demonstrar que a localização temporal de um objeto ou, mais precisamente, os eventos dos quais esse objeto participa, podem ser especificados com ou sem referência a um sistema periódico. Posso dizer, por exemplo, que a batalha de Borondino ocorreu em 7 de setembro de 1811 (fazendo uso do sistema periódico do calendário) ou, alternativamente, que ocorreu após Austerlitz e antes de Waterloo (ou seja, em algum lugar da sequência não periódica de batalhas famosas das Guerras Napoleônicas). Em segundo lugar, mesmo se fosse verdade que as localizações temporais só pudessem ser especificadas em termos de periodizações, os sistemas periódicos baseiam-se, com frequência, nos fenômenos naturais, que afetam contingencialmente a vida social, mas que não são, de forma alguma, determinados pela sociedade e sim dependentes das propriedades mecânicas do universo, como um conjunto de matéria. E, finalmente, a especificidade da localização temporal de um objeto/evento não tem qualquer relevância para o argumento kantiano de que não existem objetos ou eventos não temporais, não espaciais.

Acredito que não há qualquer conexão real entre o que Kant quer demonstrar na *Crítica da razão pura* e o que Durkheim quer demonstrar na passagem do *As formas elementares da vida religiosa*, citada no começo deste capítulo. Na realidade, Durkheim está representando um programa de investigação sociológica, ou seja, uma pesquisa sobre a multiplicidade de instituições sociais e formas de ideias que têm a ver com o tempo, como se isso fosse coincidir imediatamente com os resultados da investigação metafísica e também tornar a metafísica uma atividade distinta, desnecessária. Nenhuma dessas promessas pode ser cumprida. A sociologia está sendo enaltecida como um substituto (como se isso fosse necessário) da atividade intelectual da filosofia. A sociologia (e sua disciplina irmã, a antropologia social) foi muito prejudicada pelo mimetismo plausível das formas de argumentação filosófica de Durkheim. A sociologia foi indevidamente enaltecida como uma fonte independente da verdade filosófica e, ao mesmo tempo, ameaçou substituir a única disciplina intelectual capaz de conter o fluxo resultante de afirmações paradoxais e confusas, ou seja, a própria filosofia.

Argumentos metafísicos e sociológicos, embora capazes de se articularem entre si, pertencem a campos separados. Os sociólogos podem, é claro, dizer coisas de um ponto de vista sociológico sobre os filósofos e o que eles fazem, inclusive oferecendo explicações sociológicas para a popularidade de certos pontos de vista entre os filósofos que trabalham no contexto de determinadas configurações histórico/sociais. Por outro lado, os filósofos podem se pronunciar a respeito da validade do argumento proposto pelos sociólogos. Isto, contudo, não é, de forma alguma, o mesmo que dizer que a análise sociológica revela os tipos de verdades em que os filósofos estão interessados ou vice-versa.

Ao afirmar que a análise sociológica constituiu uma rota independente na direção dos objetivos estritamente metafísicos do filosofar racionalista, Durkheim abre uma porta pela qual todos os tipos de demônios podem entrar. Conheceremos um ou dois desses demônios mais adiante. Contudo, embora seja essencial destacar a influência maligna de Durkheim como incentivador de um tipo especial de especulação sociológica quase metafísica, é igualmente essencial reconhecer o estímulo imaginativo que sua obra deu a linhas perfeitamente válidas de investigação sociológica e antropológica. Evans-Pritchard, Lévi-Strauss e Leach estão entre os mais notáveis sucessores antropológicos de Durkheim. Nenhum destes autores está totalmente imune a críticas pelo fato de fazerem excessivas reivindicações metafísicas à abordagem durkheimiana do tempo, mas, igualmente, nenhum deles poderia ter chegado a suas ideias, perfeitamente válidas, sem o exemplo de Durkheim.

2

Evans-Pritchard

Em sua abordagem inicial de *Nuer Time Reckoning* (1939: 209) [Contagem do tempo nuer], Evans-Pritchard compromete-se com a seguinte declaração: "Percepções de tempo, em nossa opinião, são funções de cômputo do tempo e são, portanto, determinadas pela sociedade". Isto exemplifica perfeitamente o desejo insistente, pós-durkheimiano, de se fazer afirmações metafísicas desnecessariamente abrangentes. O autor, contudo, pode ter tido segundas intenções, uma vez que a frase não se repetiu na reformulação do material no artigo *Time Reckoning* [Contagem do Tempo], que mais tarde foi incorporado ao *The Nuer* (1940). Aqui, Evans-Pritchard faz uma distinção inteligente entre o que ele chama de "tempo ecológico" e "tempo estrutural". (Tempo ecológico é o conjunto de conceitos de tempo derivados do ambiente nuer e a sua adaptação, feita pelos próprios nuer. Tempo estrutural é o tempo voltado para as formas organizacionais da estrutura social nuer, definido por Evans-Pritchard como relações institucionalizadas entre grupos políticos.)

Esses dois tipos de conceitos do tempo podem ser descritos como "sociais". (O tempo ecológico é social no sentido de que a sociedade nuer, como quase qualquer outra, é amplamente organizada em torno do cumprimento de tarefas produtivas e pode ser vista, pelo menos em muitos de seus aspectos, como uma adaptação a um nicho ecológico mantido pela ação coletiva socialmente coordenada.) O tempo estrutural é ainda mais obviamente social, na medida em que é voltado para as cartas genealógicas de linhagem, clã e filiações políticas tribais; mas também tem um componente "natural" em que o idioma da genealogia é a forma simbólica imposta pelos nuer na reprodução demográfica de gerações sucessivas e, portanto, da sociedade nuer como uma entidade natural.

O tratamento dado às ideias temporais em *The Nuer* foi corretamente considerado uma demonstração brilhante e exemplar das conexões entre fatores sociais e temporalidade. Ao identificar, com muita lucidez, as conotações entre as formas temporais e sociais, pode-se dizer que Evans-Pritchard, por si só, justificou as declarações programáticas de Durkheim sobre o tempo social. Não tenho certeza, contudo, se algumas peculiaridades na famosa exposição de Evans-Pritchard foram suficientemente notadas, pois elas obscurecem, até certo ponto, a abordagem altamente original adotada pelo autor.

The Nuer começa com um longo relato da ecologia e da produção dos nuer no nível da unidade produtiva isolada (o lar, o pasto etc.), enquanto a segunda parte do livro trata da organização em grande escala da sociedade nuer (o sistema de linhagem, o sistema político e da organização por idade). Este formato causou problemas desde a publicação do livro de tal forma que estudantes universitários são frequentemente aconselhados a pular toda a parte denominada "Ecologia", ou a lê-la depois de terem lido a parte II, com o argumento de que, em virtude de suas ideias durkheimianas, Evans-Pritchard não poderia ter tido a intenção de dar a fatores ecológicos o tipo de proeminência ou prioridade causal que o formato do livro parece sugerir. Esse conselho, no entanto, baseia-se em uma interpretação errônea do papel real que Evans-Pritchard atribuiu aos fatores ecológicos. A propensão natural dos ecologistas culturais é supor que as restrições mais externas à estrutura dos sistemas sociais são definidas por variáveis ecológicas, em conjunto com fatores tecnológicos. Dentro destas restrições abrangentes, formas institucionais, tais como linhagens, clãs e famílias, são consideradas subordinadas. Evans-Pritchard vê tudo isso de forma contrária, ao tratar as restrições ecológicas como as menores unidades da sociedade nuer e de seus ciclos de atividade – unidades estas que são abrangidas pelo arcabouço de unidades políticas de diferentes definições genealógicas e extensão territorial e, por este motivo, subservientes a elas.

Podemos olhar a forma como esta sequência de argumentos surge no tratamento que Evans-Pritchard dá aos conceitos do tempo nuer. A oposição entre o ecológico e o social também pode ser vista como uma oposição entre o microcosmo e o macrocosmo. No nível microcósmico, a sociedade nuer é uma ecologia, ao passo que no nível macrocósmico é um arranjo de unidades políticas relacionadas entre si, em um tempo-espaço genealógico, idealizado. E, voltando-nos para os modos dos nuer de "cômputo do tempo", como tal, podemos ver que estes também podem ser contrastados, como microcósmico/ecológico e macrocósmico/estrutural.

O autor documenta a dependência da contagem do tempo nuer no nível microcósmico (doméstico) do ciclo diário do "relógio do gado" e do ciclo anual de atividades sazonais. Sua explicação confirma a ideia de que, para as pessoas pré-tecnológicas, a passagem do tempo e a realização de uma sequência regular de tarefas produtivas e de atividades socias não podem ser dissociadas uma da outra. O tempo é concreto, imanente e ligado a processos, ao invés de ser abstrato, homogêneo e transcendente.

Quando, no entanto, nos voltamos para o tempo macrocósmico (e por tempo macrocósmico quero dizer durações superiores a um único ciclo ecológico), o quadro muda bastante. Os processos sociais, através dos quais o tempo macrocósmico é calibrado, são, eles próprios, abstratos e não concretos.

O tempo de longa duração nas sociedades pré-letradas é mais frequentemente associado ao conceito de gerações, de reinados, de sucessão para diferentes funções no parentesco ou nas unidades territoriais, ou seja, aos processos cujos ciclos são mais ou menos coincidentes com a expectativa de vida humana ou com estágios no ciclo de desenvolvimento da unidade doméstica ou de unidades de maior abrangência, presentes ao se alcançar um determinado estágio dentro do ciclo da vida. Embora estes ciclos de desenvolvimento e de geração estejam, de várias maneiras, associados a eventos biológicos, eles não são, de forma alguma, fenômenos biológicos, como obviamente o são as gerações de culturas semeadas e colhidas em um ciclo sazonal regular ou a "ninhada" anual dos filhotes de animais domésticos que tenham uma época de acasalamento definida e uma expectativa de vida relativamente curta.

Alguns autores já sugeriram que o conceito bastante utilizado de uma geração humana é essencialmente uma "ficção" (NEEDHAM, 1974). Não obstante, muitas sociedades distribuem os papéis sociais de acordo com critérios geracionais e, ao formar representações coletivas da profundidade do tempo de um universo socialmente construído, dependem fortemente de sucessões geracionais como seu principal dispositivo de ajuste. Muitas sociedades (p. ex., os tallensi; FORTES, 1945) praticam a sucessão adélfica, exigindo que os cargos sejam herdados por cada membro sobrevivente de um grupo de irmãos reais ou classificatórios, um após o outro, antes de serem passados para qualquer um de seus filhos, de tal forma que o último nascido entre os da geração mais velha e o primeiro nascido entre os da geração mais jovem provavelmente passarão a vida inteira sem conseguir herdar um cargo.

Mais dignas de nota, ainda, são as sociedades que mantêm sistemas oficiais estabelecidos de idade/geração; entre essas as mais conhecidas são as do leste da África, inclusive a sociedade nuer. Eu poderia falar mais sobre estes sistemas, que são visivelmente importantes no contexto do presente trabalho, não fosse o fato de já existir uma série de artigos e monografias que tornam esta tarefa desnecessária, em especial a análise comparativa global e elegante feita por Stewart (1977) e relatos etnográficos detalhados de sistemas individuais feitos por Spencer (1965) e Hallpike (1972), para citar apenas alguns. O que devemos ressaltar é simplesmente que a lógica demográfica exige que, se atribuirmos a todos os indivíduos de uma determinada faixa etária o índice geracional arbitrário de 0 em ano 1, no momento em que houver filhos dos filhos dos filhos dessas pessoas à volta, a faixa etária cronológica das gerações intervenientes estará próxima de uma distribuição que espelha a distribuição etária da população como um todo e, depois de mais algumas "gerações", estará realmente distribuída dessa forma. Muitos sistemas geracionais estabelecidos operam com o pressuposto de que, em princípio, há membros vivos de apenas três ou quatro gerações existindo ao mesmo tempo: se esses grupos geracionais não foram ajustados de alguma forma, não haveria relação alguma entre idade cronológica e *status* "geracional". Da forma como é, os conjuntos de gerações, muitas vezes, envolvem pessoas de idades muito diferentes, embora frequentemente existam dispositivos adicionais para garantir que as distribuições etárias totalmente aleatórias em "gerações" não persistam. (O leitor é remetido para as obras citadas, para maior elucidação desses mecanismos.)

Cito estes sistemas apenas para reforçar o ponto de que os conceitos de tempo macrocósmico dos nuer, ao serem associados às gerações, ou seja, à organização por idade e aos nós das ramificações nas cartas genealógicas, estão associados a processos que são "abstratos", no sentido de não terem nenhuma contrapartida no mundo real, embora sejam articulados a eventos do mundo real (nascimentos e mortes).

Evans-Pritchard mostra como a hierarquia de unidades agnáticas, representada sob a forma de uma carta genealógica, determina a distância estrutural entre quaisquer dois nuer, o que é proporcional ao número de nós ascendentes e descendentes que os separam na genealogia agnática. A genealogia, entretanto, além de especificar o parentesco agnático, também tem implicações espaçotemporais. As implicações temporais surgem pelo fato de os nós ocorrerem em intervalos geracionais, e as espaciais, pelo fato de cada unidade agnática, em cada nível de segmentação, ser associada a uma divisão territorial. Na verdade, o celebrado diagrama que Evans-Pritchard usou posteriormente para ilustrar o princípio de oposição segmentária, pode ser lido como um mapa ultraesquemático da Terra dos Nuer (Figura 2.1a) e pode ser perfeitamente utilizado para representar a ramificação de uma árvore genealógica (representação da passagem temporal das gerações. Usando esses elementos, pode-se construir um diagrama composto que expressa a coincidência da genealogia, da territorialidade e da temporalidade, segundo a concepção dos nuer descrita por Evans-Pritchard (Figura 2.1c).

Assim, se ego (na Figura 2.1) encontra um sujeito nuer que pertence a uma seção tribal de parentesco distante, que está associada a uma parte afastada da Terra dos Nuer, o encontro, então, ocorre dentro de uma "densidade" máxima de espaço e de tempo, no sentido estrutural, com modificações correspondentes nos aspectos institucionais e morais dos relacionamentos, mesmo que estes dois nuer estejam a apenas três metros de distância um do outro e sejam completamente contemporâneos. O "tempo estrutural" refere-se às ideias e suas consequências e não a fatos físicos e suas consequências.

Os arranjos sociais reais, no tempo e no espaço, dos quais os nuer participam podem contrariar o esquema ideal que representei, mas Evans-Pritchard mantém, para a perplexidade de alguns (SCHNEIDER, 1963) e para a iluminação de outros, que é a própria abstração e idealização do esquema nuer de coordenação genealógica/espacial/temporal que possibilita a falta de rigor encontrada em sua prática no mundo real.

Em uma passagem fascinante, ele contrasta o arcabouço espaçotemporal estabilizado e eternizado das categorias sociais Nuer com o tempo que permeia o mundo microcósmico, o tempo que passa realmente, no qual os eventos são empurrados de volta para o passado ao invés de permanecerem suspensos para sempre, em um determinado nó, dentro de uma estrutura hierárquica imutável.

Observamos que o movimento do tempo estrutural é, de certo modo, uma ilusão, pois a estrutura permanece razoavelmente constante e a percepção do tempo não é mais que o movimento de pessoas, muitas vezes como grupos, através da estrutura. Assim, grupos etários sucedem uns aos outros para sempre, mas nunca há mais de seis grupos em existência e as posições relativas ocupadas por esses seis grupos são pontos estruturais fixos, pelos quais os grupos reais de pessoas passam em sucessão interminável. Da mesma forma... o sistema de linhagens nuer pode ser considerado como um sistema fixo, havendo um número constante de passos entre as pessoas vivas e o fundador de seu clã e linhagens, possuindo uma relação constante entre si. Embora muitas gerações se sucedam, a profundidade e a variedade de linhagens não aumenta...

Se estamos certos ao supor que a estrutura de linhagem nunca cresce, segue-se que a distância entre o início do mundo e os dias de hoje permanece inalterável. O tempo não é, portanto, um *continuum* e sim uma relação estrutural constante entre dois pontos, a primeira e a última pessoas em uma linha de descendência agnática (EVANS-PRITCHARD, 1940: 107, 108).

Figura 2.1 Espaço, genealogia e tempo

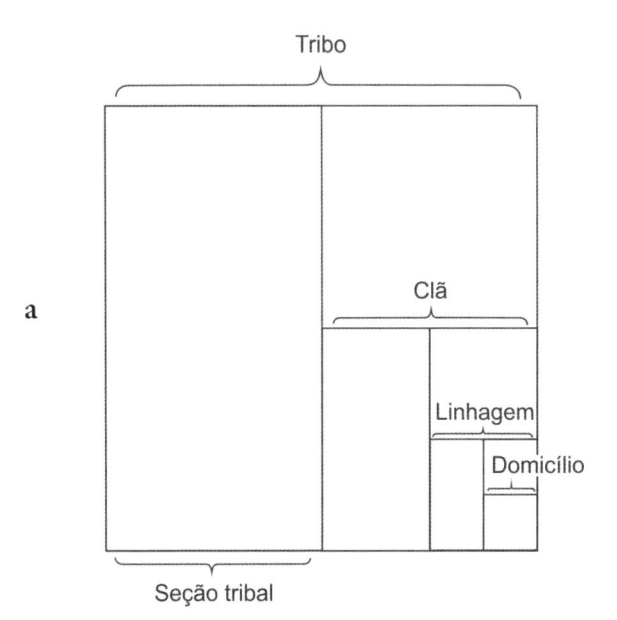

27

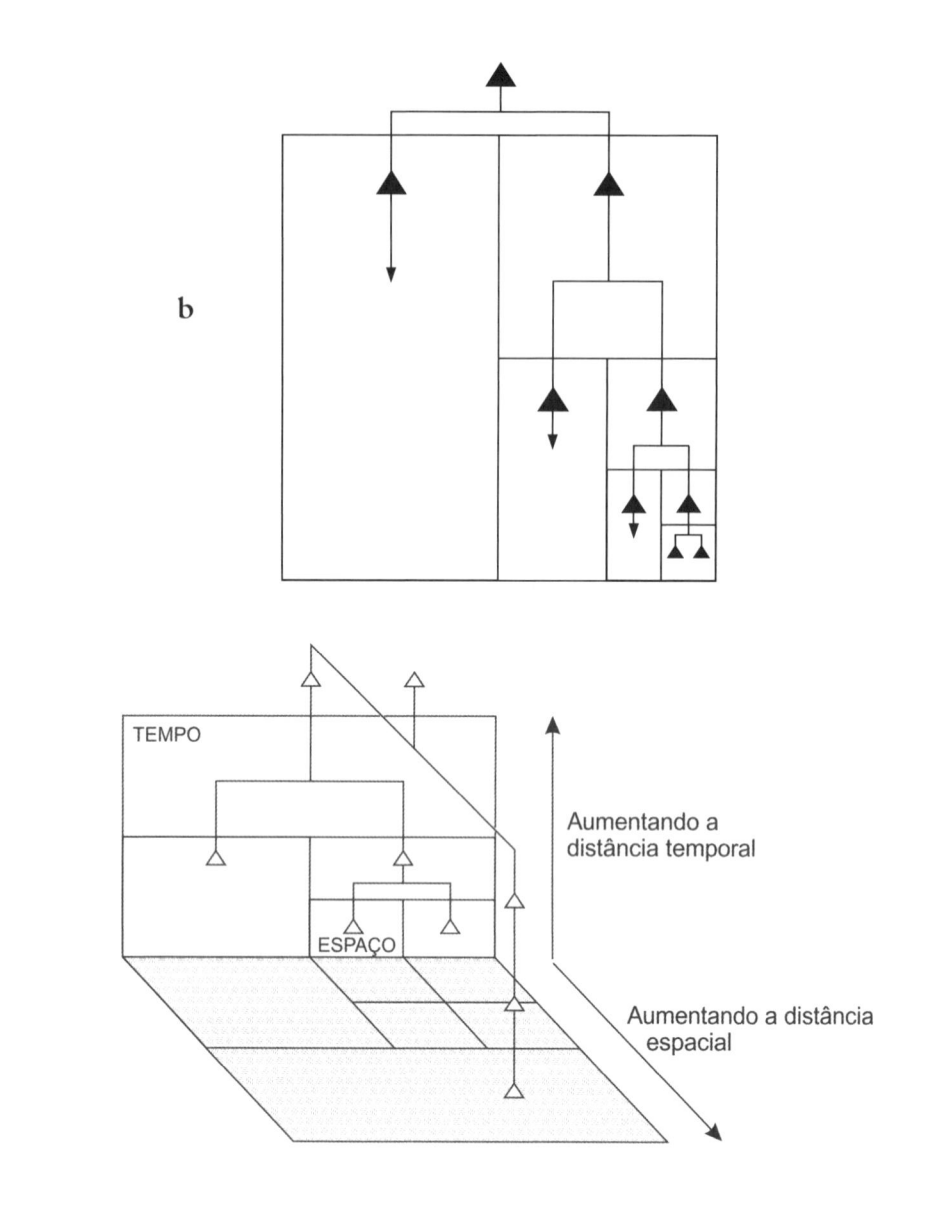

Desta forma, assim como a ordem ecológica é encapsulada na ordem social, dentro da concepção geral do argumento de Evans-Pritchard, o tempo microcósmico/ecológico, que passa, é encapsulado dentro do tempo estrutural, que não passa. Mas será que essa ideia, por mais atraente que seja, resiste realmente a uma análise crítica? Primeiramente, podemos notar que não há nada ilógica ou metafisicamente aberrante sobre o fenômeno bem conhecido de genealogias "telescópicas", isto é, que silenciosamente revisam o conteúdo de crenças aceitas sobre as identidades dos ancestrais, de modo que a linha de descendência desde o antepassado fundador até os indivíduos que vivem atualmente não exceda um determinado número de gerações, geralmente em torno de 8-10. As crenças genealógicas dos *nuer* podem ser falsas, mas não são mantidas a despeito das evidências convincentes contrárias e, além disso, elas são crenças falsas que têm inúmeras consequências reais na forma de observâncias sociais reais, que são previsíveis à luz do atual consenso genealógico. Os nuer não precisam ter quaisquer ideias específicas, sejam elas quais forem, sobre a natureza do tempo, a fim de persistir em um consenso genealógico que, *de facto*, mas não *de jure*, se altera com a passagem do tempo ao incorporar um conjunto de antepassados recém-chegados aos nós mais baixos na estrutura e descartar uma proporção de ancestrais que já não têm relevância social, localizados em nós nas partes centrais da estrutura. O "tempo estrutural imóvel" é, deste ponto de vista, a ideia de Evans-Pritchard, não uma ideia dos nuer. Não obstante, acho que a abordagem de Evans-Pritchard é esclarecedora, na medida em que sugere que os nuer, pelo menos quando estão pensando sobre relacionamentos temporais no idioma genealógico, operam com conceitos temporais que são, inteiramente, de caráter não métrico. Em outras palavras, ele pode estar certo ao dizer que, no que diz respeito aos nuer, a relação temporal entre ancestrais fundadores e pessoas dos dias atuais não altera a forma como uma geração sucede outra, no aqui e agora. Temos inúmeros depoimentos etnográficos segundo os quais diversas culturas não consideram que a relação temporal entre o presente e o passado mítico/ancestral é o tipo de relação que é influenciada pela passagem do tempo: talvez o melhor exemplo conhecido sejam as crenças dos aborígines australianos sobre o tempo dos sonhos *versus* o presente. É um engano, contudo, imaginar que a evidência que existe sobre este ponto prova alguma coisa sobre os conceitos de duração não padronizados. Temos apenas que olhar para as crenças cristãs tradicionais. O significado religioso dos eventos registrados no Novo Testamento permanece totalmente inalterado com o passar do tempo, embora esses eventos sejam atribuídos a um período que se pode datar, na história do mundo e que fica mais distante a cada ano que passa. É completamente irrelevante introduzir a questão do crescente intervalo de duração entre a época dos ancestrais fundadores ou a época do Novo Testamento e os dias de hoje, quando a relevância simbólica dos eventos atribuídos a essas épocas depende precisamente do fato de não serem afetados pelo lapso de tempo interveniente. Sugiro que seria mais exato dizer que os nuer, ou os aborígenes, ou os cristãos, acreditam que há relações entre eventos ou épocas que são temporais, na medida em que a época A precede a época B no tempo, mas que a relação entre os eventos das épocas A e B não é afetada pelo intervalo de duração A/B. Há prioridade, há ordem, mas não há nenhuma medida. A fim de manter as crenças nesta forma, não há razão para supor heterodoxia nos sistemas de crenças temporais, na lógica, na "percepção" etc.

3
Lévi-Strauss

O tema introduzido no capítulo anterior, de um tempo estrutural ou mítico que, em contraste com o tempo "ecológico" comum, não passa ou muda, reaparece sob vários disfarces na obra de Lévi-Strauss (1963, 1966, 1969). Ele usa uma distinção bastante similar para comparar não só os tipos de tempo que coexistem em uma única sociedade, mas para contrastar classes inteiras de sociedades. As sociedades que partilham a nossa concepção de tempo histórico como um arquivo enorme no qual os eventos históricos são inseridos para nunca mais serem riscados, são chamadas de "sociedades quentes", ou seja, sociedades que internalizaram sua própria historicidade. "Sociedades frias" são aquelas cujos esquemas cognitivos fundamentais são estáticos e não receptivos à mudança, ou seja, sociedades que externalizam sua historicidade como uma influência estranha a seu contínuo bem-estar. Sociedades frias têm como seu ideal a perpetuação de um sistema fechado, insensível à influência externa e não dependente de fontes externas de energia. Lévi-Strauss (1948, 1969) compara as sociedades quentes a sistemas abertos, como as bombas de ar, enquanto as sociedades frias são comparadas a sistemas fechados, como os relógios (ignorando o fato de que, mesmo assim, é preciso dar corda nos relógios). Quando as sociedades frias são ultrapassadas pela história, como todas deverão ser eventualmente, elas tentam fazer parecer que esta transformação historicamente contingente estava prevista desde o começo do tempo e tinha, em essência se não na prática, sido sempre procedente. Seria necessária uma análise profunda, que não me proponho a realizar aqui, para traçar as diversas ramificações deste tema ao longo das obras de Lévi-Strauss. Por enquanto, vale dizer que esse autor, de modo geral, discute o tempo – na maioria das vezes fazendo uso da distinção saussuriana entre "diacronia" e "sincronia" – não diretamente como um tópico antropológico, mas como um subproduto de exercícios de construção de modelos, decorrentes da análise de dados que, aparentemente, não tem nada a ver com o tempo, tais como sistemas de parentesco, rituais, mitos etc. Lévi-Strauss não está interessado nem no tempo "real" nem nos conceitos indígenas de tempo, mas sim no tempo dos modelos antropológicos abstratos. De fato, fica claro na autobiografia intelectual incorporada em *Tristes Tropiques* (1961) [Tristes trópicos] que o estímulo original que o levou a desenvolver sua posição estruturalista na década de 1940 foi uma reação negativa à filosofia, obcecada pelo tempo e pela história, de seus contemporâneos franceses – Sartre em particular – que, por sua vez, foram influenciados pela análise de Husserl da "consciência interna do tempo", que será analisada mais tarde (capítulos 23 e 26 a seguir).

Lévi-Strauss é, essencialmente, um homem antitempo. Seu interesse na sociologia do tempo é focado principalmente, e talvez com um grau de invejosa nostalgia, nas maneiras pelas quais as sociedades podem anular o tempo e seus efeitos. Fiel às tradições da teoria social de Durkheim, seu ideal é a ordem alcançada sem autoritarismo e ele considera inegavelmente atraente a imagem das sociedades "frias", que de tal forma regulamentam seus negócios que eventos historicamente contingentes não fazem "uma diferença que faça diferença" e com isso removem, de um só golpe, a base e a motivação para a política do poder. Os sucessores de Lévi-Strauss, contudo, certamente não demoraram a sinalizar que a anestesia temporal que ele descreve não pode ser realizada sem mistificação ou prestidigitação lógica.

Mesmo um crítico amigável, como John Barnes (1971), observa que a explicação que Lévi-Strauss dá sobre o tempo bem-ordenado de "modelos sincrônicos" é ambígua entre ser genuinamente imóvel e meramente cíclica (isto é, periódica). Ele tem em mente o tipo muito familiar do modelo sincrônico de ciclos de alianças afins – que Lévi-Strauss certamente não inventou, mas que fez muito para popularizar – pelo qual o grupo A dá mulheres ao grupo B, que dá mulheres ao grupo C, que (no caso mais simples) dá mulheres ao grupo A, fechando assim o ciclo. Um padrão semelhante se repete na próxima geração, e assim indefinidamente. A questão levantada por Barnes é: Em que sentido tal modelo deveria ser considerado "sincrônico"? Afinal, o tempo está representado aqui porque ele não é um fato estranho aos modelos de troca cíclicos, que representam uma série de repetições das mesmas trocas, ocorridas durante um lapso de tempo (gerações). Na verdade, isto constitui sua própria essência. Como pretendo demonstrar em maiores detalhes no capítulo 4, a ideia de "repetição" periódica inevitavelmente implica a ideia de extensão temporal linear. O que os "modelos estruturais sincrônicos", do tipo de Lévi-Strauss, exibem não é tempo sincrônico imóvel, presente simultaneamente em todas as suas partes e sim a recorrência diacrônica de eventos de intercâmbio estruturalmente idênticos, mas numérica e cronologicamente distintos, ou seja, sem mudança diacrônica.

O tempo "sincrônico", a respeito do qual Lévi-Strauss fala, é, de fato, convencionalmente linear e irreversível e, portanto, de forma alguma distinto do tempo "diacrônico". O contraste entre sincronia e diacronia, nos escritos de Lévi-Strauss, tem menos a ver com diferentes tipos de "tempo" do que com o contraste entre modelos e realidade, estrutura e eventos, essência e acidente. Todos podem, perfeitamente, ser inteligivelmente discutidos, sem invocar os conceitos de sincronia e diacronia e, menos ainda, sem necessidade da revisão de qualquer metafísica temporal ortodoxa. Um "modelo mecânico" mostra a "história" do desdobramento de uma determinada sequência de eventos (p. ex., a formação de alianças entre grupos), como ela é postulada por acordos institucionais manifestos ou velados de uma determinada sociedade. O resultado pode ser ordenado ou desordenado. Se for ordenado, um "modelo mecânico" pode, então, expressar este fato; se não, então um "modelo estatístico" pode revelar ordem em um nível probabilístico (p. ex., as regularidades no padrão estatístico de aliança demonstrada por Héritier (1981) entre os biami, ou Kelly (1977) entre os etoro). Em ambos os casos, o tempo não é abolido, nem o resultado é menos "diacrônico", por não incorporar os dados históricos reais (registrados ou potencialmente registráveis) relativos às operações relevantes como elas ocorrem em tempo real.

O tempo é tão inevitável nos modelos como o é na vida real; o que é diferente sobre os modelos é apenas a versão atenuada da realidade que eles fornecem, reduzida a seu núcleo lógico e relacional. Modelos podem ser manipulados de uma maneira que não é viável no caso da realidade. Contudo, um modelo manipulado que diverge dos fatos do mundo real a partir dos quais ele foi, em última análise, obtido, corresponde a um conjunto de proposições contrafactuais, que não se destinam a ser verdade exatamente como são, mas apenas a ser utilizadas para fins de raciocínio hipotético-dedutivo. O fato de os modelos proporcionarem uma versão abstrata e manipulável da realidade não significa que os cânones da lógica temporal, aplicáveis a eventos representados em modelos, sejam diferentes daqueles aplicáveis a eventos representados no modelo como eles ocorrem em tempo real ou histórico. Em particular, o tempo não se torna "imóvel" no contexto do modelo, se ele puder ser considerado como não "imóvel" em outros contextos.

O que parece ser sugerido quando chamamos o tempo de "imóvel" – e isso se aplica ao "tempo estrutural" imóvel dos nuer, assim como ao tempo sincrônico de Lévi-Strauss – é a impermeabilidade de algum processo ou forma institucional à mudança sistêmica. Um modelo mecânico cíclico de um processo prevê um conjunto finito de tipos de eventos identificáveis, que não são adicionados ou subtraídos, como resultado da ocorrência postulada de um evento ou de um subconjunto de eventos previstos no modelo. No tempo linear, uma sequência cíclica de eventos é repetitiva e sem ramificações. Esta característica, no entanto, não é 'atemporalidade'; tudo o que está envolvido é uma restrição rigorosa sobre a ordem e identificação dos tipos de eventos, que estão presentes no âmbito do modelo.

Por mais prejudicial que seja o resultado de qualquer tentativa séria de submeter a oposição de Lévi-Strauss entre sincronia e diacronia ao escrutínio lógico, eu não estaria fazendo justiça ao mais inspirador dos antropólogos modernos, se eu terminasse a discussão aqui. É necessário transmitir também uma ideia de como a oposição, que acabei de descrever, é realmente explorada, de maneira analítica, nos escritos de Lévi-Strauss, e a melhor forma de fazê-lo é resumindo parte de um de seus textos. Um bom exemplo é fornecido por sua discussão sobre a "luta interminável" entre sincronia e diacronia, manifestada entre os aborígines australianos, que pode ser encontrado na segunda metade do capítulo "Time regained" [Tempo recuperado], em *The Savage Mind* (1966) [A mente selvagem].

A "luta" decorre da natureza do "pensamento totêmico", que é o tema daquele livro, que se mostra propenso a classificar o ambiente natural e social por meio de uma série de "operadores totêmicos", uma grade combinatória de oposições que marcam diferenças, cuja metáfora básica é "a espécie". Por si só, essa propensão classificatória não tem nada a ver com o tempo, mas ela tem duas consequências que fazem: (1) um sistema de mitos de origem, que relaciona o mundo presente e tangível com uma época criativa ancestral, no passado; e (2) um sistema de ritual que coloca o mundo atual em linha com o passado mítico, reencenando-o periodicamente no aqui e agora.

Entre os aborígines australianos, que recapitulam por meio de rituais a época criativa, esta interação mútua dos seres-criadores ancestrais "numênicos" com seus congêneres "fenomenais" que ainda vivem é particularmente acentuada. Lévi-Strauss cita uma longa passagem de Strehlow (1947), que sugere que todas as atividades diárias dos aborígines, que vivem de forma tradicional, são tanto reinterpretações das atividades típicas do passado longínquo dos ancestrais, no tempo-de-sonho (o período numênico, mítico) e, ao mesmo tempo, contemporâneos com estes mesmos feitos dos ancestrais, na medida em que se acredita que os ancestrais *ainda* estão envolvidos, de forma invisível, nessas atividades em todos os locais sagrados relevantes especificados nos mitos. O passado totêmico e o mundo real se fundem, mas também são distintos um do outro, uma vez que a ordem fenomenal das coisas, a vida no tempo-não-de-sonho, é apenas uma pálida sombra do mundo "real" dos seres ancestrais do tempo-de-sonho.

> A história mítica, portanto, apresenta o paradoxo de estar tanto dissociada do presente quanto associada a ele. Está dissociada porque os antepassados originais eram de natureza diferente da dos homens contemporâneos: eram criadores e estes são imitadores. É associada porque nada vem acontecendo desde o aparecimento dos ancestrais, a não ser eventos cuja recorrência periodicamente apaga suas particularidades... a mente selvagem consegue superar essa dupla contradição [por meio de] um sistema coerente no qual a diacronia, até certo ponto dominada, colabora com a sincronia (LÉVI-STRAUSS, 1966: 236).

Segundo Lévi-Strauss essa contradição é superada por três tipos de *performances* rituais: (1) *Ritos históricos*, que recriam o passado de modo que ele se torna presente (passado → presente); (2) *Rituais de morte*, que recriam o presente de modo que ele seja parte integrante do passado (presente → passado); (3) *Ritos de controle*, que ajustam o periódico aumento/diminuição das espécies totêmicas, no aqui e agora, ao regime fixo de relacionamentos entre homens e espécies totêmicas estabelecidas no passado mítico (presente = passado). Assim, como Lévi-Strauss conclui em outro lugar, "o ritual é uma máquina para a destruição do tempo", embora tenhamos o direito de objetar que isso é uma hipérbole, já que não é o tempo que é destruído, mas seus efeitos.

Lévi-Strauss reconhece que a reconciliação entre a ordem "atemporal" das coisas, que são *sub specie aeternitatis*, e a confusa ordem das coisas no aqui e agora, é simplesmente algo que deve ser procurado, não algo que pode ser totalmente alcançado por meios rituais. Concluindo sua análise, ele sinaliza o importante papel dos *chirunga*, objetos totêmicos de pedra ou madeira esculpida que, quando produzidos em seus esconderijos nos locais sagrados, fornecem a prova física da interpenetração do tempo dedicado às coisas míticas e às coisas mundanas durante os rituais ali realizados. Esses objetos são considerados realmente contemporâneos com os seres ancestrais, vestígios palpáveis de sua presença na Terra em um determinado momento. Lévi-Strauss os compara aos nossos arquivos históricos, cujos conteúdos são normalmente publicados e que consistem de documentos cujo significado histórico deveria sobreviver até o presente, mesmo que os próprios documentos não o fizessem, mas que nós, ainda assim, zelosamente preservamos simplesmente porque *são* os documentos originais e, como tal, insubstituíveis.

Por que estamos interessados em preservar o original da Carta Magna, as notas rabiscadas por Elizabeth para Essex, a verdadeira cadeira amarela que Van Gogh supostamente pintou? Lévi-Strauss diz que esta é a única maneira de entrarmos em contato "sincronicamente" com *nossos* antepassados que, se não fosse por isso, só conheceríamos pelos livros de História, mas que, sem tais símbolos físicos, não conseguimos imaginar como sendo uma só carne conosco. Sem dúvida isto é verdade. Contudo, é preciso que também seja dito que a sensação de copresença com o passado que temos através da contemplação das relíquias históricas é uma ilusão. O original da Carta Magna, que está disponível para consulta em Canterbury, não é um fragmento do mundo de 1215 que foi, de alguma forma, deslocado no tempo e extraviado para o século XX. A Carta Magna é um objeto, presente no mundo de hoje, que tem uma história autenticada, incluindo eventos que tiveram lugar em 1215. Mas aqueles eventos e a Carta Magna de 1215 que participou deles se foram para sempre e a disponibilidade daquele mesmo pedaço de pergaminho, hoje presente, chamado de "Carta Magna", não vai trazê-los de volta, pois quaisquer eventos, dos quais *aquele* pedaço de pergaminho participou, serão eventos de hoje e não eventos de 1215. Em outras palavras, é um erro de categoria sequer atribuir datas a objetos; porque apenas eventos têm datas. Os objetos têm *histórias*, inclusive muitos eventos datados, e acreditamos que os objetos têm datas somente porque muitas vezes os identificamos associando-os a eventos que estiveram envolvidos em sua criação, eventos que, no caso da Carta Magna, ocorreram em 1215.

É preciso admitir que a ilusão de viagem no tempo gerada pela contemplação de objetos antigos é muito forte, mais forte talvez do que a mera lógica. Nada, contudo, vai permitir que a Carta Magna, uma vez que ela perdurou até hoje, jamais *volte* a 1215 e a ilusão *chirunga* é exatamente isto, ou seja, que ao manipular as pedras antigas e placas gravadas, suavizadas pelo uso prolongado, os operadores de rituais são fisicamente transportados para um reino temporal diferente, contemporâneo com a criação do *chirunga* e povoado por seus criadores, da mesma forma como nos sentimos quando entramos em uma catedral antiga e bem preservada.

Embora a ilusão seja convincente, ela permanece sendo uma ilusão. Não tenho qualquer desavença com a análise de Lévi-Strauss da manipulação do tempo, que está no coração de tantas cerimônias rituais descritas por etnógrafos. É necessário apenas retroceder naquele ponto em que a tentativa de interpretar a ação simbólica se degenera em uma tentativa precipitada de reescrever as leis da lógica ou da física, de modo a fazer com que as reivindicações dos rituais tornem-se "verdade", em algum sentido absoluto. Se essas leis, no entanto, não fossem como são, se o tempo e a história não fossem tão destrutivos de todos os esquemas ordenados aos quais nos agarramos, como obviamente são, não haveria nenhum sentido em realizar rituais. Acho que este ponto é aquele que Lévi-Strauss nunca perde de vista, de tal forma que ele nunca alega que a ordem "atemporal", evocada pelo mito e ritual dos aborígines australianos, seja um subuniverso culturalmente constituído por si próprio, com sua própria temporalidade distinta e culturalmente relativa. Em outras palavras, ele não é um relativista cultural, mas uma pessoa que, como ele diz, "observa de longe" – uma posição incompatível com o relativismo cultural.

Na verdade, em termos da teoria atual, o ponto fraco principal de Lévi-Strauss é justamente esse desprendimento olímpico e, em particular, sua recusa em considerar a "História" em igualdade com a "estrutura". Sahlins (1985) argumentou que devemos ver os eventos históricos "contingentes", até mesmo únicos, que Lévi-Strauss relega à diacronia, como sendo tanto o produto de esquemas culturais "sincrônicos" quanto eventos periódicos e previsíveis tais como repetições de alianças ou a realização de rituais de aumento. A atitude insatisfatória de Lévi-Strauss para com a História e a dicotomização entre sociedades "quentes" e "frias" – agora muito criticada – que a subjaz, derivam de suas confusões sobre sincronia e diacronia, mencionadas anteriormente. Pelo fato de ter a ilusão de que "o tempo de modelos" (tempo sincrônico) era, de alguma forma, essencialmente diferente do tempo "cronológico", no qual transpiram os eventos históricos, Lévi-Strauss assumiu uma atitude especialmente preconceituosa com relação à aplicabilidade da abordagem cultural/estrutural ao estudo das contingências da História. Depois de Sahlins, fica por demais evidente que, ao fazer isto, ele restringiu, indevida e gratuitamente, o âmbito da investigação antropológica. Liberado, agora, do leito procrusteano de sincronia *versus* diacronia, grande parte daquilo que originalmente pertenceu ao estruturalismo de Lévi-Strauss continua a existir, não como a teoria de finalidade especial sobre sociedades "frias", mas como um componente de uma "história antropológica" muito mais geral, aplicável a todas as sociedades.

4
Leach

Em 1961, Leach republicou dois pequenos ensaios, que vêm exercendo uma influência considerável no tratamento do tempo em antropologia social. Seguindo a sugestão de Durkheim e Van Gennep, Leach começa por sugerir que a palavra inglesa "tempo" tem muitos significados e nem todos eles pareceriam ter alguma coisa a ver uns com os outros na percepção de pessoas que falam outras linguas. Leach argumenta que essa heterogeneidade pode ser atribuída ao fato de haver duas "experiências básicas" de tempo, logicamente bastante distintas. Há (1) que certos fenômenos naturais se repetem e (2) que, para organismos individuais, as mudanças de vida são irreversíveis e a morte, inevitável. Ele prossegue dizendo que a estratégia invariável do pensamento religioso é tentar nos convencer de que o tipo de "tempo" no qual vivemos é mais parecido com o que foi sugerido em (1) e não com o que foi sugerido em (2). Somos imortais porque o tempo se repete.

> Um dos artifícios mais comuns... é afirmar que a morte e o nascimento são a mesma coisa, que o nascimento segue a morte, assim como a morte segue o nascimento. Isto parece equivaler a negar o segundo aspecto do tempo, equiparando-o com o primeiro.
>
> Eu iria mais longe. Parece-me que, se não fosse pela religião, não deveríamos sequer tentar incluir os dois aspectos do tempo sob uma única categoria. Eventos repetitivos e eventos não repetitivos não são, afinal, logicamente o mesmo. Nós os tratamos como aspectos de "uma coisa", *o tempo*, não porque seja racional fazer isso, mas em virtude do preconceito religioso. A ideia de Tempo, como a ideia de Deus, é uma daquelas categorias que achamos necessárias porque somos animais sociais e não em virtude de qualquer coisa empírica em nossa experiência objetiva do mundo (LEACH, 1961: 125).

Mesmo fazendo ajustes ao estilo habitualmente assertivo de Leach, estamos sendo convidados a aceitar, mais ou menos em confiança, algumas declarações muito amplas e aparentemente paradoxais. Pode ser realmente possível que não haja nada minimamente "empírico" a respeito da experiência do tempo e que se trate apenas de um persistente preconceito religioso, que nos convence, ou a outras pessoas, do contrário? E qual é a "diferença lógica", aparentemente autoevidente, entre eventos repetitivos e eventos não repetitivos?

Sem parar para oferecer quaisquer outras razões para que aceitemos essas premissas iniciais particularmente fortes, Leach prossegue para fazer sua principal reivindicação. Povos primitivos, até e inclusive os antigos gregos, consideram o tempo como uma oscilação simples e descontínua entre "opostos". O "processo do tempo", diz ele, é vivenciado como "uma repetição de inversões repetidas, uma sequência de oscilações entre polos opostos: noite e dia, inverno e verão, seca e enchente, velhice e juventude, vida e morte. Em tal esquema o passado não tem 'profundidade', todo o passado é igualmente passado, é simplesmente o oposto do agora" (LEACH, 1961: 126).

Este tempo nivelado não é nem mesmo cíclico, ele simplesmente se alterna. O fluxo do tempo é semelhante ao fluxo de corrente num circuito elétrico AC. Leach se esforça para enfatizar a natureza não cíclica do tempo que se alterna, insistindo que o tempo "como um aspecto do movimento em um círculo" é uma metáfora geométrica estranha ao pensamento das "comunidades não sofisticadas" onde as imagens de uma natureza mais doméstica são selecionadas a fim de capturar a passagem fugaz do tempo; comer e vomitar, o dar e receber de noivas em casamento, ou a sequência alternada das tarefas agrícolas.

Leach desenvolve sua concepção a partir de dois exemplos. No primeiro de seus ensaios, "Cronos e Chronos", ele examina os detalhes mitológicos que cercam Cronos, o pai (e vítima) de Zeus que, segundo Aristóteles, era uma representação de Chronos, "tempo eterno". Não há qualquer relação etimológica real entre o nome "Cronos" e a palavra usada para tempo "Chronos", portanto todo esse exercício pode descansar sobre a base, um tanto duvidosa, de um trocadilho acadêmico, colocando muito mais à frente o tempo em que os gregos poderiam ter sido chamados de "não sofisticados" em suas crenças cosmológicas. Apesar disso Leach não tem qualquer dificuldade em demonstrar uma sequência impressionante de inversões no mito de Cronos: Cronos nasce da separação do Céu e da Terra; ele gera filhos em sua irmã Reia, mas os engole (exceto Zeus). Mais tarde, vomita os filhos engolidos, que se tornam os deuses Hades, Hestia, Poseidon, Hera, Deméter etc. Eventualmente, Zeus destrona seu pai e o castra. A análise de Leach do mito carrega uma boa dose de convicção, na medida em que mostra a prevalência dos motivos de "inversão" na cosmogonia grega. No entanto, o mesmo pode ser dito de muitos outros mitos gregos além deste e a parte do argumento de Leach que liga o mito Cronos especificamente à expressão de um conceito distinto da temporalidade é demonstrada de forma muito menos convincente.

A análise do mito de Chronus abre o caminho para o segundo dos dois ensaios, no qual ele exemplifica "tempo que se alterna" no contexto de ritual e não no de mito (p. 132-136). Nesse ensaio, intitulado "Time and False Noses" [Tempo e narizes falsos], Leach propõe um modelo de "fluxo geral de tempo" na sociedade primitiva, baseado em uma combinação da ideia de tempo repetitivo, já introduzida, e do conhecido modelo de três estágios de "ritos de passagem", concebido por Van Gennep. Ele sugere que há uma distinção básica entre o tempo secular ou "profano", quando o tempo avança, e o tempo "sagrado", ou seja, o tempo de rituais de restauração do mundo, quando o tempo retrocede, a fim de devolver-nos para o início de tudo. O tempo sagrado tem uma estrutura que deriva do modelo de rituais de iniciação, de Van Gennep, eles próprios mais frequentemente considerados como rituais de "renascimento". As três fases do tempo sagrado começam com sacralização, que é a "morte" do indivíduo profano e sua remoção para um plano moral mais elevado. Depois, segue-se uma fase anômala de "marginalidade" ("o tempo social ordinário parou" (p. 134)), que chega ao fim com o "renascimento" do indivíduo no mundo profano. Leach observa que é comum, no ritual, marcar cada uma dessas três fases com comportamento incomum. Os três isolados por ele são (1) formalidade, ou seja, comportamento lento e medido, forte estresse sob estado social diferenciado, etiqueta etc.; (2) disfarce ou simulação, ou seja, fantasias, identidade disfarçada, quebrando regras de etiqueta social normal e (3) inversão de papéis que é, de certa forma, a união de (1) e (2), em que todos têm de se comportar de uma forma oposta ao normal, por exemplo, cometendo um sacrilégio obrigatório, lesa-majestade, travestismo etc. Leach afirma que a formalidade combina com a fase de "sacralização" do tempo sagrado, a simulação com a "dessacralização" e a inversão de papéis com o período anômalo entre os dois, quando o tempo está retrocedendo. Isso explica o papel do comportamento de trás para frente: "o tempo sagrado passa em sentido inverso, a morte é convertida em nascimento" (p. 136).

Esta é uma ideia brilhante, para a qual a documentação etnográfica pode ser facilmente produzida, embora não se possa dizer que Leach o faça. Discutirei, em breve, um exemplo relevante, que é fornecido pelo ritual umeda "ida" (GELL, 1975), embora, como se verá, eu já não creio, como o fiz em um determinado momento, que tais "inversões de rituais" sejam realmente evidências da presença de noções de um tempo que retrocede na mente de qualquer pessoa, a não ser na do antropólogo. Antes de voltar a este material, contudo, é conveniente lidar com as acusações feitas contra o "tempo que se alterna" de Leach por um antropólogo, que compartilha sua lealdade a um ponto de vista normalmente durkheimiano.

O antropólogo em questão é Robert Barnes (que não deve ser confundido com John Barnes, crítico de Lévi-Strauss, mencionado anteriormente). Barnes (1974), no curso de uma discussão de representações coletivas de tempo entre os kédang, do leste da Indonésia, discorda especificamente da afirmação de Leach de que o tempo "cíclico" é uma noção moderna e de que o tempo primitivo se alterna. Barnes diz que a imagem geométrica de um círculo não é uma propriedade essencial ou característica diagnóstica de noções "cíclicas" do tempo. Falando de ciclo anual, ele observa que tudo o que é necessário é que as fases de um processo sejam simultaneamente distintas umas das outras e identificadas com as fases equivalentes do mesmo processo em ciclos anteriores e subsequentes. "O tempo, como é representado entre os kédang", diz ele, "é orientado, irreversível, e repetitivo" (p. 198). Ele confirma suas críticas à visão de Leach de que a época primitiva é alternada e não cíclica, ao mostrar como os kédang esforçam-se muito para garantir que o círculo de vida e morte *não* se inverte. A grande preocupação dos kédang é garantir que os mortos *não* voltam e grande parte da atividade ritual está direcionada para assegurar que os mortos permaneçam seguramente mortos. Em outras palavras, embora possa ser verdade que, no que se refere a rituais, algumas sociedades podem representar processos que ocorrem no sentido inverso (p. ex., os umedas, descritos no capítulo 5), esta é uma questão completamente distinta da propensão muito mais generalizada que temos para reconhecer um elemento de repetitividade nos eventos naturais e sociais que ocorrem a nosso redor. Formar representações coletivas destas regularidades observáveis não é uma atividade limitada a sociedades primitivas ou a contextos de rituais. Barnes está certamente correto ao argumentar que a forma típica tomada por representações coletivas do "tempo", nas sociedades pré-tecnológicas não é uma alternância em zigue-zague e sim cíclica, em seu sentido não geométrico (ou seja, periódico). Ele diz que os kédang têm uma visão "holística" (cíclica) do tempo, que veem o tempo sinopticamente, de uma só vez, não como um fluxo interminável que se perde num passado ilimitado e num futuro que está além de seu alcance. Assim, ele concorda com Leach em manter a tese geral durkheimiana da determinação social das representações coletivas do tempo, mas ele não concorda com Leach quanto às propriedades formais das concepções "primitivas" do tempo. Para Barnes, o elemento definidor da temporalidade primitiva é a repetitividade não cumulativa, em vez de uma alternância que vai e vem.

Na verdade, o tempo rotativo que Leach se esforça tanto para contrastar com o tempo cíclico seria corretamente descrito como "cíclico", em termos da topologia do tempo, ao passo que o tempo cíclico, assim chamado por Barnes, não é, de forma alguma, cíclico, e sim linear (embora contendo sequências repetidas de eventos). Deixem-me tentar esclarecer isso um pouco mais. É concebível que o tempo deveria ser cíclico e que os momentos no tempo deveriam se repetir. Mas se a topologia do tempo assumisse esta forma, nunca seria possível distinguir a ocorrência de um evento e, a partir da recorrência do mesmo evento e, na próxima rodada do ciclo. Não teríamos "um outro verão" vindo novamente, ou seja, um outro *símbolo* do *tipo* de eventos que chamamos "verões", mas simplesmente "verão", e ponto final. Haveria apenas um verão porque o evento "verão" ocorreria apenas uma vez em todo o tempo – haveria apenas somente um símbolo, assim como somente *um tipo*. Leach, em seus momentos mais radicais, parece estar argumentando exatamente na direção dessa concepção do tempo, quando afirma, por exemplo, que o tempo era "sem profundidade" para os gregos antigos. Esse tipo de tempo, no entanto, tem de ser representado como um círculo (ou algum tipo de laço), porque caso contrário não há outra maneira de representar a ideia de que o tempo consiste em um movimento a partir de A (o nascimento, p. ex.) para B (a morte) e *de volta novamente*, porque uma representação puramente linear A ↔ B não pode indicar que estes são dois movimentos separados, um da vida para a morte (A → B) e outro da morte para a vida (B → A). A propriedade lógica de ciclicidade está embutida no conceito de tempo que se alterna, qualquer que seja a sua materialização geométrica ou metafórica.

Não há, contudo, qualquer motivo para pensar que o tempo rotativo/cíclico é, na verdade, o que Leach tem em mente, mesmo admitindo-se que esta não é uma ideia logicamente incoerente em si mesma (NEWTON-SMITH, 1980). Para Leach é bastante claro que a lógica subjacente ao "tempo rotativo" é a noção religiosa do eterno retorno e, em particular, o conforto "psicológico" que as pessas obtêm da ideia de que elas morrem apenas para nascer e viver de novo. É a propriedade de "recorrência" dos "eventos repetidos" que é importante do ponto vista de Leach, embora essa seria exatamente a propriedade que os eventos *não* teriam se o tempo fosse topologicamente cíclico ou "rotativo", no sentido que Leach dá à palavra. A recorrência de eventos, em oposição a sua ocorrência simples, pressupõe que sinais de eventos repetidos, de qualquer tipo, possam ser temporalmente indexados. Eventos repetidos formam uma série ordenada; a ocorrência do evento e, seguida no tempo por sua primeira recorrência como evento e^1, seguida por sua segunda recidiva como evento e'', seguida por sua terceira como evento e''' e assim por diante, infinitamente, ou até que o ciclo seja concluído pela última vez. Indexar os eventos como as 1ª, 2ª, 3ª, enésima recorrências (sinais) de um determinado tipo de evento exige a introdução de uma dimensão de tempo linear, ao longo do qual os sinais recorrentes do evento do tipo e podem ser organizados. O conforto psicológico proporcionado pela doutrina religiosa da recorrência, ou a metaforização da vida humana – realmente uma progressão linear do nascimento à morte – "como se" fosse uma oscilação do tipo dia/noite/dia/noite etc. – depende crucialmente da propriedade de "recorrência" dos sinais de eventos repetitivos que, por sua vez, depende crucialmente da indexicalidade de eventos espalhados ao longo de um eixo de tempo linear.

Em suma, para Leach inferir o que ele deseja inferir sobre as metáforas que servem de base ao pensamento religioso, isto é, que elas fazem com que eventos não recorrentes (como o nascimento e a eventos da vida de indivíduos) pareçam eventos recorrentes (sucessivos amanheceres e entardeceres) ele precisa presumir um eixo de tempo linear, porque é apenas com relação a um eixo de tempo linear assim que poderíamos dizer que qualquer evento pode se "repetir".

Mas como é que estas considerações se aplicam a Barnes (1974)? Estou inteiramente de acordo com as suas críticas contra o tempo "rotativo" de Leach. Fora do contexto ritual, que será discutido mais tarde, não conheço nenhuma evidência de que quaisquer representações coletivas do tempo envolvam a ideia de retornar ao *status quo ante*, invertendo a sequência de eventos ou "invertendo tempo". Estou igualmente de acordo com a sua alegação de que os kédang são típicos no sentido de que têm representações coletivas de periodicidades socialmente estabelecidas (as estações, o ciclo de vida humana etc.), e que eles se orientam no tempo com referência a estas periodicidades socialmente estabelecidas. Onde eu deixaria de concordar com ele, no entanto, seria na pressuposição de que a posse de uma tal variedade de representações coletivas equivale a ter uma noção de tempo "cíclico" diferente (distinto de nosso próprio tempo linear progressivo). Leach não produz qualquer evidência para mostrar que os kédang falam sobre o tempo propriamente dito de uma maneira pouco comum ou específica. O que realmente parece ocorrer é que os kédang, como grande parte do resto da humanidade, geram seus negócios, por meio de um conjunto de representações coletivas de processos sociais e naturais que são caracteristicamente estabelecidos, de uma extensão duracional limitada e (relativamente) imune à mudança. Os kédang, como descritos por Barnes, são um povo conservador que não imaginam que jamais vão encontrar tipos de eventos radicalmente novos, apenas sinais de tipos de eventos recorrentes que lhes são familiares e ocorrem de acordo com periodicidades bem conhecidas. As representações coletivas do "tempo" não são representações da topologia da dimensão-tempo, e sim representações daquilo que ocorre caracteristicamente no mundo temporal, i.e., a realização periódica de sequências de eventos esperadas. A única "forma" de tempo que irá acomodar essas representações coletivas, essas expectativas padronizadas, é o tempo linear-progressivo, que não é distinto, em seu esboço lógico, das formas temporais que subjazem nossas próprias representações coletivas pertencentes ao tempo. A distinção relevante não reside entre "conceitos de tempo" diferentes e sim entre concepções diferentes do mundo e como elas operam. Os kédang não acreditam que o mundo muda muito ou de maneiras muito importantes, em contraste conosco, que talvez estejamos inclinados a acreditar que o mundo muda constantemente e de formas que têm grande importância. Mas é igualmente essencial, tanto para a crença de que "o mundo continua sempre sendo o mesmo" quanto para a crença contrária de que "o mundo continua sempre ficando diferente", que acreditemos que o mundo continua sempre.

5

A inversão do tempo no ritual umeda

Tendo em mente as críticas que Barnes faz da fusão de tempo cíciclo e tempo inversivo proposta por Leach, quero agora introduzir um exemplo mais amplo a fim de dar alguma ideia da maneira como uma análise da manipulação ritual do tempo no contexto de ritual segundo Durkheim e Leach realmente funciona. O exemplo que irei discutir é o ritual *ida* dos umeda sobre o qual já publiquei uma monografia analítica que se enquadra diretamente nessa tradição (GELL, 1975). Como assumi a tarefa de criticar meus antecessores durkheimianos, mentores e contemporâneos, não posso exatamente abrir uma exceção para mim mesmo. Portanto farei um resumo da parte relevante de minha análise sem tentar atenuar suas falhas.

Os umeda, que são mais ou menos 400 pessoas, ocupam uma faixa extensa de território fragmentado, infértil e coberto de florestas densas na fronteira entre a Papua Nova Guiné e o Irian Ocidental. Vivem em densidades muito baixas e são demograficamente marginais, subsistindo de sagu, brotos de bambu, folhas da floresta e a produção de suas hortas pequenas e maltratadas. A pouca carne que consomem (muito pouco) é caçada na floresta e peixes pequenos são tirados dos rios. Estão subnutridos e sofrem de várias doenças. Não tendo porcos, nem conchas, nem Homens Grandes eles se parecem com os caçadores-coletores mais do que com as sociedades das áreas montanhosas e costeiras da Nova Guiné, que são mais típicas e mais prósperas. Sua aldeia, uma série de pequenos vilarejos que só são visíveis a distância graças aos topos ondulantes dos coqueiros lá plantados, é o foco de sua atividade de lazer e ritual, mas na maior parte do tempo suas vidas cotidianas são passadas na floresta vasta e um tanto sombria. Aqui eles ganham a vida com dificuldade em acampamentos na mata, perpetuamente à mercê dos perigos muito reais das doenças, dos ferimentos e da violência, bem assim como dos perigos místicos, não menos relevantes a seus olhos, apresentados pelos feiticeiros e espíritos maus.

A aldeia, com seus coqueiros ancestrais, é o ponto central em torno do qual revolvem, como luas, as unidades produtivas familiares nucleares, e ali eles se reunem *en masse* para a realização anual da *ida*, que é o foco temporal do ano umeda exatamente como a aldeia é o foco espacial no território umeda. Apesar da natureza dispersa e fragmentária de sua existência cotidiana, ou talvez por esse mesmo motivo, os umedas estão particularmente preocupados em criar ordem e um padrão em sua sociedade e isso é obtido por meio da coordeanação ritual via o ritual *ida*.

O ritual da *ida* fornece a ordenação temporal da existência umeda, porque não é exagero dizer que a atividade produtiva de um ano inteiro (processamento do sagu, a caça, a pesca, a jardinagem, fabricação de artefatos etc.) é orientada para o acúmulo de excedentes contra o tempo ritual. O fato de esses excedentes não serem muito expressivos, nem o ritual um evento muito prolongado (no máximo quinze dias e apenas quatro dias de danças), não importa; é a ideia de trabalhar durante todo o ano com uma meta temporal definida em mente que é significativa. O ciclo anual dos Umeda é representado na Figura 5.1.

A Figura 5.1 pode servir como uma representação do esquema dos tipos de evento repetitivos internalizados pelos umedas, mas, é claro, nenhum umeda jamais me sugeriu que o tempo era circular, e tampouco jamais descobri um "conceito" de tempo umeda nesse sentido. Incidentalmente, os umedas consideram que o cosmos como um todo, e não apenas o ciclo anual, é repetitivo. A crença, ou mais precisamente o medo, é que eventualmente um cataclisma irá ocorrer que irá destruir o mundo completamente. As águas dos rios irão subir e simultaneamente o céu irá cair, esmagando e matando todos os seres viventes. Mais tarde, a água irá baixar outra vez e o céu voltará a sua posição normal e os cadáveres dos umedas ficarão por ali apodrecendo. Quando os corpos apodrecerem completamente, e só os ossos sem carne alguma restarem, então as plantas, os animais e os seres humanos irão reviver e o mundo será criado uma vez mais desde o início, apenas para passar exatamente pelo mesmo ciclo outra vez – uma noção de recorrência cósmica que sugere uma comparação imediata com aquela sustentada pelos filósofos estoicos, embora os umedas evitem produzir inferências comparáveis com relação à identidade transcíclica de indivíduos viventes e de eventos específicos.

O ritual *ida*, que é realizado duas vezes, consiste no aparecimento de uma série de dançarinos mascarados e pintados ao longo de uma noite e dois dias de dança. O ritual tem obviamente o objetivo de aumentar a oferta de sagu, embora seja claro que a "regeneração" da população humana, e não seu recurso alimentar básico, é o tema subjacente ao drama.

Figura 5.1 O ciclo anual umeda

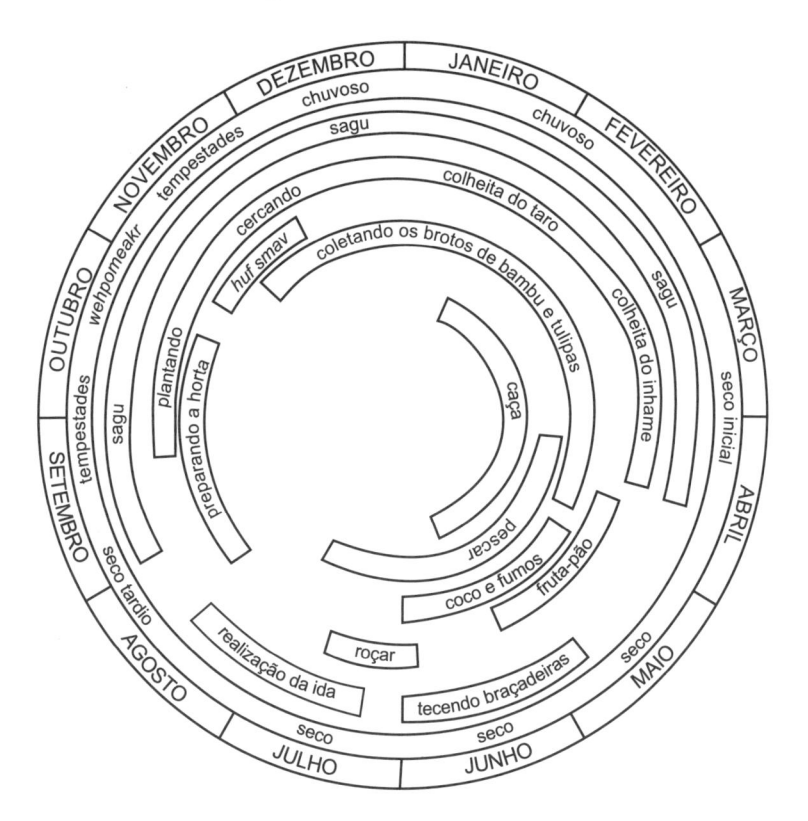

A melhor forma de abordar o significado do ritual é estudar os atributos dos dançarinos mascarados indicados na Tabela 5.1. Os dançarinos aparecem em uma sequência fixa, começando com o papel mais sênior, os dançarinos casuar, e concluindo com o surgimento dos arqueiros vermelhos (*ipele*) que são "homens novos", que foram produzidos pelo próprio ritual. Entre os casuares e os arqueiros vermelhos, que são os dois polos extremos, aparece uma série de figuras cujos atributos são intermediários entre os dois. O ritual como um todo pode, portanto, ser tratado como a mediação da relação antitética entre o casuar e os arqueiros vermelhos.

Tabela 5.1 Tabela sinótica do ritual ida

Papel ritual	Momento da apresentação	Idade-*status* do dançarino	Pintura corporal
Casuares (2 dançarinos)	Noite (os primeiros dançarinos a se apresentarem	Homem mais velho (casado, com filhos)	Negra "pele velha" associada com pintura de guerra, carne defumada e cadáveres
Sagu (2 dançarinos)	Amanhecer (transição entre a noite e o dia)	Bastante sênior	Listras de preto e vermelho
Lenha (2 dançarinos)	Após os dançarinos do sagu	Homens jovens	Listras semelhantes às dos dançarinos sagu, mas menos pretas
Peixes (muitos dançarinos)	Primeiros peixes (madrugada) são homens mais velhos, durante a dança principal durante o dia, homens jovens	Homens mais velhos seguidos de homens jovens	Inicialmente preta (homens mais velhos) seguidas por desenhos policromáticos representando marcas de animais e peixes, tronco de árvore, insetos etc.
Peixes neófitos	Durante o dia	adolescentes	Pintura toda vermelha (nascimento: pele "nova")
Térmites (muitos)	Tarde e noite	Homens sêniores	Desenhos policromáticos complexos
Preceptor (2 dançarinos)	Pôr do sol (com os arqueiros vermelhos)	Homens idosos	Nenhuma

Pênis	Máscara	Dança	Atributos míticos
Cuia grande Sexualmente ativo	Grande, florescente com uma franja grande, ramos, frutas	Selvagem	Associada com a floresta, o mato, os afins, *status* sênior, autonomia social
Cuia grande Sexualmente ativo	Mesma que a do casuar	Selvagem	Associada com a "morte" de substâncias naturais produzidas pelo fogo, e sua regeneração como coisas culturais (mato → horta, sagu cru → sagu cozido, doce de sagu)
Cuia grande	Semelhante à máscara do casuar, mas com uma vara central alta	Selvagem	Associada com o fogo, a culinária, o apodrecimento das árvores e sua substituição.
Cuia grande	Máscara cumprida feita de fibra de coco. "Novo crescimento"	Dança de saltos em fila única, estilo "guerreiro"	Associada com a reprodução. Acreditam que sonhar com peixes indica concepção de filhos. Filhos identificados ritualmente com peixes, especialmente os peixes vermelhos
Cuia pequena Comedimento sexual	Mesmo que os peixes	Um circuito: modo de andar arrastando os pés	Jovenzinhos sendo iniciados
Cuia pequena Comedimento sexual	Versão em miniatura da máscara de casuar	Dança comedida acompanhada pelas crianças	Associada com reprodução excessiva. Debilitação dos homens como resultado de ter filhos
Nenhuma cuia (impotente)	Nenhuma	Um circuito comedido	Papel secular, como mulheres e crianças

A Tabela 5.1 exige alguma explicação, para se tornar inteligível. A coluna cujo título é "momento da apresentação é bastante clara; o momento no ciclo dia/noite da apresentação de um dançarino em um papel específico do ritual e os outros papéis rituais no *ida* e (2) o relacionamento temporal entre o papel ritual e os vários fenômenos cíclicos (principalmente o ciclo de vida humana) que são metaforicamente evocados pelos vários atributos dos dançarinos. Assim o casuar vem antes de todos os outros dançarinos e também durante a noite, evocando simbolicamente os poderes da noite (violência, sexualidade, remoção das restrições sociais normais) e a "noite" do ciclo de vida humana que corresponde a meia-idade, socialmente madura. O dançarino do sagu vem depois do casuar (noite) e antes do peixe (dia) ao amanhecer, o período de transições. As associações simbólicas do dançarino sagu são com as transições mediadas pelo fogo – a culinária, a criação de hortas queimando a floresta – e com experiências marginais (dor e orgasmo) – os dançarinos precisam saltar sobre o fogo e a seguir, antes de saírem de cena, mergulhar as mãos na gelatina de sagu quase fervendo, jogando-a para cima, uma ação explicitamente associada com a ejaculação do sêmem.

O peixe domina a manhã, os dançarinos térmites "debilitados" (que representam homens reprodutivos) dominam a tarde, até que ambos são obscurecidos pelos arqueiros vermelhos, cuja chegada finaliza o ritual e também abre caminho para uma nova apresentação, já que os arqueiros vermelhos também são "filhotes de casuar" e a noite vem depois do pôr do sol. As referências temporais contidas nos papéis rituais são reforçadas pelas restrições da categoria etária dos dançarinos elegíveis para desempenhar papéis específicos.

A maneira como a pintura corporal se relaciona com o tempo exige alguns comentários mais detalhados. O sistema do ritual umeda usa a cor para codificar a idade com base em duas analogias importantes copiadas da natureza. A mais importante delas é a pele e o cabelo humano. Os bebês melanésios nascem com a pele de um dourado avermelhado que vai escurecendo progressivamente e enquanto criancinhas eles também têm o cabelo acobreado e esse gradativamente vai ficando preto. A mesma transição vermelho → preto também é observada no desenvolvimento das plantas, e a cor muda principalmente nas espatas das palmeiras (uma matéria-prima importante na tecnologia umeda; GELL 1975: 315ss.). O casuar é a quintessência da cor preta, tanto no ritual quanto na natureza. Aqui a cor preta representa a maturidade e a autonomia social; o casuar é antissocial. E realmente é verdade que à medida que os umedas envelhecem eles se tornam cada vez mais parecidos com os casuares, vivendo de uma maneira independente com suas esposas e filhos no mato fechado. É para contrabalançar essa tendência que a sociedade umeda tem de se dissolver em suas partes constituintes, e de retornar à natureza, que o ritual *ida* é montado, já que somente estabelecendo sua hegemonia cultural e social sobre o mundo selvagem é que a sociedade umeda pode se perpetuar. A cor preta é admirada, em uma maneira negativa, como a cor associada com a guerra, com espíritos ancestrais e sobretudo com a liberdade desimpedida da floresta, longe da sociedade e do homem. Os umedas admiram a figura do casuar sem lhe conferir uma aprovação moral. Desempenhar o papel de casuar é o grande evento, que ocorre apenas uma vez na biografia de um homem, porque é somente nesse disfarce ritualístico que ele pode ser, ou pelo menos fingir ser, absolutamente livre.

Examinando a parte inferior da coluna de "pintura corporal", podemos ver que nenhum outro ator no drama alcança a "negritude" até o ponto em que os casuares a alcançam. Na verdade, à medida que o ritual continua, as proporções da cor preta com relação à cor vermelha na pintura corporal dos atores principais vai diminuindo gradativamente, à exceção das linhas decorativas na cor preta. Aqui a questão geral que se deve ter em mente é que a progressão da pintura corporal no ritual *ida* vai de preto para vermelho, da velhice para a juventude.

Da mesma forma que as cores usadas na pintura corporal codificam referências ao ciclo de vida, o mesmo pode ser dito das máscaras, embora somente as linhas mais gerais desse sistema possam ser indicadas aqui. A Figura 5.2 mostra os penteados tradicionais relacionados com as faixas etárias e com o objetivo de comparação, vários tipos de máscaras.

A máscara do casuar coresponde ao penteado denso dos homens mais velhos. Isso contrasta com a coluna alta de cabelo fortemente atado no alto da cabeça adotada pelos homens mais jovens em momentos tradicionais. Em termos de máscaras, a analogia com esse penteado é a grande máscara de peixe. A máscara das térmites é uma versão em miniatura da máscara do casuar e a máscara do arqueiro vermelho é uma versão em mimiatura da máscara do peixe. Todas essas máscaras formam um conjunto de transformação, como ilustrado na Figura 5.2. As fases do ciclo vital masculino são expressadas pela sequência de máscaras: (1) arqueiro vermelho (caça competitiva, fato de ser solteiro, ascetismo) → (2) máscara de peixe (exibição sexual) → (3) máscara do casuar (sexualidade eflorescente) → (4) máscara da térmite (reprodutividade, domesticidade) → (5) preceptor (nenhuma máscara, primeira infância/velhice).

Os estilos de dança adotados por cada papel ritual reforçam ainda mais esses pontos sobre os estágios do ciclo vital. O casuar, como é compatível com o homem maduro "autônomo", dança de uma maneira selvagem e desestruturada. À medida que o ritual continua a dança fica cada vez mais controlada e menos prolongada até que no final os arqueiros vermelhos emergem unicamente para dar uma volta galopante, quase furtiva, na arena, antes de lançar suas flechas e sair apressadamente. A impressão de uma supressão cada vez maior da espontaneidade em benefício da hegemonia do social é vividamente transmitida por esses meios (GELL, 1985a).

Figura 5.2 Penteados e máscaras dos umeda

a penteados

b máscaras

A interpretação geral do ritual *ida* que propus em *Metamorphosis of the Cassowaries* [A metamorfose dos casuares] foi que o ritual representa um processo de regeneração biossocial. Os umedas têm toda a razão em se preocupar em manter sua frágil sociedade viável; e todos os anos eles encenam uma representação esplêndida cujo objetivo é a provisão de algum grau de garantia coletiva de que eles realmente podem fazê-lo, com a condição de que se apeguem firmemente aos princípios que subjazem sua ordem social, mantendo à distância a natureza que os invade cada vez mais, ou, melhor ainda, se apropriando antecipadamente da natureza por meios culturais. Os casuares são os Senhores do Desgoverno, representando o homem em sua aparência "natural", fértil, mas desordenado, livre, mas antissocial. O cenário do ritual é a subjugação dessa espontaneidade natural, que, só ela, pode garantir a perturbação da sociedade umeda, mas que, ao mesmo tempo, ameaça sua própria essência. Após a dança noturna orgiástica dos casuares com a qual o ritual tem início, esse processo de regeneração é colocado em movimento, por sua substituição, ao amanhecer, pelos dançarinos-sagu. Esses são "cozinhados" sobre o fogo, e o sagu cru é cozido até se tornar uma gelatina de sagu, e imediatamente após o ritual do mergulho da mão mencionado anteriormente, uma transição climática ocorre. Após um intervalo (os dançarinos da lenha, que são importantes principalmente em virtude de suas máscaras, que são um intermediário entre o tipo do casuar e o tipo do peixe) chegam os próprios peixes. A presença deles, que têm o maior número de dançarinos, indica a impregnação das mulheres; pois os umeda acreditam que se uma mulher sonha com um peixe isso significa que ela irá engravidar, e os peixes são associados com reprodução e com filhos também de outras maneiras. Então, de tarde, as crianças de verdade aparecem na arena, seguindo os dançarinos térmites, agora já bastante debilitados. Finalmente o ritual produz "homens novos" na forma dos arqueiros vermelhos, caçadores cujas flechas, potencializadas pela abstinência sexual de seus usuários, mata os casuares e impregna a mata para o ano seguinte. Mas esses arqueiros também são casuares embrionários, já que suas listras imitam as listras dos filhotes de casuar:

> Na próxima apresentação da *ida*, os filhotes de casuares terão se transformado nos casuares... o vermelho terá se tornado preto. E o "preto" dos sem pintura (os preceptores) terá se transformado no vermelho das crianças sem pintura, a vermelhidão dos neófitos. Assim a circularidade se renova, a dialética do Preto e do Vermelho. A luta heracliteana das gerações sênior e júnior, entre autonomia e repressão, espontaneidade e ordem, natureza e cultura, não deixará nunca de ter esses participantes apenas para desenvolver de tal maneira que se renove indefinidamente (p. 346).

Isso deve ser suficiente como explicação da *ida*. A questão a ser trabalhada agora é a maneira pela qual é possível dizer que a ida atinge seu efeito, como ritual, pela manipulação do tempo. A *ida* inverte o tempo? O relacionamento padronizado entre as faixas etárias (como implicado pelo *status* dos dançarinos) e o simbolismo de seus atributos (máscara com relação ao penteado) que esboçamos a seguir sugere que sim:

Categoria etária	jovens →	jovens adultos →	Homens mais velhos casados
Penteado	Curto/ → controlado	Longo/ → controlado	Longo/descontrolado
Máscara derivativa	Arqueiros vermelhos ←	peixes ←	casuares

Isto é, as figuras do ritual aparecem na ordem inversa àquela que é atingida pelas faixas etárias correspondentes na vida real. A cor preta precede a vermelha, a velhice precede a juventude.

Mas será que isso é realmente "inversão" no sentido que seria necessário para sustentar o argumento de Leach discutido anteriormente, segundo o qual, nas sociedades primitivas, o tempo é "invertido" ritualmente durante um período sagrado liminar, de forma a começar uma vez mais subsequentemente? Não necessariamente. O casuar é sênior e vem primeiro, o arqueiro vermelho é júnior e vem por último; não há qualquer inversão aqui porque essa é a ordem normal das coisas. O sênior naturalmente tem precedência no tempo sobre o júnior.

Mas se examinarmos o processo do ritual como um todo, é claro que a oposição, ela própria total, entre os casuares e os arqueiros vermelhos vai sendo atravessada pouco a pouco, de tal forma que há uma transição suave entre eles. Cada uma das figuras mais importantes que surgem representa um afastamento progressivamente mais marcante do extremo do espectro do "casuar" e uma aproximação progressiva do extremo de espectro do "arqueiro". Parece que a demonstração da continuidade subjacente entre o casuar e o arqueiro, apesar de seus estereótipos aparentemente irreconciliáveis, é um dos objetivos mais profundos do ritual. E psicologicamente isto é convincente, pois se nos voltarmos do ritual para a vida real, é evidente que não há nenhum *paterfamilias* umeda que vá tão longe em termos de individualismo e de autonomia como a do casuar, de tal forma que não dê nenhuma importância aos valores da caça, do ascetismo e da auto-ornamentação praticados pelos solteiros; e tampouco existe um homem solteiro, por mais cuidadoso que seja em seu comportamento, que não se deixe levar pela sua natureza semelhante à de um casuar.

Portanto, casuar e arqueiro são realmente a mesma coisa no sentido de serem aspectos de uma persona umeda, solteira, masculina e multifacetada. Essa imagem com as duas faces de Janus de masculinidade idealizada é "alternada" ante os espectadores encantados no *ida*, mas em uma direção que é o inverso daquela exibida por essas facetas da personalidade masculina durante o desenvolvimento do ciclo vital.

Tendo estabelecido este ponto, argumento que é possível ver o ritual *ida* como uma representação ritual de fases do ciclo vital que ocorrem em "tempo invertido (simbólico)", como na Figura 5.3 e a explicação que a acompanha.

> Distinguem-se aqui três tipos de tempo: a flecha central é "duração" – o tempo real em que o ritual é realizado. A seta inferior é tempo "processo": o *continuum* do tempo estabelecido pelos processos orgânicos, por exemplo, o *continuum* vermelho-negro ou, numa escala maior, o ciclo de vida humana. A seta superior é o tempo "simbólico", aqui apresentado como a "inversão" de ambos tempo "duração" e tempo "processo". A "inversão" de tempo simbólico é obtida tomando-se a sequência de eventos em tempo de processo (T' T" T''') e reproduzindo-os simbolicamente em ordem inversa (T''' T" T') relativa ao padrão absoluto proporcionado pela duração (D' D" D''' (p. 335).

A análise do *ida* conclui com um argumento complicado, que irei resumir apenas em parte, no sentido de que o ritual pode ser entendido como a "mediação" de certas "contradições" inerentes à noção do próprio tempo, ou seja, o "conflito entre sincronia e diacronia" – uma ideia que pedi emprestada diretamente de Lévi-Strauss e Leach. O tempo, argumento, tem duas formas de se manifestar, diacronicamente, através da sequência de eventos "antes e depois", e 'sincronicamente' por meio das oposições temporais imutáveis que existem entre o velho e o novo, sênior e júnior, e assim por diante. Em termos sociológicos, há um paradoxo básico que resulta pelo fato de a vida social consistir em eventos transitórios, mas a estrutura social ter uma organização permanente temporal, ou seja, faixas etárias, fases do ciclo vital, gerações etc. Esses *status* temporais não mudam, embora os indivíduos que os ocupam o façam. A dificuldade ou "contradição" intelectual envolvida aqui, se existe alguma – o que é passível de ser questionado –, é parecida com a dificuldade que temos em tentar compreender como a nuvem de água enviada para o alto por uma fonte bem desenhada, aparentemente tão estável em sua forma geral, não deixa de ser composta de gotículas de água todas elas submetidas a movimentos do tipo mais violento. "Tudo passa, MAS tudo continua a mesma coisa" (p. 343).

Figura 5.3 Inversão do tempo

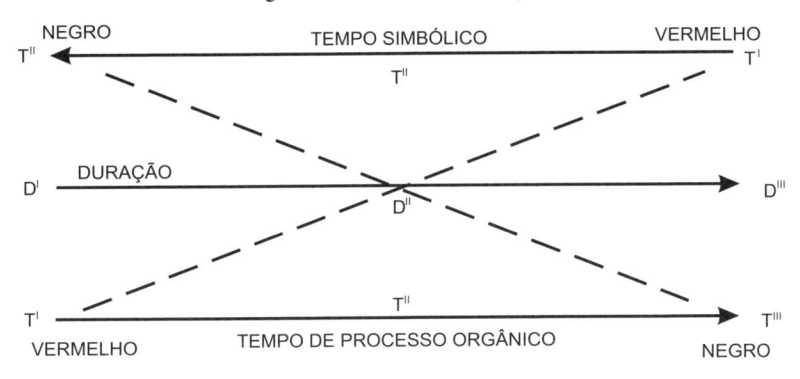

Parece-me que a ideia de tempo cíclico ou repetitivo – longe de ser, como Leach argumenta, uma ficção religiosa projetada para tornar a perspectiva da morte menos aterrorizante... – é uma tentativa de resolver essa ambiguidade do tempo, que é tanto um processo contínuo e uma oposição sincrônica entre o velho e o novo.

A ideia do tempo como uma oscilação ou ciclo, que se repete continuamente, atua como mediador entre essas duas experiências de tempo, indissoluvelmente relacionadas, mas mutuamente contraditórias, ou seja, entre o processo social e a estrutura social, a diacronia e a sincronia. No ritual periódico, busca-se a mediação, e essa é encontrada entre as pressões da diacronia (os processos que continuamente submetem os organismos a mudança irreversível) e as restrições da sincronia (a estrutura inteligível que sobrevive a todas as mudanças). Isto é obtido por meio de uma adaptação mútua entre os dois: a diacronia submete-se à sincronia tornando-se uma oscilação que nunca se afasta muito do eixo do "agora" sincrônico: a sincronia se submete à diacronia ao admitir a indução regular de novos grupos nas categorias que ela fornece; induções que são geralmente caracterizadas por *ritos de passagem* (p. 343-344).

Que reconsiderações eu posso ter para oferecer nesta fase? Continuo a aderir à posição a que cheguei em 1975, no que diz respeito à interpretação geral do ritual *ida*, apesar de algumas críticas perspicazes de Brunton (1980), Juillerat (1980), Werbner (1984) e outros. Juillerat publicou uma análise rival do ritual como um todo, baseada em seu trabalho de campo na aldeia vizinha de Yafar, onde um ritual, em grande medida idêntico, é realizado. As questões que quero levantar neste momento não têm a ver nem com a análise etnográfica, nem com a metodologia da interpretação simbólica de representações rituais. Estou interessado apenas nas consequências das ideias de Durkheim/Lévi-Strauss/Leach sobre tempo, sincronia *versus* diacronia e "inversão do tempo", que incorporei na análise sem examiná-las de forma muito crítica. Acho, penso eu, que fiquei preso a uma linguagem do "relativismo cultural temporal" (cf. a seguir), o que deturpou a análise e gerou pseudoproblemas metafísicos onde realmente não havia nenhum.

Eu não escreveria sobre ritual agora como se ele tivesse o poder de modificar a natureza ou a direcionalidade do "tempo" como categoria, nem me comprometeria a fazer afirmações de que para os umedas há dois, três ou n tipos de "tempo". As manipulações rituais de representações coletivas de processos naturais e sociais, que é o que realmente está acontecendo no *ida*, pode ser entendida sem a construção de um cenário metafísico, que envolva ou o tempo invertido, ou o tempo "sincrônico" estabilizado, que levam a contradições lógicas que, então, têm que ser "superadas" pela dialética ritual. Além disso, embora eu, infelizmente, não estivesse ciente disso naquele momento, o cenário metafísico de tempo ritual invertido que propus teve o efeito de cancelar, precisamente, as manipulações muito simbólicas de processos naturais e sociais que são essenciais para o significado do ritual.

A Figura 5.3, por exemplo, mostra "três tipos de tempo: "tempo simbólico, tempo de duração e tempo de processo orgânico. Primeiramente não há razão para diferenciar entre o tempo de duração e o tempo de processo orgânico "como tipos de tempo". O ritual na "duração" consiste de uma série de eventos (evento ritual "ERit =) entre os quais os relacionamentos temporais antes e depois podem ser definidos em termos de uma série linear (T1, T2, T3). Assim

$$ERit\ 1\ (T1) \rightarrow ERit\ 2\ (T2) \rightarrow ERit\ 3\ (T3)\ etc.$$

Estes eventos rituais metafórica ou analogicamente se referem a eventos ou fases dos processos do ciclo vital como representados pelos umeda (Elc = "evento do ciclo vital")

$$ERit\ (ELc1),\ ERit\ (ELc2),\ ERit\ (ELc3)$$

Eventos do ciclo vital ocorrem em uma sequência estabelecida, antes e depois, como fazem os eventos rituais:

$$ELc1\ (T1) \rightarrow ELc2\ (T2) \rightarrow ELc3\ (T3)$$

No entanto, a ordem em que os *eventos do ciclo vital ocorrem* não é refletida pela ordem em que os *eventos rituais* que representam esses eventos do ciclo vital ocorrem.

$$ERit\ 1\ (T1\ (ELc3\ (T3))) \rightarrow 'ERit\ 2\ (T2\ (ELc2\ (T2)))$$
$$\rightarrow ERit\ 3\ (T3\ (ELc1\ (T1)))$$

Mas isso não é o mesmo que distinguir entre mais de um tipo de "tempo". Só precisamos de um símbolo T mais um índice que indique onde T está posicionado em uma sequência antes e depois, T1, T2, ... Tn, para representar qualquer tipo de tempo seja ele qual for. Não há nenhuma necessidade de introduzir contínuos temporais com topologias não padronizadas a fim de analisar as manipulações rituais da ordenação de eventos nos processos. Além disso, é fácil perceber que, se a sequência "invertida" de eventos do ciclo vital representados no *ida*, realmente ocorresse em tempo invertido, esses eventos na verdade estariam ocorrendo na ordem certa, e não não ordem inversa.

$$\text{ERit 1 (T3 (ELc3 (T3)))} \rightarrow \text{ERit 2 (T2 (ELc2 (T2)))}$$
$$\rightarrow \text{ERit 3 (Ti (ELc1 (T1)))}$$

Isto é, se a sequência "invertida" de eventos do ciclo de vida no *ida* acontecesse no tempo "invertido", a sequência já não seria mais invertida em termos dos eventos do ciclo vital.

Em suma, o ritual *ida* representa um processo que se desenrola no tempo normal, que anda para a frente, não um processo que vai para a frente normalmente em um tempo que retrocede. Ficamos tentados a conceituar as questões da última maneira apenas porque, se o tempo retrocedesse, os eventos também retrocederiam, e os umedas estariam "metafisicamente justificados" a mostrá-los retrocedendo. Mas isso é não perceber o argumento principal da questão: o que os umedas querem fazer é regenerar o seu mundo em tempo real, e não que ele continue inexoravelmente em seu mesmo curso degenerativo, só que em tempo inverso.

Em segundo lugar, há a suposta "contradição" entre diacronia e sincronia a ser considerada. Esta contradição não surge, porque a diacronia e a sincronia não são dois tipos de tempo, e sim consequências necessárias de existir apenas um tipo de tempo. O tempo sincrônico é um termo um tanto errôneo: relacionamentos síncrônicos são relações entre categorias em um sistema de classificação que não são afetadas pelo tempo, embora os critérios em que determinadas categorias possam ser baseadas possam incluir vários tipos de relacionamentos temporais (p. ex., uma hierarquia de idade utilizada para fins de classificação social). Um grupo etário de, digamos, "homens casados maduros" é uma categoria cuja participação é exclusiva para pessoas que têm certas qualificações biográficas. Esses indivíduos têm o direito de pertencer porque suas histórias (diacrônicas) contêm eventos (ser casado, ter filhos) que as histórias de homens mais juniores não contêm. Existe uma relação entre os membros desta categoria em tempo T e os membros de categorias mais jovens em tempo T-menos e categorias mais seniores em tempo T-mais, porque esses homens pertenceram a categorias mais juniores previamente e irão pertencer a categorias mais seniores eventualmente. Mas no tempo T não há qualquer relacionamento temporal de anterioridade ou posterioridade entre os membros das categorias "anciões seniores"/"homens casados maduros"/"solteiros" porque os membros das várias categorias etárias são simplesmente contemporâneos uns com os outros. O tempo sincrônico, como se manifesta em uma representação coletiva, como uma hierarquia de idade, portanto, resume-se ao fato de que as coisas diferentes (neste caso, os homens diferentes) têm histórias diferentes, e as coisas podem ser classificadas de acordo com suas histórias. Solteiros são homens sem uma história de terem sido casados, os homens mais seniores têm histórias que incluem este evento, e outros indicativos de maturidade social, como ter filhos, ser chefe de um domicílio independente, e assim por diante. O tempo sincrônico é, portanto, apenas o mecanismo classificatório que organiza as entidades de acordo com os eventos reais ou supostos em suas histórias.

Se isto é assim, então não há razão para acreditar que existem quaisquer relações que não sejam relações diacrônicas temporais, ou seja, o relacionamento entre eventos em histórias.

Não há contradição entre sincronia e diacronia, porque a classificação sincrônica não entra em conflito com a historicidade diacrônica. Podemos classificar entidades (sincronicamente) de acordo com os acontecimentos em suas histórias diacrônicas, exatamente como podemos, sincronicamente, classificar entidades de acordo com a sua cor, tamanho, preço de mercado, quantos deles existem etc. Não há qualquer enigma intelectual aqui, nem, penso eu, existe realmente qualquer evidência de que os umedas achavam que havia algum. A "luta entre sincronia e diacronia", evocada por Lévi-Strauss, não é uma luta entre diferentes tipos de tempo, mas sim a luta entre os sistemas de classificação e o mundo real. Todos os sistemas de classificação têm suas dificuldades, que resultam da tendência a que objetos do mundo real têm de deixar de estar de acordo com os critérios estabelecidos para eles. Quando Lévi-Strauss escreve, muito reveladoramente, sobre sociedades com uma atitude com relação à história que nega, não que a história tenha ocorrido, mas simplesmente que ela tenha feito qualquer diferença para *eles*, com certeza ele chega ao cerne da questão (1968). O "conflito" está entre esta atitude, fé na capacidade de abarcar todos os eventos previsíveis, e a tendência infeliz que eventos reais têm de não ocorrerem normativamente. O confronto é entre as classificações e a realidade, e não entre as características irreconciliáveis da realidade.

E quanto aos umedas, o propósito do ritual não é a reconciliação do tempo sincrônico e do tempo diacrônico e sim a tentativa de garantir que a diacronia só produz os tipos de eventos aprovados normativamente conforme definido pelo esquema sincrônico classificatório. A cerimônia do *ida* não inverte o tempo: o que ela faz, em vez disso, é manipular processos de uma maneira simbólica a fim de indicar um certo caminho normativo para os eventos, com isso reforçando a confiança dos umedas na viabilidade de sua sociedade.

6

Relativismo cultural

No capítulo 5.1 observei que enquanto escrevia a minha explicação original do ritual umeda fui, até certo ponto, confundido pela doutrina da "relatividade cultural temporal", que herdei de meus antecessores na antropologia estruturalista, entre os quais a influência de Durkheim permanece muito forte. "Relatividade cultural" é, obviamente, um assunto que tem de ser discutido em qualquer trabalho sobre a antropologia do tempo. A dificuldade é que há muitos pontos de vista diferentes que podem ser categorizados como "relativistas culturais", alguns dos quais estão errados, enquanto outros são não só inofensivos, mas essenciais para qualquer tipo de compreensão antropológica. Seria realmente difícil justificar a maioria das atividades em que os antropólogos se envolvem a menos que a experiência cultural fizesse uma grande diferença para todos os aspectos do pensamento e do comportamento, e uma forma de definir a antropologia seria a de que é empiricamente o estudo das diferenças entre culturas e, teoricamente, o estudo das diferenças que essas diferenças fazem. E dentro desta definição geral do âmbito da antropologia deve, inevitavelmente, ser incluído o estudo das diferenças culturais na conceituação das relações temporais.

Podemos achar, no entanto, que é contraditório definir antropologia desta maneira, e ao mesmo tempo apresentar o tipo de argumentos que propus até agora que, de um modo geral, sugeriram que o "tempo" é inteiramente uniforme de uma cultura para outra. Esta é a questão que agora deve ser confrontada. O que quero afirmar é que o relativismo cultural temporal é de fato justificado, mas que só pode ser defendido com sucesso contra as posições reducionistas que negam o devido reconhecimento às relatividades culturais, com a condição de que a forma específica da teoria relativista cultural adotada não seja apresentada como se fosse uma contribuição à metafísica, da maneira iniciada por Durkheim.

O ponto de vista que fragiliza o argumento em defesa do relativismo cultural temporal ao mesmo tempo em que busca afirmá-lo é a doutrina de "mentalidades" ou "visões de mundo" temporais, ou seja, sistemas de referência temporais distintos e culturalmente constituídos de um *status* equivalente a teses metafísicas argumentadas racionalmente como as defendidas por Kant na *Crítica da razão pura*. Etnograficamente, as relatividades temporais culturais consistem de conjuntos diferenciais de crenças contingentes, mantidas por diferentes culturas e subculturas, com relação à factualidade histórica e às possibilidades previstas do mundo. Há uma grande diferença entre postulados "metafísicos" e sistemas de crenças contingentes. Crenças contingentes muito diferentes podem ser expressas, entendidas e influenciadas, à luz de premissas lógico-metafísicas uniformes mas implícitas e, na verdade, somente à luz dessas premissas. O que está errado, acho eu, é supor que os sistemas culturais de crenças e representações transmitidas são permeadas por uma profunda "lógica cultural", que define os limites extremos daquilo que é 'pensável', para os membros de uma cultura determinada. Estes limites externos do 'pensável' existem, mas não são propriedades deste ou daquele sistema cultural. E eles são bastante diferentes das limitações de um tipo *de facto* que limitam a gama de crenças que os membros de uma cultura determinada, realmente, nutrem, ou os tipos de pensamento que iriam lhes ocorrer "naturalmente".

O problema com a antropologia durkheimiana é que, ao discutir este ou aquele mundo culturalmente constituído, os antropólogos tiveram a tendência de buscar um nível de análise que implicaria que seus resultados tivessem alguma influência na constituição do mundo em geral, sobre em que tipo de lugar devemos considerar que o mundo em geral deve estar, e não apenas sobre o mundo culturalmente constituído que eles estão investigando. A formulação de opiniões defensáveis sobre como o mundo é em termos gerais ou categóricos (a promulgação e defesa de postulados metafísicos de um tipo ou de outro) é a província da filosofia e da metafísica, não da antropologia. Em particular, não é sensato para os antropólogos pensarem que a etnografia é o tipo de empreendimento que pode resultar na descoberta de novas formas de interpretar o mundo em seu aspecto geral ou categórico que, por si só, equivaleriam a adições úteis ao espectro de pontos de vista metafísicos potencialmente válidos. As consequências de ultrapassar as limitações inerentes à etnografia como um gênero descritivo são a promulgação de reivindicações metafísicas inerentemente autodestrutivas (como a alegação de que o ritual é projetado para fazer o tempo passar em marcha a ré) ou ficar envolvido em problemas inexistentes como a "contradição" fictícia entre diacronia e sincronia.

O efeito da posição metodológica que defendo é que ela permite aos antropólogos afirmarem tudo o que bem entenderem, com relação ao conteúdo de sistemas de crenças exóticas, exceto afirmar que, ao fazê-lo, estão contribuindo para a nossa compreensão da verdade, da necessidade, da lógica, do significado etc., ou seja, questões de uma natureza filosófica ou metafísica geral. E isso é o que os antropólogos inevitavelmente buscam fazer, no momento em que vão além da tarefa de tentar transmitir o conteúdo de crenças e representações vigentes em sistemas culturais específicos, assumindo a responsbailidade de explicar essas crenças e representações mostrando que elas *poderiam ser verdadeiras* em algum sentido absoluto, em um mundo no qual determinadas verdades metafísicas que não são o padrão também são mantidas. Deixem-me dar um exemplo das consequências malignas de procurar diferenças nos postulados metafísicos "subjacentes" quando se busca explicar crenças exóticas contingentes.

Um autor pioneiro e influente na linha da metafísica apologética de sistemas de crença exóticos foi Lévy-Bruhl. Não só Lévy-Bruhl exerce uma poderosa influência no desenvolvimento da antropologia cognitiva, que continua até os dias atuais (Evans-Pritchard 1965; Horton e Finnegan 1973), mas sua influência nas teorias desenvolvimentistas de Piaget na psicologia infantil é também muito marcada, com efeitos indiretos na psicologia intercultural inspirada em Piaget (PIAGET, 1970; HALLPIKE 1979; cf. capítulo 12 deste volume). É instrutivo considerar, neste ponto, um dos casos de "mentalidade pré-lógica", que ele analisou com extremo cuidado, e que também tem a ver com as relações espaçotemporais. O exemplo em questão é o caso intrigante do missionário Grubb e das abóboras roubadas (LÉVY-BRUHL, 1922).

Grubb, um missionário entre os índios leguna do Grande Chaco, no Brasil, foi um dia abordado por um índio, que o acusou de roubar abóboras de seu jardim. Grubb conhecia esse índio pessoalmente, mas não o tinha visto durante muito tempo, e sua aldeia ficava a 240km da missão. O índio exigiu compensação pelas abóboras roubadas demonstrando um sofrimento genuíno. E não se acalmou quando Grubb protestou que não tinha visitado a aldeia indígena recentemente, e não poderia, portanto, ter roubado abóboras de sua horta. Grubb achou que, a princípio, o homem estaria brincando, mas à medida que a cena se desenrolou ele ficou cada vez mais consciente de que o homem estava falando sério e de que estava interiormente convencido da solidez do seu caso. A perplexidade de Grubb ficou ainda maior quando o índio, no decorrer da discussão, espontaneamente admitiu que Grubb não tinha visitado a horta, mas, apesar disso, continuou com suas exigências de recompensa.

> Eu deveria ter perdido a paciência com ele (escreveu Grubb] se ele não estivesse sendo obviamente honesto e eu não tivesse ficado profundamente interessado em vez de impaciente. Eventualmente descobri que ele tinha sonhado que estava em sua horta uma noite, e tinha me visto, por trás de algumas plantas altas, arrancar e levar três abóboras, e o pagamento que ele queria era para essas abóboras. "Sim", eu disse, "mas você acabou de admitir que eu não as tirei." Ele concordou novamente, mas respondeu imediatamente: "Se você tivesse estado lá, você as teria tirado" (GRUBB, W. "An unknown people in an unknown land" [Um povo desconhecido em uma terra desconhecida], p. 275, apud LÉVY-BRUHL. *Primitive Mentality* [Mentalidade primitiva], p. 106-107).

Grubb concluiu que a justificativa do índio para sua acusação era de que os sonhos revelam a "vontade" da pessoa com quem se sonha de tal forma que, na medida em que Grubb participou do sonho do índio como um ladrão de abóbora, ele deveria ser punido por ter intenções de roubar, mesmo que a tentativa de remover as abóboras nunca tivesse sido feita e, na verdade, nenhuma abóbora estivesse faltando.

Lévy-Bruhl não está satisfeito com essa explicação. Ele se concentra naquilo que considera ser a incongruência lógica de duas afirmações feitas pelo índio:

1) Você, Grubb, roubou minhas abóboras.

2) Você, Grubb, não chegou perto de minha horta há muito tempo.

Ele argumenta, então, que o índio aceita ambas as afirmações como sendo literal e simultaneamente verdadeiras e pode fazê-lo porque seus cânones de lógica são diferentes dos dos homens civilizados.

> Ele prefere admitir implicitamente aquilo que os escolásticos chamam de "presença múltipla" de uma pessoa do que duvidar daquilo que parece ser uma certeza. Esse é o resultado necessário de sua experiência, que, além e acima das realidades que nós chamamos de objetivas, contêm uma infinidade de outros seres em um mundo invisível. Nem o tempo, nem o espaço, nem a teoria lógica são de alguma utilidade para nós aqui, e esta é uma das razões que nos levam a considerar a mente primitiva como "pré-lógica" (p. 107).

Parece-me que a explicação de Grubb está muito mais próxima do alvo que a de Lévy-Bruhl, ou, mais precisamente, que a conjectura de Grubb é, com ou sem razão, uma explicação consistente com o fato do caso, enquanto o que Lévy-Bruhl tem a dizer, em uma exame mais cuidadoso, pode nem sequer ser uma explicação. Mas, em um aspecto, Lévy-Bruhl não deve ser responsabilizado por presumir que a "teoria lógica" teria muita dificuldade para elucidar o funcionamento da mente indígena, pelo fato de, em sua época, o ramo da lógica hoje em dia chamado de "lógica modal" – a lógica de mundos possíveis e não necessariamente dos mundos reais – ser muito menos compreendida do que atualmente. O que o índio está fazendo, se Grubb está certo, é pedir uma indenização por um erro que poderia ter acontecido, e não por aquele que realmente aconteceu. Ao fazer isso, o índio não está raciocinando de uma forma que não tem paralelo em nosso próprio sistema legal, que pune as pessoas por "vadiagem com a intenção de", "conspiração", "tentativa de homicídio, roubo, incêndio" etc., mesmo quando não há danos significativos de qualquer espécie infligidos em alguém ou em alguma coisa. O direito dos leguna difere do nosso quando admite o depoimento não corroborado de um querelante, em forma da experiência de um sonho, como prova adequada das intenções criminosas de um réu. A base desse princípio legal deve ser uma crença no caráter verídico dos sonhos, não como representações do mundo real, mas como representações de mundos contrafactuais (mundos não reais) relacionados de uma maneira suficientemente próxima do original para permitir que inferências razoáveis quanto às tendências morais dos indivíduos neste mundo (real) sejam feitas com base no comportamento de seus congêneres reconhecidos em sonhos. Em outras palavras, os leguna acreditam contingentemente (1) que a natureza do sonhar é tal que os indivíduos atuam "de acordo com seu caráter", moralmente falando, quando alguém sonha sobre eles e (2) que as pessoas são suficientemente confiáveis para relatar seus sonhos honestamente. Possivelmente as duas crenças são falsas, embora seja muito difícil provar que qualquer uma delas o é, e certamente ambas podem ser mantidas sem qualquer desvio da ortodoxia lógica.

Esta explicação de Grubb não requer nenhum salto muito grande da imaginação. A de Lévy-Bruhl, por outro lado, realmente tem muitas implicações de longo alcance. O que ele diz, com efeito, é que os índios leguna têm critérios lógicos heterodoxos para os chamados "objetos de primeira ordem" (LYONS, 1977), ou seja, mesas, cadeiras, pessoas, missionários, abóboras etc., de tal forma que qualquer objeto de primeira ordem pode existir simultaneamente em diferentes coordenadas espaciais, em vez de estar restrito a coordenadas espaçotemporais específicas. De acordo com a premissa proposta de uma metafísica de 'multipresença' um objeto de primeira ordem não tem de estar em um local de cada vez, mas pode estar em muitos locais ao mesmo tempo. Segundo Lévy-Bruhl, então, de acordo com essa premissa o índio pode afirmar, sem estar consciente de estar se contradizendo, que o Sr. Grubb roubou as abóboras da horta do índio, e que o Sr. Grubb não visitou a horta e não poderia ter roubado as abóboras. Este é um excelente exemplo da tática empregada pelos pós-durkheimianos para "explicar" fatos etnográficos que são anômalos em termos de nosso sistema de crenças contingentes, construindo um cenário metafísico que remove a contradição no nível dessas crenças, reformulando-o como um contraste em categorias metafísicas implícitas. Como a metafísica exótica assim produzida parece autoconsistente, podemos, então, afirmar que as categorias fundamentais metafísicas são culturalmente relativas e socialmente determinadas. Mas o raciocínio envolvido neste caso, e em todos os casos análogos, não se mantém de pé.

Não há nenhuma maneira, mesmo concedendo a possibilidade de que o índio acredite na multipresença, que as afirmações (1) e (2) podem ser outra coisa que não mutuamente contraditórias. Se o índio acredita na multipresença ele irá negar (2) (que Grubb não visitou seu jardim), porque um multipresente Senhor Grubb certamente *visitou* sua horta multipresente e roubou suas abóboras multipresentes neste caso. Mas se é assim, então o melhor que o Senhor Grubb tem a fazer é aceitar a maneira indígena de ver as coisas e afirmar, ao contrário, que foi algum outro Senhor Grubb que fez aquele feito e que o índio deve buscar compensação dele, não do missionário aqui presente, de honestidade impecável; ou, alternativamente, admitir que ele realmente roubou as abóboras, mas que já pagou uma indenização a outro índio multipresente. Além disso, ele pode questionar a necessidade do pagamento de qualquer compensação, pois por mais abóboras que tenham sido roubadas de seja qual for o número de hortas, um número suficiente de abóboras multipresentes ainda permanecerão na horta para suprir todas as necessidades.

Em suma, a menos que o índio e o Senhor Grubb compartilhem premissas metafísicas padrão sobre o confinamento espaçotemporal de objetos de primeira ordem tais como missionários, hortas e abóboras, é impossível que haja roubos identificáveis e abóboras identificáveis de hortas identificáveis por missionários identificáveis. A noção de atribuir culpa por crimes específicos a indivíduos específicos perde todo o sentido nesse contexto. O argumento de Lévy-Bruhl supera o problema da interpretação cultural suscitado pelo comportamento aparentemente aberrante do índio, ao imaginar um contexto lógico em que este comportamento *não* seria anômalo, ou seja, se os missionários podem estar em mais de um lugar ao mesmo tempo, um missionário pode, ao mesmo tempo, roubar e não roubar algumas abóboras. Mas isso não explica o comportamento do índio no arcabouço das premissas em que esse comportamento realmente é anômalo (ou seja, o arcabouço trabalhado por pessoas como Grubb e Lévy-Bruhl), mas transpõe a situação para um mundo diferente, onde, porque premissas metafísicas diferentes são aceitas, os próprios fatos do caso são diferentes, e já não são mais anômalos. A explicação de Lévy-Bruhl explica um conjunto diferente de fatos do conjunto de fatos relatados por Grubb, ou seja, os fatos neste caso seriam objetos de primeira ordem multipresentes. Mas estes não são os fatos relatados, para os quais, conclui-se, Lévy-Bruhl não tem realmente nenhuma explicação. Seu argumento é autodestrutivo: ele "resolve" os problemas explicativos presentes na etnografia recontextualizando-os metafisicamente de tal forma que eles deixam de ser problemas. Mas nesse caso eles tampouco podem ser explicados. A estranheza do comportamento do índio não pode ser especificada, exceto à luz da hipótese de que os objetos não são multipresentes, e que o mundo (este mundo real) não contém uma "infinidade de outros seres" absolutamente equivalentes aos objetos de primeira ordem objetivamente reais do tipo que Grubb e Lévy-Bruhl estão dispostos a reconhecer. É somente à luz de tais pressupostos que há qualquer coisa a explicar, e deve ser à luz de tais pressupostos que a explicação deve ser formulada. Como vimos, não é difícil fazer isso, identificando as crenças culturalmente específicas mantidas pelos índios leguna, mas não compartilhadas por Grubb ou Lévy-Bruhl, sobre a confiabilidade dos sonhos como uma fonte de prova em disputas legais.

Nossa "lógica" e a "lógica" deles são idênticas, nosso mundo objetivo e seu mundo objetivo também são idênticos; discordamos apenas com relação às crenças contingentes que temos sobre o funcionamento do mundo que, a não ser por isso, compartilhamos. E essas diferenças são suficientes tanto para gerar quanto para explicar as sagas intermináveis de incompreensões mútuas que enchem as prateleiras das bibliotecas.

7

Relativismo cultural transcendental e temporal

A obra de Lévy-Bruhl tem um interesse apenas marginal para a antropologia do tempo e, além disso, tem muitos méritos aos quais eu não fiz exatamente justiça nas páginas anteriores. Lévy-Bruhl estava consciente das dificuldades inerentes a sua ideia de uma "mentalidade pré-lógica", e, por mais que possamos discordar de sua abordagem durkheimiana, ele sempre permanece em contato com o espírito de suas fontes etnográficas, honestamente perplexo sobre o que elas possam implicar nos termos dos processos cognitivos dos homens "primitivos". Dirijo-me a seguir ao durkheimianismo em sua forma mais hipertrofiada, como aparece na obra de Gurvich (1961).

Gurvich, que, em um determinado momento, era uma figura dominante na sociologia francesa e titular da Cadeira Durkheim de Sociologia na Universidade de Paris, escreveu, entre outros livros, *Spectrum of Social Time* (1961) [Espectro do tempo social], do qual podemos dizer que torna realidade as ambições metafísicas de seu antecessor. Este trabalho é particularmente de meu interesse, já que é o tratado mais autoconscientemente teórico sobre a sociologia do tempo por um sociólogo durkheimiano. As obras de Zerubavel, que poderíamos citar a este respeito, são certamente durkheimianas no tom, mas são muito mais empíricas e graças a isso muito melhores (ZERUBAVEL, 1981).

Gurvich acredita que o tempo é múltiplo, que é determinado por fatores sociológicos, e que é empiricamente demonstrável.

O tempo, somos informados, é uma "convergência e divergência de movimentos que persistem em sucessão descontínua e mudança em uma continuidade de momentos heterogêneos" – a tolerância de contradições não parece ser exclusivamente uma característica da mentalidade pré-lógica! Em outro lugar, o tempo é definido como "movimentos convergentes e divergentes de fenômenos sociais totais que dão à luz ao tempo e também transcorrem no tempo". Gurvich está dizendo que são os processos ("movimentos") que acontecem no tempo que são responsáveis pela própria existência do tempo, e, além disso, que, correspondendo às diferentes características dos processos que acontecem no tempo, o próprio tempo é diferente em cada caso particular. O tempo é, assim, constituído de um movimento dinâmico cujos ritmos, expansões, contrações e pulsações irregulares são gerados pelos padrões de eventos que ocorrem no tempo, esses eventos constituindo "fenômenos sociais totais", ou seja, os processos de produção, reprodução, troca, luta de classes e assim por diante.

Gurvich reduz a multiplicidade sugerida do tempo a oito variantes tipológicas, que são distorções locais do tempo regular ou cósmico, produzidas pela "relatividade" sociológica (a referência à teoria de Einstein é feita explicitamente). Mas, como não estamos lidando com eventos na escala relativista, as distorções do tempo de Gurvich são realmente distorções do tempo cósmico newtoniano, ou seja, o que o fio da navalha do Tempo Absoluto pareceria ser se sua forma fosse deturpada por fatores locais de origem sociológica. As oito variantes são:

1)Tempo duradouro de duração lenta (tempo desacelerado).

2)Tempo deceptivo (tempo retardado com períodos irregulares e inesperadamente acelerados).

3) Tempo errático (desacelerado e acelerado alternadamente, nenhum dos dois de forma predominante, sem ritmos previsíveis).

4) Tempo cíclico (Gurvich equipara o tempo cíclico ao tempo 'imóvel' do tempo "estático").

5) Tempo retardado (em que um dado momento T1 no tempo retardado é igual a um momento posterior. T1 + n, em tempo não retardado).

6) Tempo avançado (o inverso do tempo retardado, em que T1 no tempo avançado é igual a T1 – n em tempo não avançado).

7) Tempo alternante (tempo que alterna entre ser retardado e ser avançado).

8) Tempo explosivo (tempo muito avançado e também acelerado).

A seguir, abordarei apenas três dessas oito variantes tipológicas de tempo, aquelas manifestadas pela "classe camponesa"; mas antes de fazê-lo devo examinar brevemente a justificação filosófica de Gurvich para seu sistema de tempos múltiplos.

> Em princípio, n + 1 tempos podem existir: esta é uma questão da realidade dos fatos e da construção desses fatos pelas várias ciências. Todos estes tempos [i.e. não só os oito de Gurvich, mas também os das outras ciências naturais], apesar de suas profundas diferenças, possuem as mesmas características formais de movimentos convergentes e divergentes e, assim, entram na categoria geral de tempo (GURVICH, 1961: 21).

Segundo esse autor o sociólogo tem de compreender qualquer fenômeno social à luz da variante tipológica do tempo apropriada para que possa obter a "unificação relativa" dos fenômenos sociais decorrentes dos meios sociológicos diferentes, períodos históricos, condições de classe, e assim por diante, no arcabouço da teoria sociológica geral. Ele argumenta que o mesmo se aplica às ciências naturais: o tempo da mecânica newtoniana difere daquele da teoria da relatividade que, por sua vez, difere do tempo da termodinâmica, da química, das ciências da vida etc. (Uma ideia semelhante é proposta na obra de Frazer, 1978.) Em outras palavras, ele parece achar que, para cada tipo de processo causal e da teoria associada, há um tipo diferente de "tempo", ignorando o fato de que, por exemplo, podemos dizer quão diferentes os modelos cosmológicos termodinâmicos são dos modelos newtonianos precisamente porque é possível obrigar os corpos em movimento em um sistema solar newtoniano a irem em direção inversa com relação ao espaço-tempo absoluto, sem que dificuldades surjam para a teoria, enquanto isso não ocorre no caso dos modelos termodinâmicos que envolvem a ideia da entropia crescente. É porque os diferentes ramos da teoria natural-científica não dependem de diferentes noções de tempo que podemos determinar em que aspectos eles diferem; caso contrário, eles não seriam apenas diferentes, mas totalmente incomensuráveis.

Gurvich continua, afirmando que um ou mais dos oito tipos de tempo que identificou serão manifestados particularmente em qualquer meio sociológico determinado, tais como a moderna sociedade de massa, a sociedade clássica burguesa do século XIX, o feudalismo, o meio camponês e o meio arcaico ou primitivo. Cada um deles irá impor seu vetor específico sobre o tempo regular; acelerando-o, desacelerando-o ou distorcendo-o. O que não está claro, no entanto, é como o tempo padrão é estabelecido, para que, em relação a ele, os outros sejam considerados rápidos ou lentos, regulares ou irregulares, uma vez que no esquema Gurvich das coisas nenhum fenômeno social total gera tempo padrão. Temos de presumir que o tempo padrão é o próprio tempo do sociólogo.

Voltemo-nos para uma aplicação específica da teoria de tempos múltiplos de Gurvich. A "classe camponesa" é definida como aqueles que trabalham sua própria terra em pequenas fazendas familiares, mostrando lealdade de classe entre si e antipatia para com a classe trabalhadora urbana, a burguesia rica e os tecnoburocratas. No espectro do tempo social eles manifestam, principalmente, (1) o tempo duradouro de longa duração e de movimento lento, (5) o tempo retardado, e (4) o tempo cíclico relacionado com as estações do ano. "Essa classe", diz Gurvich, "tende a se manter fiel aos padrões e símbolos tradicionais que dão apoio à inclinação do camponês de se movimentar em um tempo retardado voltado para si mesmo, porque os padrões tradicionais [de atividade] e símbolos se desdobram nesse tipo de tempo. Há assim uma relação dialética, ou um *feedback* positivo, entre o tempo duradouro e/ou o tempo retardado que são expressos em certos padrões de comportamento simbólico, que tendem, por sua vez, a reforçar esses tipos de tempo social.

Minha reação inicial a essa caracterização da classe camponesa e ao ritmo temporal da vida camponesa é protestar veementemente contra o estereótipo falso que ela perpetua. O camponês dilatório e de aparência atrasada é uma criatura de ficção, especialmente da ficção produzida pelos proprietários da terra e pelos intelectuais urbanos. Na minha experiência, os camponeses são tão atormentados pelas exigências do tempo e da oportunidade fugaz como os urbanitas de qualquer tipo, na verdade até mais do que eles porque a natureza do processo de trabalho agrícola impõe custos de oportunidade pesados a qualquer tipo de atraso ou de reestruturação *ad hoc* do cronograma de trabalho. Arar, semear, capinar e colher tudo tem de ser feito no momento adequado ou então deixar de ser feito, com os recursos de mão de obra e recursos de capital de origem animal esticados ao máximo, e incorrendo em pesadas sanções marginais pelo uso ineficiente. No próximo capítulo irei discutir a "noção de custo de oportunidade do tempo", que está realmente muito mais próxima da verdadeira maneira de pensar sobre o tempo do camponês do que os 'padrões e símbolos tradicionais".

Mas, em benefício do argumento teórico, admitamos que os camponeses realmente conduzem seus negócios no ritmo de um caracol, que eles realmente gastam enormes quantidades de tempo em atividades improdutivas tais como observâncias de rituais supersticiosos, encostando-se em portões de cinco traves e conversando conversas sem objetivo, a um ritmo muito lento e sobre nada muito importante.

Como seria o mundo se a classe camponesa vivesse em um "tempo mais lento" do que a classe intelectual urbana, a cujos olhos parece que uma unidade do tempo camponês demora mais a passar do que a unidade equivalente do tempo padrão, não camponês? No "tempo duradouro de longa duração" uma hora camponesa de 60 minutos camponeses é igual, digamos, a uma hora e meia do tempo não camponês, cada minuto camponês sendo de tal forma desacelerado que ele leva 90 segundos do tempo padrão para passar.

Podemos primeiramente imaginar isso na analogia relativista favorita do autor. Podemos nos imaginar (lá em cima, na casa grande) olhando pela janela que tem uma vista do mundo camponês lá fora. Temos um relógio de pulso que nos dá o tempo padrão e podemos ver o relógio na torre da igreja da aldeia que – imaginemos por um momento – nos dá o tempo camponês. Se sincronizarmos nosso relógio de pulso com o relógio da igreja ao meio-dia, quando nosso relógio disser que é 1 hora, o relógio da igreja estará dizendo que são 12:45, e os camponeses só conseguiram fazer a quantidade de trabalho que nós teríamos conseguido fazer em três quartos de uma hora de nosso tempo. Essa é a analogia estrita com a dilação do tempo em relatividade. Mas isso não pode ser o que Gurvich tem em mente porque no tempo relativisticamente dilatado todos os processos causais são desacelerados (do ponto de vista de um observador em uma moldura inercial diferente) que é o motivo pelo qual o relógio da aldeia está atrasado. Consequentemente, o fato de parecer que os camponeses fazem tão pouco não tem nada a ver com seus hábitos supostamente dilatórios; poderíamos enviar batalhão após batalhão de trabalhadores *urdanik* agrícolas para a aldeia sem realizar qualquer aceleração do ritmo da vida da aldeia.

Além disso, se deixássemos nosso posto de observação na casa grande e descêssemos nós mesmos para a aldeia, ficaríamos surpresos ao descobrir que o trabalho estava sendo feito em um ritmo rápido. Na aldeia o tempo perfeitamente normal teria sido restaurado e, ao contrário, seria a vida lá em cima na casa grande que pareceria estar passando muito lentamente. Portanto, nesse caso nós descobriríamos que não tínhamos qualquer motivo para dizer que no ambiente camponês o tempo é desacelerado.

Mas há outra interpretação da ideia de tempo desacelerado que é possivelmente mais próxima daquilo que Gurvich tem em mente. Talvez o relógio do observador e o relógio da aldeia possam estar sempre no mesmo ritmo, de tal forma que quando o relógio de pulso diz que é 1 hora, o relógio da aldeia também marque 1 hora. Mas há, de alguma maneira, *mais tempo* entre meio-dia e 1 hora lá embaixo na aldeia do que lá em cima na casa grande, apesar da sincronia formal dos relógios. Há apenas uma maneira de fazer isso, isto é, comprimir os eventos em intervalos menores de tempo de tal forma que um número maior deles possa ser acomodado em um intervalo de relógio sincrônico em tempo lento (expandido) do que no tempo padrão. Isso seria semelhante a passar um filme em uma velocidade uma vez e meia mais rápido do que a velocidade normal, mostrando cenas de um mundo em que todos os relógios foram fixados para trabalhar devagar.

Podemos imaginar que as cenas com relógios no filme iriam mostrá-los trabalhando lentamente se o filme fosse passado em velocidade normal, mas os mostrariam mantendo o tempo correto, segundo o padrão de um relógio instalado no teatro que os vê, se o filme fosse passado a uma velocidade mais rápida. Dessa forma nós expandiríamos o tempo e o desaceleraríamos, porque poderíamos acumular uma hora e meia de suspense e revelações em apenas uma hora de tempo na tela. Mas, é claro, em um filme assim os atores pareceriam estar correndo como personagens dementes em uma comédia antiga do cinema mudo em uma velocidade inapropriada no equipamento de projeção moderno. E isso não é exatamente a imagem da vida camponesa que Gurvich deseja evocar. É possível que os camponeses, bem assim como os relógios, foram acertados para se mover lentamente? Mas eles não iriam parecer estar se movendo lentamente, nem para eles próprios, já que uma hora camponesa não pode ser desacelerada com relação a outra hora camponesa e sim apenas com relação à hora padrão, não camponesa; e tampouco pareceriam estar se movendo lentamente aos nossos olhos, porque, embora houvesse 90 de nossos minutos (rápidos) em um hora camponesa (lenta), os camponeses desacelerados iriam parecer estar se comportando no mesmo ritmo em que estariam se comportando se seu tempo e nosso tempo fossem idênticos. Por isso, nós nunca iríamos saber.

Pareceria que se Gurvich deseja dizer que os camponeses realizam seus negócios em um ritmo aparentemente desacelerado, então o tempo camponês é acelerado e não desacelerado com relação ao tempo padrão. Isso significaria que havia menos tempo – e não mais tempo – em uma hora camponesa do que em uma hora padrão, e isso, por sua vez, explicaria por que os camponeses só conseguem fazer tão pouco em uma de "suas" horas. Mas isso não seria exatamente culpa dos camponeses. E, nesse caso, também a objeção original ao tempo relativisticamente desacelerado se aplicaria. Do próprio ponto de vista do camponês, tudo estaria ocorrendo em um ritmo normal, e não haveria qualquer razão para que qualquer pessoa situada no meio temporal camponês, observando os eventos ocorrendo na vizinhança, sequer notasse qualquer coisa de estranho com relação ao tempo.

Em suma, se você quer transmitir a ideia de que as coisas no meio camponês se movimentam um tanto lentamente, como faz Gurvich, uma das premissas que você precisa aceitar é que "o tempo" *tampouco* está passando lentamente. Se você fizer isso, então, pela lógica inexorável, uma vez mais os camponeses terão estado acelerados. Dizer que os camponeses são um bando de pessoas lentas, vivendo em um tempo lento, equivale a dizer duas coisas que se anulam mutuamente.

Deixem-me dar outro exemplo para mostrar o tipo de raciocínio de Gurvich aplicado a uma situação em que parece, à primeira vista, ser bastante razoável. Geógrafos sociais observaram a maneira pela qual respondentes tendem a sobrestimar a distância relativa entre dois lugares em sua própria comunidade se comparadas à distância entre lugares situados em partes distantes do país ou do mundo (GOULD & WHYTE, 1974). Assim londrinos (mal-informados geograficamente) podem crer que a distância entre duas cidades no sudeste superpopuloso (Londres e Brighton) é a mesma que a distância entre cidades "lá no norte" (Birmingham e York) que, na verdade, têm um número duas vezes maior de quilômetros entre si. Considerando que o mesmo tipo de distorção pode ser percebido nos sistemas de crenças geográficas nutridas por indivíduos mal-informados em qualquer parte do país ou do mundo, podemos generalizar essas descobertas construindo um modelo de espaço "subjetivo" "local" ou "pessoal" em oposição ao espaço "objetivo" das pesquisas oficiais municipais. O espaço subjetivo é expandido na própria vizinhança e contraído em outras áreas.

É possível argumentar, então, aparentemente com bons motivos, que as pessoas que têm crenças espaciais que produzem mapas deturpados não vivem em um espaço "objetivo" e sim em um espaço "subjetivo" e esse é o motivo para suas crenças espaciais peculiares. É porque "o espaço vivido" é expandido na própria vizinhança do eu que as crenças do eu sobre a localização de cidades na Grã-Bretanha contradizem suas posições de acordo com os mapas das Pesquisas Oficiais Municipais. Mas isso não pode ser verdade. Pois se sobrepuséssemos uma grade deturpada de espaço "subjetivo" ou "vivenciado" sobre um mapa da Grã-Bretanha exatamente com a mesma distorção, iríamos simplesmente recriar um mapa da Grã-Bretanha que é idêntico em seu conteúdo proposicional ao mapa oficial do município, porque as grandes distâncias na vizinhança de ego em "espaço subjetivo" são metricamente equivalentes a distâncias menores mais longe. O conteúdo proposicional do mapa deturpado da

Grã-Bretanha do londrino só é preservado se esse mapa for desenhado no espaço da Pesquisa Oficial Municipal, não no espaço "subjetivo", centrado em Londres.

Ou seja, podemos atribuir às pessoas ideias não padronizadas sobre "espaço" ou crenças não padronizadas sobre a localização de lugares no espaço padrão, mas não podemos fazer as duas coisas simultaneamente sem que as duas coisas se anulem mutuamente. E, realmente, as pessoas que têm crenças sobre mapas que são geograficamente incorretas, na verdade não têm crença alguma sobre o espaço. Elas simplesmente operam com base nas noções não padronizadas sobre a geografia da Grã-Bretanha. A ideia de que crenças espaciais não padronizadas sobre as distâncias relativas entre lugares próximos e lugares distantes podem ser "explicadas" atribuindo às pessoas noções não padronizadas de "espaço" é mais um exemplo da tática, utilizada pelos antropólogos durkheimianos, de construir um cenário metafísico em que crenças contingentes não padronizadas passam a ser o equivalente a crenças contingentes padronizadas.

Deixem-me voltar agora para Gurvich e suas ideias sobre camponeses após essa breve digressão que teve como objetivo esclarecer a natureza autodestrutiva do tipo de argumento metafísico que ele sustenta. Podemos facilmente ver que o segundo tipo de aberração do "tempo" que ele atribui aos camponeses é tão sem sentido quanto a primeira. Isto é, tempo "atrasado", pelo qual ele quer dizer, presumivelmente, que os camponeses se comportam anacronicamente, preservando as maneiras e costumes de épocas passadas, enquanto o resto das pessoas adquirimos hábitos mais atualizados. Espero, à luz da discussão anterior, que seja óbvio por que o comportamento anacrônico é o tipo de falha da qual as pessoas em "tempo atrasado" nunca podem ser justamente acusadas. Se os camponeses não meramente *se comportam* como se a data fosse 1850, mas realmente *pertencem* a 1850, então eles estão tão atualizados quanto nós. Ou o tempo está atrasado, ou os camponeses estão atrasados, mas não os dois ao mesmo tempo. Mas o fato é que identificamos o comportamento como "anacrônico" não associando uma data passada a ele – e nesse caso ele não seria anacrônico –, mas porque somos obrigados a associar a data de hoje a ele. O fenômeno do anacronismo, portanto, argumenta a favor da unidade do tempo, não de sua multiplicidade.

Quanto à afirmação de que a classe camponesa vive no tempo "cíclico", é possível que isso já tenha sido refutado pelas observações feitas anteriormente (capítulo 5) com respeito a Leach e Barnes. O tempo cíclico é o único tipo de tempo em que os eventos, que nos parecem (em tempo linear-progressivo) se repetirem, só acontecem uma vez. A repetitividade, bem assim como o ritmo lento e a aparência anacrônica da vida camponesa, são todos igualmente dependentes de a "dimensão do tempo" do meio camponês estar rigorosamente de acordo com a dimensão do tempo linear-progressivo que nós mesmos reconhecemos.

8
Bali: o "presente imóvel"

A forma de relativismo cultural temporal transcendental de Gurvich com suas analogias infelizes com a física relativista contemporânea é autocontraditória de maneiras bastante óbvias. Mas nem todos os relativistas culturais são tão claramente vítimas de sua própria retórica e nem todas as análises culturais moldadas na forma "relativista" são tão superficiais e estereotipadas quanto as dele. Podemos estabelecer uma distinção entre relativismo cultural "transcendental" que busca explicar as diferenças culturais em termos de "realidades" ou "universos" (culturais) diferentemente constituídos e o relativismo cultural não transcendental que enfatiza as diferenças interculturais em crenças, atitudes e valores em uma mesma realidade abrangente. Infelizmente, embora seja bastante fácil estabelecer uma distinção formal entre relativismo cultural transcendental e não transcendental, como acabei de fazer, não é tão fácil determinar, em muitos casos, em qual dessas duas categorias textos antropológicos específicos devem ser colocados. Essa dificuldade surge porque as afirmações cultural-relativistas são normalmente feitas sem o uso de aspas ("modo de falar") por objetivos retóricos ou de expressividade.

Um desses casos é o ensaio de Geertz – merecidamente admirado e de grande influência – "Person Time and Conduct in Bali" (1973) [O tempo e a conduta pessoal em Bali]. Críticos hostis à obra de Geertz, tais como Bloch (1977), não têm nenhuma dificuldade em retratar Geertz como um relativista transcendental do pior tipo, equivalente a Gurvich, e é verdade que ele se arrisca a fazer uns comentários muito semelhantes aos de Gurvich. Mas a verdadeira dívida intelectual no ensaio de Geertz é para com Schutz e Weber através de Schutz (SCHUTZ, 1962, 1966). Schutz certamente nunca divulgou o relativismo cultural ou se associou à ideia de que formas categoriais tais como espaço, tempo, causalidade etc. tinham "origem na sociedade" no sentido durkheimiano. Aliás, Schutz não estava sequer interessado em culturas ou sociedades diferentes como entidades ou "universos" autônomos e sim com as propriedades do "mundo social" concebido universalisticamente. Seu argumento principal é que o tipo de "interpretação" realizada por sociólogos é teoricamente viável (isto é, pode resultar em conhecimento objetivo) porque esse processo interpretativo é essencialmente idêntico ao processo permanente de interpretação ou "atribuição de sentido" no qual se envolvem os agentes no decorrer de suas próprias vidas cotidianas. O princípio da congruência (ou "reciprocidade de perspectivas") entre a atribuição de sentido por parte do observador e os atos de atribuição de sentido do agente – que é o princípio subjacente à abordagem "interpretativa" de Geertz na antropologia (MARCUS & FISCHER 1986) – é incompatível com a noção de que o observador e o agente (sujeito, informante etc.) ocupam "universos culturais" incompatíveis. Portanto há um motivo para achar que Geertz não deve ser categorizado como um relativista em termos de sua posição teórica subjacente, embora ele muitas vezes soe como relativista, como também, em seus momentos mais ardentes, ele soa como um estilista de prosa. Mas consideremos em mais detalhe o que ele tem a dizer.

O ensaio de Geertz não é principalmente sobre tempo propriamente dito, e sim sobre o conceito da pessoa. No entanto, ele contém um número de afirmações extraordinárias sobre o tempo balinês. Sua tese principal é que os balineses se conceituam, em termos de identidades pessoais, como "contemporâneos generalizados" como exemplares de tipos, detentores de títulos, de *status* de parentesco, de funções religiosas etc., e não como "consócios" (SCHUTZ, 1967). "Consócios" na terminoloiga de Schutz são indivíduos com experiências biográficas íntimas compartilhadas, diferentemente de contemporâneos e predecessores ou sucessores incognoscíveis que não podem compartilhar das biografias uns dos outros pela simples razão de não haver coincidência no tempo. Geertz argumenta que para os balineses todas as pessoas concebíveis estão presentes simultaneamente em Bali, no sentido de que todos os tipos de pessoas são permanentemente representados por seus símbolos. Mas como as pessoas em Bali são pessoas-símbolos de tipos de pessoas que podem ter mais de um símbolo (assim como um cargo pode ter mais de um ocupante), as pessoas não são individualizadas como ocorre entre nós, e não se considera que elas vivem historicamente vidas únicas em um tempo "duracional" que não se repete.

Isso, acho eu, é o ponto principal do argumento de Geertz e é o tipo de argumento que é certamente esclarecedor sociologicamente falando fora do contexto etnográfico limitado de Bali; isto é, em muitas sociedades "ser uma pessoa" e "ocupar um cargo" (de parentesco, religioso, político, de posição social etc.), ou seja, ser um símbolo de um tipo de pessoa determinado permanentemente representado, são coisas difíceis de distinguir uma da outra no idioma das representações coletivas nativas. Fazemos uma conexão implícita entre a ideia de "personalidade" e as ideias de individualidade, idiossincrácia, peculiaridade etc., conexões que são bastante estranhas para os processos mentais de muitas outras culturas (especialmente aquelas com conexões históricas com a religião do hinduísmo, como é o caso de Bali). No entanto, exatamente como necessitamos presumir um sistema metafísico heterodoxo para "explicar" ideias curiosas sobre temporalidade, não há nenhuma necessidade de presumir que os balineses têm noções metafísicas não padronizadas sobre "indivíduos identificáveis" a fim de compreender sua visão de que qualquer balinês determinado é um símbolo de um tipo de pessoa permanentemente representado. Os indivíduos são identificáveis com base em critérios lógicos e metafísicos (coordenadas espaçotemporais objetivas, ocupação de um nicho peculiar em uma rede de relacionamentos causais que os rodeiam etc.) que nada têm a ver com regras e classificações sociais. Maçãs ou grãos individuais de areia são igualmente "indivíduos" identificáveis nesse sentido lógico. Mas quando compramos um quilo de maçãs estamos apenas interessados nas características de seu tipo como "maçãs do tipo Cox, grau A", não nas características simbólicas que fazem que cada maçã seja única, a "biografia" exata de cada maçã, as manchas vermelhas, amarelas ou verdes que são especiais àquela maçã específica, e assim por diante. Essas características não são negadas, mas não são relevantes. Geertz está dizendo que os balineses tendem a tratar todas as pessoas como nós tratamos as maçãs, ou os funcionários do correio, isto é, indivíduos cujas características típicas são muito mais relevantes que suas características idiossincráticas como símbolos daqueles tipos, que incluem as características que os fazem "indivíduos identificáveis" no sentido lógico.

Geertz chama isso de uma noção "despersonalizante" da pessoa, embora uma noção "desindividualizante" da pessoa seria uma maneira mais precisa de expressar a mesma ideia. Os balineses não deixam de ter uma noção de "pessoidade", mas, quando examinado, seu conceito de "pessoa" mostra ser o desempenho de uma função socialmente prescrita, parte de um sistema de tais pessoas-funções que os balineses desenvolveram enormemente.

Ele associa esse conceito da pessoa com uma noção "destemporalizante" do tempo. O tempo balinês, escreve ele, é um "presente imóvel, um agora sem vetores" (p. 404) – produzido a partir do encontro "anonimizado de puros contemporâneos" (p. 391). São essas afirmações que parecem alinhar Geertz com relativistas culturais temporais absolutos como Gurvich. Mas, observado imparcialmente, não é realmente uma questão de os balineses viverem em um tipo diferente de "tempo" do nosso. Ao contrário, é uma questão dos balineses se recusarem a considerar como relevantes certos aspectos da realidade temporal que nós consideramos muito mais importantes, tais como os efeitos cumulativos do tempo histórico.

A evidência cultural para a destemporalização dos balineses vem de uma forma paradoxal, ou seja, a proliferação luxuriante de calendários balineses dos quais existem dois, um calendário "permutativo" e um calendário lunissolar, sem contar o calendário gregoriano moderno que também está em uso. A evidência para a destemporalização balinesa está especificamente relacionada com o calendário permutativo que tem uma propriedade muito interessante (para um calendário), isto é, ele não gera periodicidades regulares (tais como anos solares subdivididos em meses lunares, subdivididos em semanas de mercado etc.). Em vez disso, o calendário permutativo especifica unidades quânticas (dias) em termos do produto combinado de ciclos independentes de cinco, seis e sete dias. Assim, iniciando-se em uma expressão trinomial arbitrária, obtemos um padrão aparentemente aleatório:

1/5/6	1/4/4	1/3/2	1/2/7	
2/6/7	2/5/5	2/4/3	2/3/1	
3/1/1	3/6/6	3/5/4	3/4/2	
4/2/2	4/1/7	4/6/5	4/5/3	
5/3/3	5/2/1	5/1/6	5/6/4	etc.

Para completar o padrão inteiro são necessários 210 dias no total, mas há combinações binomiais que ocorrem com mais frequência, isto é, entre os ciclos de cinco e sete dias a cada 35 dias, entre os ciclos de seis e sete dias a cada 42 dias, e entre os ciclos de cinco e seis dias a cada 30 dias. Cada uma dessas conjunções "menores", que resultam em dias binomiais regulares, é flexionada ou modulada pela presença de um terceiro membro (variável) do grupo trinomial. O resultado final é que o calendário, longe de partir o tempo em blocos de duração conveniente, tem o efeito de impor uma grade fina de nitidez sobre "dias" como exponentes qualitativamente únicos do sistema combinatório, não particularmente conectados com os dias em sua vizinhança imediata (como, para nós, 18, 19 e 20 de junho entram um no outro em virtude de serem "dias adjacentes da semana" no calendário gregoriano deste ano). Como Geertz explica, o objetivo do calendário permutativo não é lhe dizer "que dia é hoje", mas lhe dizer "que tipo de dia é hoje". O calendário não é um sistema de medida do tempo, e sim um componente de um sistema de ação; um sistema de observâncias rituais (festivais no templo, que ocorrem esporadicamente durante todo o ano, não em estações reconhecidamente de festivais e não em nenhum sabá reconhecido) e ações pessoais ditadas pela conjunção de "dias pessoais" (aniversários, dias auspiciosos) e dias reconhecidos como sendo "bons" para atividades específicas, tais como casar-se, dar início a um importante projeto e assim por diante. Geertz continua, afirmando que o outro calendário balinês, o calendário lunissolar, se originou do calendário hindu indiano (que na Índia é fortemente conectado com observações astronômicas) e em Bali passou a ser igualmente quase feito segundo uma fórmula, e que embora o calendário lunissolar dos balineses realmente acompanhe tanto o ano solar quanto os doze meses lunares (por meio de dias intercalados – dias ocasionais de meses lunares que contam como dois, a cada 63 dias), eles regulamentam isso referindo-se ao calendário permutativo, não pela observação dos céus. Em outras palavras, um calendário "astronômico" perfeitamente funcional é tratado como se fosse apenas uma criação arbitrária como o calendário permutativo. Em suma, ambos os calendários balineses são não métricos e "não duracionais" e assim correspondem ao teor de "estado estável" sem clímax e não progressista da vida social balinesa.

É certamente indisputável que a explicação que Geertz dá sobre o calendário balinês transmite uma sensação vívida de princípios orientadores que informam a cultura como um todo e tenho certeza de que ele está certo ao chamar a atenção, como faz em todo o ensaio, para as profundas interconexões entre o "estado estável" sociológico (rótulo determinado por um regime imutável de "colocação social" que tem como base a terminologia do parentesco e o sistema de atribuição de nomes tecnônimos*) e o ciclo igualmente não progressivo do sistema de atribuição de nome aos dias. Se alguma vez tivemos a esperança de ver uma abordagem cultural/interpretativa às noções da temporalidade justificada, podemos vê-la aqui. Apesar disso, a fim de comunicar sua sensação da singularidade cultural de Bali, Geertz exagerou um pouco sobre até que ponto o calendário balinês é inútil para os objetivos que têm os calendários em outros lugares (ou seja, para coordenar ações em uma base regular) e o uso prático que os balineses fazem de seus calendários para esse objetivo específico.

Segundo um crítico posterior (HOWE, 1981: 22ss.) os balineses comuns usam o calendário permutativo para objetivos organizacionais práticos, que não têm necessariamente a ver com as características qualitativas de "dias" específicos. A distinção qualitativa de cada "dia" não significa que os dias não possam ser contados com o objetivo de medir o tempo. O calendário é invocado a fim de coordenar atividades seculares e os balineses "são peritos em fazer isso mentalmente, e são capazes de computar grandes intervalos (mais de 100 dias)". Howe discorda de Geertz quando este último afirma que as atitudes dos balineses com relação ao tempo são não duradouras. Todos os dias são "diferentes", tendo qualidades místicas diferentes, sendo associados com diferentes festivais dos templos e assim por diante, mas isso não significa que os balineses não contam e medem intervalos temporais com precisão; pelo contrário, se eles não pudessem fazer isso de uma maneira eficiente, sua vida ritual "frenética" praticamente não poderia ser viável.

Howe argumenta que os balineses são perfeitamente capazes de pensar em termos de tempo linear/progressivo mesmo quando estão utilizando seu sistema tradicional de calendários. Quando estão pensando sobre ciclos como totalidades eles estão pensando em termos de "duração cíclica"; quando estão pensando sobre sequências de eventos em um ciclo eles as tratam em termos de "duração linear". Howe diz que realmente não há qualquer conflito entre tempo "linear" e "cíclico" (ou seja, não duradouro). Os ciclos temporais voltam para o mesmo ponto "lógico" (pelo qual ele quer dizer o mesmo ponto em termos de um esquema de classificação cíclico), mas não para o mesmo ponto "temporal" no sentido de que se entende que

---

* Tecnonímia é um sistema de atribuição de nomes pessoais pelo qual os indivíduos são conhecidos não pelo nome recebido, mas pelo nome de um parente próximo, cuja relação com eles é especificada na expressão do nome, assim: "mãe-de-John".

o tempo passou à medida que o ciclo se repete. Acho que aqui Howe está propondo o mesmo argumento que foi proposto anteriormente (cf. capítulo 4), ou seja, que a noção de recorrência cíclica é logicamente dependente da ideia de tempo linear, porque só no tempo linear é que é possível dizer que as sequências cíclicas de eventos ocorrem novamente.

Posso também usar aqui uma conversa sobre os conceitos do tempo balinês que tive com o Dr. Ward Keeler, um especialista nessa área. Keeler disse que os balineses fazem uso de uma variedade de classificações temporais em contextos diferentes e com objetivos diferentes. O planejamento de longo prazo faz uso do calendário lunissolar e/ou do calendário gregoriano oficial. O planejamento de curto prazo utiliza a semana de mercado de cinco dias nas áreas rurais ou uma semana de mercado de três dias na vizinhança de grandes mercados que operam em um ciclo de três dias. Os dias de sorte são determinados por outro ciclo de três dias, sendo que um desses três dias é apropriado para iniciar qualquer atividade determinada (p. ex., acender uma lâmpada nova pela primeira vez, começar a construir uma casa, ou cortar o primeiro feixe na época da colheita etc.). Eventos rituais são determinados pelo ciclo de 210 dias de trinta *uku* (semanas) de sete dias. Balineses mais peritos podem combinar a semana ritual de sete dias com as semanas de cinco e seis dias a fim de especificar os dias rituais como expressões trinomiais, da maneira descrita por Geertz, mas para a maior parte dos objetivos apenas o *uku* é suficiente. E até mesmo os especialistas fazem uso de auxiliares na forma de almanaques publicados que imprimem, para cada dia, a fase da lua, a data lunissolar, o nome do dia em termos de todos os dez ciclos semanais, as atividades para as quais o dia é propício, e a data de acordo com o calendário gregoriano, o calendário chinês e o calendário islâmico. Antes do aparecimento de almanaques impressos, o momento dos rituais era computado com a ajuda de tabuleiros-calendários esculpidos com um *design* tradicional. O Dr. Keeler expressou a opinião de que o artigo de Geertz dá uma ideia resumida da forma prática pela qual os balineses medem o tempo, sugerindo que existe uma pilha gigantesca de sistemas superimpostos; na verdade, nem todos os sistemas estão em uso ao mesmo tempo e alguns estão em uso há muito pouco tempo.

Finalmente, há um tipo diferente de argumento crítico que pode ser feito contra a apresentação de Geertz das noções temporais dos balineses além da acusação que se faz a ele de relativismo metafísico incoerente. Um sistema de calendários com o grau de complexidade exibido pelos balineses é um instrumento de poder e influência na sociedade, não apenas um item neutro de "cultura" acessível a todos. Bloch (cujas críticas de Geertz serão consideradas no capítulo 9) acusa Geertz de se concentrar nos esquemas de manuseio do tempo "rituais em detrimento de esquemas práticos/seculares aos quais faltam as propriedades que Geertz atribui às conceituações do tempo balinês como um todo. Essa crítica não é justificada na medida em que, embora o calendário permutativo seja usado para computar importantes dias rituais (tais como o festival *gulungan*, realizado em toda a ilha a cada 210 dias), ele também é usado para determinar dias propícios para empreendimentos puramente seculares, tais como dar início a uma empresa comercial, construir casas e assim por diante. A preocupação excessiva com a identificação de dias "de sorte" não pode ser isolada como uma questão de "ritual", já que permeia todo o espectro de atividades vitais e mundanas. Mas ela realmente tende a concentrar a influência secular nas mãos de especialistas de "ritual", isto é, "especialistas" que podem dar veredictos confiáveis sobre a questão de dias propícios que variam de atividade a atividade e de indivíduo a indivíduo.

A melhor etnografia abordando esse tipo de nexo entre influência social e perícia sobre calendários (que, por sua vez, depende da natureza do calendário tradicional) não vem de Bali, e sim de estudos recentes realizados no norte da Tailândia entre os tailandeses (DAVIS, 1976) e entre os shans (TANNENBAUM, 1988). Entre essas comunidades (ambas budistas) existe uma variedade de esquemas de calendários prognósticos baseados no ciclo lunar de quatro fases, na semana planetária (de sete dias), no ciclo de doze animais (que conhecemos dos nomes dados pelos chineses aos anos, tais como o ano do dragão, do macaco, do boi etc.) que se aplicam aos anos e também aos dias, e ciclos esotéricos que têm a ver com os momentos em que certos espíritos precisam ser alimentados, e com a orientação de um dragão subtarrâneo gigantesco que revolve ao redor de seu eixo à medida que o ano vai passando. Esses esquemas de dias bons e maus estão disponíveis para todos em almanaques e cartazes impressos que circulam por todo o país. No entanto, Davis consegue mostrar, usando sete dos esquemas disponíveis, todos eles, em princípio, complementares e igualmente válidos, que em um mês escolhido aleatoriamente (17 de dezembro – 15 de janeiro de 1972) não houve, na verdade, nem um único dia em que teria sido totalmente seguro para um jovem tailandês em boa condição física sair de casa. Mas essa é precisamente a época do ano em que os jovens do norte da Tailândia saem em busca de trabalho sazonal migratório, e consequentemente as "regras" eram consistente e flagrantemente violadas. No entanto o sistema como um todo persiste e a venda de almanaques continua tão animada como sempre (DAVIS, 1976: 22).

Davis discute os muitos tipos de racionalizações secundárias disponíveis para aqueles cujos interesses pragmáticos exigem a infringência dessa ou daquela estipulação do calendário, e também argumenta que a quase inevitabilidade de qualquer atividade determinada que ocorre em um dia considerado não propício segundo algum esquema de calendários fornece uma explicação cultural compreensível para qualquer tipo de fracasso ou desaponto (p. 22-23). Suspeito que o calendário balinês persiste, pelo menos em parte, porque ele fornece uma espécie de explicação depois do evento para o infortúnio (exonerando a vítima da responsabilidade pessoal por seu empreendimento se esse não der certo), que Davis descreve tão bem com relação ao calendário tailandês que é estruturalmente semelhante. Mas há também outro aspecto, mais político, associado a isso.

O sistema de calendários (na forma de almanaques e cartazes impressos etc.) não é esotérico e está disponível para todas as pessoas com conhecimento do tailandês escrito, no qual a maioria dos tailandeses do norte e dos shans estão alfabetizados. Mas o "conselho" disponível nessa forma é claramente impossível de ser seguido. Consequentemente um especialista de segunda ordem é necessário a fim de selecionar, entre a variedade de esquemas prognósticos, aquele que é mais significativo com relação a qualquer atividade ou projeto específicos que um indivíduo determinado pode estar considerando. Tannenbaum (1988) descreve a maneira pela qual, entre os shan, esse tipo de sabedoria é atribuída unicamente aos ascetas budistas que seguem os preceitos e que têm o "poder" que pode ser obtido, em última instância, apenas por ser o sucessor de uma longa linha de professores budistas. A importância social dos peritos em calendários não é uma questão da imposição do poder da elite (conferido pela alfabetização) exercido sobre um povo subserviente e intimidado. Em vez disso, há uma demanda espontânea por um veredicto confiável que vem do povo, já que todos têm acesso à habilidade de "primeiro nível" de interpretar os calendários, mas não são capazes de descobrir por meio dessa habilidade as prescrições inequívocas com relação aos cursos de ação mais vantajosos para eles próprios. Ou seja, é a própria pluralidade e complexidade do sistema de calendários e o fato de esse sistema ser verdadeiramente democrático e disponível para todos que motiva a emergência de uma elite de peritos em calendários que podem fornecer conselhos confiáveis. E, é claro, há uma transferência entre o "poder" do perito budista em "evitar erros" ao oferecer conselhos sobre calendários e a influência social mais generalizada dos virtuosos da religião budista com relação à questão muito importante de doações para o *sangha* e a intervenção religiosa nas questões políticas e sociais de um modo geral.

Questões do tipo daquelas examinadas por Davis (1976) e Tannenbaum (1988) praticamente não vêm à tona na explicação de Geertz sobre o calendário balinês. Mesmo levando em conta a diferente institucionalização do poder religioso na Tailândia e em Bali respectivamente, é claro que isso deveria ter sido possível. É a atitude de Geertz, ao deixar de lado as considerações pragmáticas ou políticas que formam a base da crítica de Bloch, que irei examinar a seguir.

9
O antirrelativismo antidurkheimiano

Em sua palestra "The Past and the Present in the Present" [O passado e o presente no presente] (1977) Bloch faz um ataque duplo à posição de Geertz. Primeiramente ele identifica Geertz como um relativista cultural e expressa sua objeção àquilo que ele diz com a justificativa de que, por princípio, o relativismo cultural está errado. Segundo, ele afirma que Geertz confundiu ideologia com cognição, ou seja, aceitou como orientação para "a maneira como os balineses pensam" um subconjunto específico de mensagens que vão e veem no universo de comunicação balinês, isto é, as mensagens que são tornadas públicas nos contextos "rituais". Mas isso é letal, porque essas mensagens rituais têm apenas a intenção de legitimar a autoridade e são sistematicamente enganosas. Geertz e outros antropólogos que propõem ideias semelhantes "apresentaram como variações culturais aquilo que na verdade são diferenças entre a visão do mundo da comunicação ritual e *nossa* visão prática cotidiana. Ao fazê-lo... eles confudiram os sistemas pelos quais nós conhecemos o mundo com os sistemas pelos quais nós o escondemos".

Lidarei com as duas partes do argumento de Bloch individualmente. Primeiro, examinemos seu ataque ao relativismo. Bloch remonta as origens do relativismo cultural a Durkheim que desenvolveu a teoria da determinação social de conceitos (cf. capítulo 1) na forma em que aparece nos escritos de antropólogos como Geertz. (Outras influências estiveram em ação também, principalmente o romantismo alemão, por meio de Boas (p. 279). Bloch (1989) argumenta que a versão "sociológica" do kantismo de Durkheim teve como origem sua oposição às ingênuas teorias de cognição empiristas originárias de Hume. Mas, diz ele, como no século XVIII a teoria cognitiva na psicologia progrediu imensamente, e a base intelectual da premissa kantiana/racionalista de que a cognição (isto é, a aplicação de formas categoriais) antecede a percepção, a experiência e a ação já não podem ser sustentadas. Antropólogos que pertencem à tradição durkheimiana, portanto, dependem de uma teoria "sociológica" da cognição cujas reivindicações de superioridade sobre as teorias psicológicas de cognição rivais (modernas) já não podem ser intelectualmente justificadas. Antropólogos que pertencem à tradição durkheimiana (o que inclui a maioria dos antropólogos) operam aquilo que ele chama de "teoria antropológica da cognição" que está ultrapassada e é demonstravelmente falsa. É essa teoria antropológica da cognição que encoraja os antropólogos a fazerem afirmações relativistas culturais sobre formas de pensamento básicas, tais como o tempo. Mas, comenta ele, se a "noção de tempo" fosse realmente culturalmente relativa, "a física deveria se tornar um ramo secundário da antropologia" (BLOCH, 1989: 282).

Em vez de fazer afirmações exageradas, continua Bloch, os antropólogos deveriam estabelecer uma distinção clara entre cognição e ideologia. A cognição é um universal humano no sentido de que todos os seres humanos passam por um processo de desenvolvimento durante o qual aprendem a aplicar esquemas, originalmente resultantes da interação com o mundo, para estruturar as experiências e captar as relações (tais como as relações temporais entre eventos). O tempo cognitivo é tempo perceptual universal. Ideologias, por outro lado, são ideias apresentadas em contextos nos quais a autoridade está sendo imposta de alguma maneira, normalmente no decorrer de eventos rituais tais como cerimônias de iniciação, a instauração de governantes sagrados, a celebração de antepassados e assim por diante. Nesses tipos de situação o antropólogo irá certamente encontrar representações coletivas que visivelmente contradizem as noções comuns cotidianas sobre o mundo – representações, por exemplo, que implicam que o tempo gira continuamente em vez de ir adiante continuamente ou que o tempo está totalmente imobilizado, o passado, o presente e o futuro são idênticos e nada pode mudar jamais. Não é difícil perceber como os objetivos da "legitimação tradicional" são bem servidos pelas representações coletivas que comunicam a fusão do passado, do antecedente ancestral e do presente em que esses antecedentes ancestrais são mobilizados para garantir a continuidade do grupo governante na sociedade. Mas o erro dos antropólogos, segundo Bloch, é ter tomado essas comunicações "rituais", em virtude de sua distinção cultural e a maneira curiosa pela qual elas subvertem nossas noções do senso comum da normalidade cognitiva, como se elas fossem o padrão cognitivo em todos os contextos e não só nos contextos rituais. Elas de forma alguma refletem cognição; estão lá para esconder, do escrutínio cognitivo, certos aspectos do mundo real que, se não fosse por isso, estariam abertos para ele.

O ponto de vista de relatividade cultural se origina do literalismo inapropriado na interpretação das comunicações rituais como se elas expressassem diretamente postulados metafísicos "alternativos". A fim de tirar o ar dessa cumplicidade voluntária nos enganos praticados no contexto ritual, Bloch enumera certas objeções por princípio ao relativismo propriamente dito. Primeiro (como observado anteriormente) as ciências "duras" consistentemente deixaram de prestar qualquer atenção à "cultura" na construção de modelos científicos do mundo. Segundo, Bloch diz que se outras culturas tivessem noções sobre o tempo profundamente diferentes das nossas, não seríamos capazes de nos comunicar com elas. Terceiro, ele diz que, na verdade, o estudo da "sintaxe e da semântica das línguas naturais" mostrou que todas as línguas naturais operam com base em premissas lógicas fundamentalmente idênticas e "se toda a sintaxe é baseada na mesma lógica, então todos os que falam devem perceber o tempo da mesma maneira" (BLOCH, 1989: 283). Quarto e finalmente ele se refere à obra de psicólogos, etnocientistas e psicolinguistas cognitivos que demonstraram a existência empírica de universais cognitivos (p. ex., a relevância perceptual intrínseca das cores "focais" nas classificações de cor: BERLIN & KAY, 1969 etc.) (Irei discutir os aspectos psicológicos e linguísticos da posição antirrelativista nos capítulos de 11 a 15.)

Tendo levantado esses argumentos gerais contra "a teoria antropológica da cognição" e o relativismo anticientífico a que ela conduz, ele passa então a falar sobre o segundo pino de seu ataque de dois pinos que é, dessa vez, mais especificamente dirigido a Geertz e não à antropologia pós-Durheimiana de um modo geral. Bloch precisa mostrar que a evidência para o conceito de tempo "balinês" idiossincrático e cultural vem do contexto social da divulgação do discurso ritual estritamente "ideológico" (isto é, legitimador) e que esses conceitos não refletem "a maneira como os balineses pensam" sobre o tempo nos contextos "cotidianos" (ou politicamente "oposicionais"), fora do sistema de referência ritual.

Bloch usa dois argumentos separados, mas interconectados, a fim de fazer com que essas críticas a Geertz tenham efeito. O primeiro grupo de argumentos está relacionado com a etnografia do tempo em Bali que, afirma Bloch, Geertz apresentou de uma maneira muito deturpada. O segundo argumento é de uma natureza mais geral e comparativa e resume-se a uma demonstração de que Bali pertence a uma categoria ampla de sociedades "hierárquicas", todas elas com ideologias comparáveis, e representações coletivas do tempo também comparáveis, e que podem todas elas ser contrastadas com sociedades "não hierárquicas" às quais faltam representações e ideologias comparáveis por razões sociológicas e previsíveis.

A natureza das objeções de Bloch ao retrato etnográfico que Geertz faz do tempo balinês já deve ter ficado clara. Bloch cita Hobart (1975) afirmando que apenas sacerdotes, em sua capacidade oficial, usam o calendário permutativo enquanto agricultores usam o calendário das "estações" (presumivelmente o calendário lunissolar que, segundo o que o próprio Geertz diz, é confiável para os fazendeiros nas computações do tempo porque acompanha as mudanças sazonais: GEERTZ, 1973: 398). Essa afirmação específica de Hobart, no entanto, não é corroborada por Howe (1981) e realmente parece que o calendário permutativo está mais em uso em contextos pragmáticos do que Bloch nos faz crer (especialmente se incluirmos os prognósticos cotidianos de dias "de sorte" sob a rubrica de "uso pragmático do calendário" como creio seria correto fazer; cf. capítulo 8, acima). Geertz tampouco está totalmente silencioso com relação ao uso crescente do calendário gregoriano em contextos contemporâneos, burocráticos e de outros tipos. Mas enquanto Geertz vê isso como um aspecto de "mudança", Bloch o interpreta como evidência de que os processos mentais dos balineses não são de forma alguma predominantemente influenciados pelo calendário permutativo tradicional que é limitado a contextos rituais. Finalmente, ele observa que os balineses sofreram uma longa série de distúrbios políticos e sociais durante todo este século, culminando no fim do colonialismo holandês, e os paroxismos provocados pela subida ao poder de Sukarno. A sequência não periódica de eventos que marcaram épocas (guerras, erupções vulcânicas etc.) é usada em Bali (exatamente como aqui) para aferir os momentos de ocorrência de eventos menos públicos (tais como o ano em que filhos nasceram). Geertz, uma vez mais, não deixou de observar esse fato, mas o interpreta de uma maneira bastante diferente. Ele vê nisso apenas a individualização sem limites de momentos "exatos" de tempo, que são totalmente descontínuos e, portanto, não são articulados com qualquer sentido de tempo histórico como um fluxo regulamentado e homogêneo. Enquanto para Bloch, por outro lado, o reconhecimento consensual do "calendário" periódico de eventos históricos destrói a afirmação de Geertz com relação à "atemporalidade" da vida balinesa, os balineses estão conscientemente no âmago da história e da mudança e usam marcos históricos a fim de se orientarem no tempo de um modo geral.

Tendo descartado essas questões, Bloch introduz seu argumento comparativo que é enfatizar a coincidência formal entre "tempo imobilizado" (que ele associa com o uso do calendário permutativo) e a hierarquia social como um fenômeno mundial. Isso ele contrasta com a orientação pragmática para com o tempo que é observável entre povos não hierárquicos tais como os hadza (uma tribo autoconscientemente igualitária de caçadores-coletores africanos com uma orientação temporal "focada no presente": Woodburn (1980). A orientação temporal é, realmente, uma função da estrutura social, como Durkheim teria argumentado, mas apenas se a "estrutura social" é considerada estritamente equivalente à "hierarquia", isto é, à dominação social sustentada pela ideologia ritual – formas de comunicação que são enquadradas de tal maneira que as torna imunes à crítica e ao argumento racionais. Assim Bloch pode concluir:

> a evidência balinesa não sustenta a ideia de que as noções do tempo variam de uma cultura para outra, ela apenas mostra que, em contextos rituais, os balineses usam uma noção de tempo diferente daquela usada em contextos mais mundanos e que nesses contextos mundanos categorias e classificações estão... baseadas em universais cognitivos (BLOCH, 1989: 285).

Quão justas são as críticas que Bloch faz de Geertz? Isso depende muito de como interpretamos, exatamente, o que Geertz está dizendo. O texto de Geertz pode ser lido como uma justificativa relativista cultural para a hierarquia tradicional balinesa – a leitura que Bloch escolheu fazer –, mas para mim não está claro que o texto de Geertz *tenha necessariamente* de ser lido dessa maneira. É igualmente possível ler o ensaio de Geertz sem concluir que ele tem a intenção de implicar a relatividade cultural em sua forma pseudometafísica. Geertz está nos dando uma interpretação de certos temas proeminentes na cultura balinesa, não uma explicação positiva da psicologia e da cognição balinesas. A maior acusação que podemos fazer a Geertz com respeito a isso é o fato de ele não ter feito maiores esforços para excluir a leitura de sua obra que poderia interpretar como sendo favorável ao relativismo metafísico de linha dura do tipo exemplificado por Gurvich (ou Whorf, cujas ideias irei esboçar no capítulo 14). O relativismo de Geertz não é uma questão de dogma, e sim um produto secundário do artifício literário. Como Marcus e Fischer (1986) observaram, o estilo da antropologia interpretativa de Geertz visa causar um efeito literário específico, que eles chamam de "desfamiliarização", isto é, o mundo é apresentado de uma maneira reconhecível, mas transformada de tal forma que alcançamos uma nova perspectiva na compreensão "normal" do mundo observando-o a partir de coordenadas pouco comuns. Geertz aumenta o efeito de desfamiliarização ao usar a etnografia de uma forma muito seletiva, amontoando detalhes a fim de criar a impressão de uma realidade balinesa privada. Mas acho que podemos fazer uma distinção entre o relativismo "literário" de Geertz que é explicitamente interessado na representação textual de culturas e que considera as culturas como textos "lidos por cima do ombro" dos habitantes nativos, e as formas mais ingênuas de relativismo.

O ponto fraco na abordagem de Geertz não é que ele esteja impondo uma teoria positiva de relatividade cultural (cognitiva), e sim que seu sistema de referência exclusivamente cultural/interpretativo permite que ele evite a questão de por que, de todas as possíveis representações culturais, essas representações específicas deveriam prosperar em Bali. Além disso, a fim de obter o brilhante efeito de desfamiliarização interpretativa que é uma característica distintiva do estilo de Geertz, todo o sistema cultural tem de ser comprimido e totalizado de uma maneira que é desleal para com o caráter real de tais sistemas, tanto como "vividos" de dentro quanto como encontrados de fora. Talvez Geertz possa ser legitimamente acusado de sofrer da "ilusão sinótica" identificada por Bourdieu (1977; capítulos 28 e 29, a seguir) em sua discussão paralela de análises etnográficas do calendário kibele, ou seja, a falsa totalização dos esquemas conceituais culturais. E, como ele se envolve nessa totalização artificial da "cultura" balinesa, não pode lidar com os tipos de questões pragmáticas relacionadas com as maneiras como os sistemas de calendários são organizados e utilizados na prática, algo que Davis (1976) e Tannenbaum (1988) deixaram claro em suas explicações mais realistas dos calendários tailandeses que são estruturalmente semelhantes. Mas essa distorção da realidade etnográfica surge em virtude da lógica da apresentação literária e não de uma adesão dogmática a uma falsa concepção da psicologia cognitiva.

Aos olhos de Bloch, o erro principal de Geertz é que dá uma respeitabilidade indevida às ideologias conservadoras, ao desencorajar qualquer interferência com formas tradicionais, legitimadoras e simbólicas com a justificativa de que essas constituem a cultura "total". Ao avaliar essa decisão podemos começar a nos despedir do material balinês e levar em consideração alguma das implicações mais amplas da crítica de Bloch.

10
Regimes contrastados

Será verdade, como diz Bloch, que existem realmente apenas dois "tipos de tempo: (1) o tempo cognitivamente universal e (2) o tempo ritual cíclico "imobilizado"? E será verdade que o tempo "cíclico" está exclusivamente limitado à legitimação ritual da autoridade nas sociedades hierárquicas? Adiarei o exame da tese psicológica do tempo pragmático cognitivamente universal de Bloch até os capítulos 11 e 12. Mas a questão da suposta limitação das noções "cíclicas" do tempo ao sistema de referência ritual é uma pergunta que pode ser respondida com referência ao material antropológico isoladamente e, portanto, é mais conveniente considerá-la primeiro. Não acho que a afirmação de Bloch de que as noções "cíclicas" do tempo são exclusivamente limitadas aos contextos rituais e são produzidas unicamente em sociedades hierárquicas pode ser confirmada. Essa crítica pode ser corroborada não apenas por meio da citação de exemplos contrários (que apresentarei mais tarde), mas também acompanhando até o fim as implicações das próprias ideias de Bloch sobre o tempo "prático" (não ritual). De onde vem o tempo "prático"?

> é em contextos em que o homem está mais diretamente em contato com a natureza que encontramos conceitos universais, [assim] a hipótese de que é algo no mundo, mas além da sociedade, que restringe pelo menos algumas de nossas categorias é fortalecida, embora essa natureza não necessite ser a natureza como uma entidade independente do homem, e sim, como creio é sugerido pelos dados de Berlin e Kay e prenunciado por Marx, a natureza como o sujeito da atividade humana (BLOCH, 1989: 285).

O tempo cíclico é produzido pelo ritual, mas "a natureza como sujeito da atividade humana" produz o tempo prático, sobre o qual nos dizem pouco mais além de ele ser linear. Mas aqui há um problema. "A natureza como sujeito da atividade humana" é universalmente periódica. Há ampla evidência sugerindo que os conceitos de "duração" são, na maioria das sociedades agrárias, centrados na periodicidade e na recorrência, um argumento defendido convincentemente por Barnes (1974) com relação aos kédang. Com efeito, é difícil expressar a ideia de tempo "linear" progressivo sem apelar para a ideia de intervalos descontínuos de tempo sendo acrescentados uns aos outros em série, dias sucedendo aos dias, meses sucedendo aos meses, anos sucedendo aos anos, e assim por diante. O fator de reconhecimento de ciclos recorrentes é crucial para a temporalidade "prática". Ela não é dogma religioso e sim a natureza fechada do ciclo produtivo agrícola, e os custos de oportunidade incorridos em virtude de atrasos indevidos na finalização das fases deste ciclo, que focalizam a "recorrência" como a característica mais relevante do "tempo" nas comunidades agrárias. Não há nada de místico sobre isso, e não tem nada a ver, intrinsecamente, com a hierarquia.

Bloch sugere que o tempo cognitivamente universal se origina das características uniformes das interações humanas com a natureza como sujeito da atividade humana, ou, mais especificamente, do trabalho. Nesta seção farei um esboço do sistema cultural de manuseio do tempo de duas sociedades das quais tenho experiência direta como etnógrafo, os umeda da Nova Guiné, e os muria gonds, uma sociedade "tribal" (*adivasi*) da Índia Central. Nenhuma dessas duas sociedades poderia ser descrita como hierárquica, e embora as duas organizem rituais elaborados (o ritual principal dos umeda, o *ida* já foi descrito) em nenhum dos dois casos seria verdadeiro dizer que o ritual está primordialmente interessado em legitimar a autoridade. Além disso, embora os umeda e os muria pensem sobre processos naturais e sociais em termos de ciclos ou periodicidades estabelecidas, há diferenças estruturais entre "tempo cíclico" (isto é, processos cíclicos) nos dois exemplos, que eu relacionaria com as diferenças em seus regimes respectivos de produção. Em outras palavras, embora eu concorde com Bloch quando ele diz que as ideias do "tempo" (isto é, esquemas processuais socialmente reconhecidos) surgem por meio da interação com "a natureza como sujeito da atividade humana", acredito que os contextos em que a natureza se torna o sujeito da atividade humana são insuficientemente uniformes para dar origem a universais de cognição do tempo.

Os umeda, como muitas sociedades das planícies da Nova Guiné, subsistem principalmente de sagu. O processamento do sagu é uma atividade que dura o ano todo e é suspensa apenas por um breve período durante a estação ritual, mas que é perfeitamente viável a qualquer momento do ano, exceto durante as secas raras e imprevisíveis, quando a água para lixiviar a fécula das toras de sagu fica temporariamente escassa. Os muria gonds da Índia Central são cultivadores de arroz em campos represados, mas sem outro tipo de irrigação, e dependem das chuvas das monções para sua safra principal. Com essa diferença simples, mas essencial, nos regimes produtivos podem ser associadas diferenças profundas nas atitudes temporais e nos conceitos do tempo. O regime temporal dos umeda, isso sem considerar o ritual, é essencialmente homogêneo e uniforme, com apenas leves variações sazonais; entre os muria, por outro lado, cada estação está associada com atividades extremamente diferentes, de tal forma que em estações do ano diferentes poderíamos estar vivendo em um lugar completamente diferente. Se o forasteiro visitasse a nação muria em julho, e partisse antes das chuvas terminarem, ele não teria nenhum meio para formar uma imagem mental da nação muria em março, quando a lama teria se transformado em poeira, e os arrozais exuberantes, verdes e encharcados em descampados vermelhos e fragmentados, o silêncio e a indústria intensiva em barulho, lazer e divertimento. Um visitante à terra dos umeda não teria essa desvantagem.

O cultivo dos arrozais põe o homem contra a natureza e a passagem inexorável das estações de uma maneira que a produção do sagu nunca faz. Determinados processos, principalmente arar, retirar as ervas daninhas e coletar, têm de ser executados dentro de parâmetros temporais estabelecidos pelas exigências biológicas e o padrão de crescimento da planta do arroz. A semente do arroz deve cair sobre terra encharcada, a retirada de ervas daninhas deve estar completa antes que os brotos que carregam os grãos estejam maduros, a colheita tem de ser feita antes que o grão comece a se soltar. Essas exigências que emanam da natureza da variedade cultivada, e o fato de ela estar sendo cultivada em um ambiente artificial e não onde nasceria naturalmente, coloca exigências excepcionais nos recursos de mão de obra e nas técnicas de gestão nos estágios de "crise vital" na vida da planta do arroz. No cultivo, ou, mais precisamente, na exploração do sagu, não há nada que se compare à tensão gerada na agricultura de grãos secos em todas as estações, exceto no período lento entre a colheita e a plantação. O sagu é uma planta selvagem no território umeda, embora pontos de sagu possam ser artificialmente criados plantando os brotos em lugares apropriados. Além disso as palmeiras de sagu que são derrubadas se regeneram espontaneamente no mesmo lugar. A tensão envolvida na produção do sagu é de um tipo distinto. As palmeiras de sagu levam até quinze anos para amadurecer, embora algumas possam estar prontas para serem derrubadas depois de mais ou menos sete anos. A maturação das plantas de arroz é um processo que pode ser observado de uma semana para a outra, quase diariamente, enquanto meses e até anos podem se passar com pouco efeito discernível na palmeira do sagu. As preocupações dos umeda com as palmeiras do sagu são de um tipo difuso e de longo prazo; preocupações de que as palmeiras estão amadurecendo muito lentamente, ou que quando, após anos de crescimento lento, elas forem derrubadas não haverá nada a não ser madeira dentro delas. O fazendeiro muria contempla o desastre iminente e de curto prazo, com a perspectiva de uma estação melhor ou de mais sorte vindo a seguir; os umeda pensam em termos de um destino apocalíptico que os espreita no fundo como uma possibilidade, mas têm poucas preocupações de curto prazo.

Esses são os contrastes nos regimes produtivos entre os muria e os umeda; agora voltemo-nos para os contrastes nos regimes temporais. Em essência, a questão inteira pode ser resumida em uma palavra dos muria gondi que não tem semelhante no vocabulário umeda. A palavra em questão é *pabe*, que significa "tempo disponível, oportunidade". Essa palavra é encontrada mais frequentemente como parte da expressão *pabe mayon*. Essa é a desculpa comum para recusar qualquer forma de ajuda e significa "não tenho tempo". A noção de tempo como um recurso escasso é um tipo de noção que, pelo que sei, simplesmente não é encontrada entre os umeda. Às vezes eu tinha de requisitar carregadores aos umeda. À medida que o tempo foi passando, eles descobriram que eu não era, como eles tinham imaginado, um oficial de patrulha excêntrico e sim um ser humano comum cujos pedidos podiam ser recusados sem perigo. O que costumava me surpreender era a maneira pela qual os umeda, quando davam suas desculpas, nunca mencionavam obrigações urgentes em outro lugar, como nós faríamos. Eles simplesmente declaravam que não tinham desejo de fazer o que eu queria. Para nossa maneira de pensar isso não é exatamente uma boa "desculpa", mas, dada a elasticidade da necessidade de tempo entre os umeda, nenhuma outra desculpa lhes está disponível culturalmente. Não é que eles fossem preguiçosos, longe disso. Sua economia só lhes deixava uma exígua margem em termos de alimentos, e a fim de sobreviver tinham de trabalhar regularmente e muitas vezes trabalhar muito. Mas não tinham qualquer motivo para desenvolver a noção de tempo relacionada com custo de oportunidade que encontramos entre os muria e povos como eles, nos quais a não realização de uma atividade durante uma "janela de oportunidade" específica é equivalente à não realização daquela atividade em qualquer momento. Para os umeda, a não realização de uma atividade em algum momento específico de tempo meramente significa que ela foi adiada para algum outro momento, com a perda consequente de seja qual for o benefício que eles poderiam ter obtido se a tivessem realizado e não a tivessem adiado, mas não a perda adicional da "oportunidade" de realizá-la.

Os umeda não têm nomes para os meses, nem qualquer ideia de quantos meses existem em um ano. Seu ciclo ritual não tem nenhuma cerimônia dos primeiros frutos; não há um sagu "novo". As estações são só levemente distinguidas como chuvosa e seca, embora alguns outros produtos comestíveis além do sagu, principalmente os brotos de bambu, o taro e as folhas de *gnetum gnemon*, apareçam em momentos diferentes. Eles não têm semanas, mercados semanais ou um dia do sabá. No entanto não são incapazes de coordenar atividades de curto prazo contando os dias. Mas em vez de ter um ciclo estabelecido semanalmente fazem uso de um conjunto de sete palavras articuladas ao "hoje", ou seja, o dia antes do dia antes de ontem/o dia antes de ontem/ontem/hoje/amanhã/o dia depois de amanhã/o dia depois do dia depois de amanhã.

Na semana umeda, o hoje, por assim dizer, é sempre quarta-feira. Esse tempo mutante e sem fronteiras corresponde à natureza mutante, improvisatória e descoordenada do processo produtivo umeda; o serpentear de grupos familiares autônomos de um grupo de sagus até outro na floresta densa, pontuada por excitações esporádicas de um tipo imprevisível (a perseguição e captura coletiva de um porco selvagem ferido, a apresentação de rituais de cura para os doentes, ou a demarcação de trilhas até uma aldeia para capturar e matar um feiticeiro), tudo sem referência a qualquer cronograma geral. Somento o ciclo ritual dá qualquer coerência ao padrão e o ciclo ritual é imposto, estaríamos inclinados a dizer, em rebeldia aos fatos da natureza e aos processos produtivos e não em virtude deles.

Entre os muria, encontramos um regime temporal completamente diferente. Os muria têm nomes para os meses, que foram copiados, junto com sua atual tecnologia agrícola, dos hindus de Bastar. São capazes de detalhar, com precisão, o ciclo anual de atividades, e aqueles que sabem ler e escrever fazem uso, como outros camponeses indianos, dos almanaques agrícolas publicados que dão conselhos sobre os momentos astrologicamente propícios para iniciar diferentes tipos de trabalho. Seu calendário tradicional é articulado pelas cerimônias dos primeiros frutos, e todas as cerimônias principais que comemoram as divindadas da aldeia e do clã se enquadram nessa categoria. Cerimônias de crises vitais, das quais a mais importante são as cerimônias de atribuir nomes, noivados, casamentos e sepultamentos, também caem em momentos predeterminados do ano, e não em momentos irregulares durante todo o ano. O calendário de eventos rituais é coordenado no nível distrital, de tal forma que os deuses de aldeias e clãs específicos, junto com seus devotos, podem se reunir em grandes números e visitar cada aldeia de cada vez. Essa progressão de festas marcadas no calendário dos deuses de um lugar para outro por todo o distrito é recapitulada, em uma escala menor, pela instituição da semana do mercado, os sete dias da semana sendo chamados tanto por seus nomes em hindi e pelos nomes dos mercados realizados em dias específicos da semana: quinta-feira é dia do mercado Pharasgaon, sexta-feira é dia do mercado Dhorai, sábado é dia do mercado Chhote Dongar, domingo é dia do mercado Narayanpur e assim por diante (GELL, 1982). Nesses mercados, homens de aldeias diferentes se encontram e coordenam os negócios do distrito. Apesar de analfabetos, os muria podem, e muitas vezes o fazem, planejar eventos sociais e rituais com meses ou até anos de antecedência dentro de um arcabouço rígido de sistemas de calendários.

É significativo que uma das três palavras do inglês que entraram para o vocabulário dos muria é "time" [tempo] (os outros são "power" [poder] e "officer" [oficial]). Tempo, poder, autoridade, e a sincronização estão todos conectados em um único conjunto de significados cuja base, eu argumentaria, reside na natureza do regime estabelecido de produção camponesa. A agricultura, em qualquer parte do mundo, é um jogo de azar em que as probabilidades sempre favorecem aqueles que podem planejar a longo prazo e não aqueles que são obrigados a planejar unicamente no curto prazo. Exercer "poder" no meio camponês é equivalente a ter controle sobre o tempo, a ser capaz, em outras palavras, de organizar (isto é, sincronizar) as atividades de um domicílio produtivo a fim de não ser deixado para trás pelos eventos, que prosseguem de acordo com um cronograma inexorável, mas nunca inteiramente previsível, estabelecido pela interação entre condições sazonais do tempo e as necessidades biológicas das várias safras. A popularidade duradoura dos almanaques agrícolas na Índia e em outros lugares do mundo camponês deve ser atribuída ao fato de esses documentos, cujas estipulações são mais usadas para a violação do que para a observância (cf. capítulo 8), apesar disso epitomizarem a forma essencial – temporal – do destino do agricultor, oferecendo um substituto mágico para o controle sobre o tempo e a oportunidade; algo que o camponês, sempre preso nas dificuldades de algum dilema de planejamento, nunca tem.

Esses dois exemplos mostram, creio eu, que Bloch está correto ao acreditar que a interação humana com "a natureza além da sociedade" profundamente influencia a cognição do tempo. Mas essa interação não é, de forma alguma, padronizada. Sociedades diferentes e camadas sociais diferentes, operando sob circunstâncias ecológicas diferentes, empregando tecnologias diferentes e enfrentando tipos diferentes de problemas de planejamento de longo e curto prazos, constroem vocabulários culturais bastante diferentes para lidar com os relacionamentos temporais. Universos temporais cognitivos de um tipo substantivo, isto é, sistemas de crenças contingentes universais que pertencem à maneira como o mundo funciona como um complexo de relacionamentos temporais entre eventos, são tão místicos quanto os sistemas metafísicos temporais culturalmente específicos do período pós-durkheimiano. Tudo que poderíamos querer dizer sobre tempo, cultura e cognição pode ser dito sem adotar nenhuma dessas alternativas inaceitáveis.

Tendo estabelecido os umeda e os muria como exemplos dos tipos contrastados de regime temporal, com a sugestão de que é o sistema de produção de subsistência que é primordialmente responsável pelas diferenças entre eles, pode ser de nosso interesse aprofundar o argumento um pouco mais com relação à distinção entre tempo "ideológico" e tempo "prático", sugerido por Bloch. O leitor se lembrará de que Bloch acredita que o tempo prático (originário de universais perceptuais cognitivos) é linear, enquanto o tempo ideológico, encontrado unicamente em contextos rituais e destinado a "ocultar" a realidade, é estático e/ou cíclico.

À primeira vista, a forma adotada pelas representações rituais do tempo tanto entre os muria quanto entre os umeda parece confirmar o que diz Bloch. O sistema ritual dos muria, como mencionado anteriormente, é uma série elaborada de cerimônias dos primeiros frutos, sacrifícios que homenageiam os deuses no final de cada estágio no ano agrícola, depois do qual a nova safra pode ser comida e as preparações para a produção das safras do ano seguinte podem ter início. O culto muria dos deuses é um ciclo de festas de calendários. Não seria sequer impreciso, portanto, dizer que os muria ritualizam o tempo na forma cíclica, e que o objetivo do ritual é celebrar tanto a hierarquia (mortais *versus* deuses) e a ordem estabelecida das coisas no tempo fixo, imobilizado. Por outro lado as festas de calendário dos muria não legitimam relacionamentos hierárquicos entre os próprios mortais. Essas festas são ocasiões para todos os muria e eles são "igualitários" da mesma maneira que os habitantes da região montanhosa da Nova Guiné são igualitários, ou seja, suas aldeias são presididas por um grupo de Homens Grandes (*siyan*, os sábios), cujas posições de influência têm como base princípios de realização e não um *status* atribuído. Nos casos em que outras castas participam das festas calêndricas dos muria, como fizeram na aldeia em que fiquei, então essas castas, mesmo que sejam oficialmente superiores aos muria na hierarquia das castas (não comem carne de vaca, e assim por diante), assistem às cerimônias sob o patrocínio dos muria, como seus clientes rituais. Isso ocorre porque os muria são os proprietários originais da terra e são seus deuses do clã local, e não os deuses hindus, que garantem sua fertilidade. Os rituais dos muria são ocasiões não para demonstrações de hierarquia, mas, muito pelo contrário, para a comensalidade obrigatória, sustentada e inclusiva e a troca de presentes entre todos os domicílios componentes da aldeia. Eles não são uma Saturnália, uma ocasião para subverter a hierarquia pela duração de uma "estação de ritual" limitada, após a qual ela é reimposta (BLOCH, 1989: 127). Pelo contrário, é a dramatização da ordem social igualitária ideal. Essa ordem ideal é baseada na generosidade irrestrita e sentimentos de coleguismo com relação a todos os habitantes da aldeia, e por meio de sua realização os muria têm a esperança de obter o favor de seus deuses democráticos que odeiam exclusividade, e sempre derrubarão os sovinas ou os superpoderosos de seu lugar. O ritual muria não é, em outras palavras, um artifício para a legitimação da hierarquia, e sim o meio de renunciar a ela coletivamente.

A visão "cíclica do tempo não é, na origem, uma atitude ritual, e sim uma atitude que se origina de um certo *tipo* de praticalidade, a praticalidade do camponês ou agricultor de subsistência. Transformada em ritual, essa atitude é expressa na celebração de festas calêndricas que representam o ano agrário em forma ideal como regular, repetitivo e presidido por deuses mais ou menos confiáveis e beneficentes a quem é preciso agradecer e aplacar. Não nego que o ritual nas sociedades camponesas e de subsistência possa ter traços que apoiem a hierarquia social estabelecida, mas também é preciso reconhecer que na medida em que elementos de resistência à hierarquia social existem nessas sociedade – esses sentimentos são particularmente marcantes entre os muria, mas eles não são únicos com respeito a isso – então esses elementos também vêm à tona nos ritos calêndricos. E em geral é correto dizer que tais celebrações calêndricas confirmam e perpetuam a crença do agricultor camponês de que ele está em controle de sua situação, que o mundo é um lugar previsível, e que seu conhecimento de seu funcionamento é adequado para suas necessidades. Podemos chamar isso de "ideológico" no mesmo sentido em que é "ideológica" a maneira socialmente aprovada de assobiar no escuro, mas não há qualquer necessidade de atribuí-la a estratégias mistificadoras de uma elite privilegiada.

O próximo ponto que precisamos esclarecer é que, considerando que o ritual muria representa o mundo na forma de um esquema temporal cíclico idealizado, há uma diferença profunda entre a forma das representações rituais "cíclicas" do tempo entre os muria e a representação ritual do tempo encontrada entre os umeda, que, segundo o esquema de Bloch, seriam colocados exatamente no mesmo parêntese. Aqui posso me referir à discussão anterior sobre a diferença entre sequências alternativas de eventos do tipo A → B → C → B → A e sequências de evento recorrentes do tipo A → B → C → A → B → C. Essas são consideradas globalmente por muitos autores, inclusive Lévi-Strauss, Gurvich e Bloch, mas (e aqui eu concordo com Leach) elas são muito diferentes e fazem surgir tipos distintos de representações coletivas de processos cosmológicos/rituais (cf. capítulo 4, acima). Mas não é uma questão de escolher qual desses dois tipos de sequência de eventos é mais característico das "noções primitivas do tempo" (como no conflito de opiniões entre Leach e Barnes: cf. capítulo 4, acima). Como esquemas processuais – e não dogmas metafísicos sobre o tempo, mas concepções gerais de processos naturais e sociais – os dois tipos de modelo são igualmente possíveis e podem, na verdade, coexistir.

A fim de esclarecer esse ponto, uma analogia pode ajudar. O sistema do metrô em Londres inclui dois tipos de linhas. A maioria delas, como a Linha Bakerloo, tem dois pontos terminais (Baker Street e Elephant and Castle são os terminais na Linha Bakerloo) entre os quais os trens vão e vêm. No entanto, uma linha (a Circle Line) não tem qualquer terminal, mas tem duas estações importantes, Victoria no sul e Edgware Road no norte, onde os trens param para serem limpos e embarcar uma nova tripulação etc. O ritual umeda, e a cerimônia do *ida* em particular, representa o cosmos no princípio da Bakerloo Line. Antes da cerimônia começar, o mundo, por assim dizer, está em Elephant and Castle, em uma confusão a ponto de sucumbir diante da desordem natural e fértil representada pelos casuares (cf. capítulo 5). Então, à medida que o ritual progride, por meio de uma exploração sistemáticca de metáforas de processos naturais e sociais colocados em ordem contrária, o mundo é gradativamente restaurado à Baker Street, imaculado e renovado.

O princípio que subjaz ao ritual muria, por outro lado, está no princípio da Circle Line: os trens da Circle Line nunca vão em sentido contrário – e não existem metáforas para o tempo inverso no ritual muria –, em vez disso eles chegam a *limiares* marcando novos estágios em seu movimento contínuo para frente. Os rituais calêndricos dos muria não são restaurativos, como a cerimônia do *ida*, e sim comemorativos como os rituais de crises vitais. Assim, embora os dois rituais, dos muria e dos umeda, convidem à análise em termos das concepções "cíclicas" do tempo, as variedades de "ciclos" em cada um dos casos são claramente diferentes. E isso implica, por sua vez, que a distinção global que Bloch faz entre conceitos do tempo rituais/cíclicos e pragmáticos/lineares é simplificada demais.

11
Evidência psicológica para a universalidade da cognição do tempo

Um dos pontos principais defendidos por Bloch em sua crítica do relativismo cultural foi, o leitor deve se lembrar, que a psicologia contemporânea ultrapassou o realismo ingênuo e hoje está em uma posição de demarcar o desenvolvimento das categorias de pensamento, tais como o tempo, no desenvolvimento ontogenético da cognição no nível individual. Nesta seção examinarei brevemente a evidência psicológica com relação à cognição do tempo a fim de ver o grau de solidez da afirmação de Bloch.

Há dois ramos da teoria psicológica que devem ser considerados aqui. Primeiro, há o corpo de experimentação psicológica sobre a chamada "percepção do tempo" que talvez deva ser chamada avaliação do tempo, em que se solicita a alguns indivíduos, normalmente adultos, que avaliem "o tempo transcorrido" em uma variedade de ambientes experimentais. E, segundo, há o trabalho sobre o desenvolvimento da capacidade de lidar com relacionamentos temporais durante a primeira infância e a infância, um trabalho que é primordialmente associado com Piaget e sua escola. Bloch dá uma importância particular ao trabalho de Piaget na área de cognição acreditando que ele forma a base para uma substituição da ultrapassada "teoria antropológica da cognição" (1989: 113). Abordarei a evidência psicológica para a percepção do tempo neste capítulo e para a psicologia piagetiana do desenvolvimento no capítulo 12.

Não temos nenhum órgão sensorial dedicado à medida do tempo transcorrido, como temos para a medida de vibrações no ar (que formam sons) ou do comprimento das ondas e posições relativas das ondas de luz atingindo as retinas de nossos olhos. Falar da "percepção" do tempo já é falar metaforicamente. Portanto é um tanto insincero por parte de Bloch argumentar que porque Berlin e Kay (1969) foram capazes de demonstrar em uma pesquisa famosa em várias culturas que os seres humanos são universalmente capazes de perceber certas cores (correspondentes a comprimentos de ondas específicos) como "focais" o mesmo tipo de argumento deve ser aplicável com relação à percepção do tempo. Na verdade, o que Berlin e Kay descobriram foi que cores como o vermelho vivo são escolhidas em todas as línguas e recebem um rótulo taxonômico primário, enquanto cores como turquesa (que nós consideramos intermediária entre duas cores "primárias", azul e verde) nunca são escolhidas da mesma maneira e normalmente recebem um nome, como turquesa em inglês, de acordo com uma classificação de cores "secundária" baseada em algum exemplar no mundo real, nesse caso uma pedra semipreciosa muito conhecida. As descobertas de Berlin e Kay ganharam aceitação quase universal (cf. GELL, 1975: 310ss.), mas é impossível aplicar seu trabalho de qualquer forma direta à percepção do tempo. A significância de seu trabalho é que ele sugere fortemente que todos os seres humanos veem as cores da mesma maneira; a sensação que obtenho ao ver um pedaço de vermelho vivo é exatamente a mesma que a sensação que um amazonense obtem, ou um índio maia, ou seja lá quem for. Mas todo o ímpeto do trabalho feito por psicólogos experimentais sobre "percepção do tempo" aponta exatamente para a direção contrária. O tópico primário do trabalho experimental sobre o tempo foi a imensa variabilidade de avaliações de durações feitas por sujeitos experimentais colocados em ambientes diferentes, a quem são atribuídas tarefas diferentes, dados remédios diferentes, que sofrem de doenças físicas e mentais diferentes, pertencem a classes diferentes, a idades cronológicas diferentes e assim por diante (FRAISSE, 1964; COTTLE, 1974; ORNSTEIN, 1969). Estudos psicológicos do tempo "subjetivo" não são menos "relativistas" que estudos culturais de diferenças nas relevâncias temporais, tais como os de Geertz (1973), e, aliás, esse é justamente o objetivo de realizá-los.

Enquanto isso, é sempre possível distinguirmos quanto tempo um intervalo "pareceu" durar (nossa percepção de sua duração) e quanto tempo ele realmente durou (a avaliação cognitiva a que chegamos com base em toda a informação que nos está disponível, inclusive, p. ex., fazendo uso de um relógio). O estudo psicológico da percepção do tempo consiste precisamente na análise e na explicação do relacionamento "variável" entre durações "percebidas" e durações segundo o "relógio". Com efeito nosso sentido orgânico de durações é relativamente falível, e ao chegar a avaliações duracionais cognitivas dependemos principalmente de "dicas" originárias de processos cíclicos no ambiente externo, semelhantes ao do relógio, na ausência dos próprios relógios, e não das percepções da duração propriamente ditas.

O influente estudo de Ornstein da psicologia das avaliações duracionais sugere muito fortemente que a duração estimada de tarefas experimentais atribuídas a sujeitos no laboratório é uma função da carga de processamento imposta por cada tarefa individualmente, ou seja, quanto maior for a quantidade de informação sendo processada por unidade de tempo no relógio, tanto maior será a duração estimada da tarefa com relação às durações estimadas de outras tarefas que exigem menos processamento. Como nas situações do mundo real as tarefas variam aleatoriamente na quantidade de processamento de informação central que elas exigem, podemos legitimamente presumir que as durações estimadas em situações do mundo real variam aleatoriamente, dentro de certos limites, com relação ao tempo no relógio. Sobre a analogia com avaliações de cor, isso seria como avaliar cores em um mundo onde a cor da luz incidente variasse aleatoriamente.

A duração percebida e a duração conhecida cognitivamente variam entre si, e a duração conhecida (o que "sabemos" que o tempo foi, ou a quantidade de tempo que nós "sabemos" que uma tarefa específica levou para ser feita) sempre toma precedência sobre a duração "percebida" (o que "sentimos" que o tempo foi). Podemos certamente perceber o tempo, mas não confiamos nessas percepções. Confiamos, em vez disso, em um sistema de inferências baseado não na percepção da duração propriamente dita, mas na percepção de processos semelhantes aos do relógio no mundo externo. A utilidade funcional da duração percebida para o organismo não é a provisão de um relógio interno que mede o tempo, e sim a provisão de uma retroalimentação interna relacionada com a carga imposta ao organismo por uma tarefa ou atividade específica, seja ela física ou mental, pelo menos na medida em que estejamos apenas considerando durações relativamente curtas, bem dentro dos limites dos ritmos circadianos endógenos.

Como há variação sistemática entre duração conhecida (o comprimento de uma duração de acordo com nossas crenças sobre a medida das durações) e a duração percebida (a medida de uma duração sentida internamente) não há qualquer justificativa para supor que a duração conhecida cognitivamente é em última instância baseada na duração percebida. A cognição do tempo é uma função das crenças que temos sobre o mundo e não um resultado direto de processos primitivos de percepção do tempo monitorado por um mecanismo de relógio interno. Por esse motivo, não acho que Bloch esteja certo ao argumentar em defesa de uma clara distinção entre tempo "básico" percepção-com-cognição, aquilo que ele chama de "percepção de duração" *versus* o aparato "cultural" de sistemas de crença e/ou sistemas de classificação que pertencem ao tempo, aquilo que ele chama de "a maneira como o tempo é parcelado ou representado metaforicamente" (1977: 282). Cognições temporais estão baseadas em esquemas inferenciais cujo insumo em termos de dados não vem na forma de durações estimadas, e sim na forma de eventos significativos no mundo externo que têm significados temporais: "*se* X é o caso (e posso ver que é) *então* em termos desses ou daqueles esquemas temporais/processuais, estamos no tempo T". Ao chegar a avaliações temporais os calendários e os relógios são essenciais, e não, como Bloch diria, apenas enfeites culturais sem significância cognitiva.

Aqui incluo relógios-de-gado e coisas semelhantes. O mundo inteiro é apenas um enorme relógio, mas no qual pessoas diferentes podem ler coisas diferentes – porque o que podemos ver, lá fora no mundo objetivo, é apenas, por assim dizer, os ponteiros do relógio, mas não o mostrador com relação ao qual, e só com relação ao qual, a configuração dos ponteiros assume seu significado temporal específico.

12

Psicologia do desenvolvimento piagetiana

A afirmação de Bloch de que a psicologia experimental moderna revelou universais substantivos de cognição temporal não é, no entanto, baseada em trabalho experimental sobre o tempo "subjetivo" ao qual nos referimos recentemente. O único psicólogo que ele cita, que não sejam psicolinguistas (cf. capítulo 13, a seguir) é Piaget. E isso é altamente justificável, já que a série de experimentos importantes de Piaget (1970) sobre o desenvolvimento da sensação do tempo nas crianças é, sem dúvida, a exploração cognitiva mais sofisticada do pensamento temporal que foi produzida. Nesta seção irei delinear brevemente as partes relevantes do trabalho de Piaget sobre o tempo e oferecer alguns comentários sobre sua aplicabilidade para a questão antropológica da universalidade psíquica da concepção do tempo em várias culturas.

Como é bem conhecido, Piaget elabora uma série de "estágios" no desenvolvimento da mente. Há três estágios, o segundo dos quais é dividido em dois. Enumero todos eles a seguir, com observações para indicar que tipos de concepções do tempo emergem nos vários estágios.

1) O estágio sensório-motor (antes dos 2 anos, a linguagem ainda não se desenvolveu e a criança está inteiramente ligada a seu ambiente imediato). Nesse estágio a criança é totalmente incapaz de classificar processos.

2a) Estágio pré-operatório I (idades de 3 a 6 anos aproximadamente). Nesse estágio a criança aprende a ordenar eventos em séries. Eventos recorrentes são reconhecidos e fases nos processos são articuladas por meio de indicadores "pontuais" de tempo.

2b) Estágio pré-operatório II (idades de 7 a 11 anos). Nesse estágio a criança aprende não só a reconhecer séries de eventos, mas a coordenar séries umas com as outras. No entanto, ao fazê-lo, a criança não consegue "conservar" a duração e faz alguns erros característicos que serão detalhados a seguir.

3) Estágio operatório (aproximadamente aos 12 anos). A criança é capaz de coordenar séries de eventos com referência a uma noção abstrata de "duração"

que é conservada consistentemente. A criança que atingiu esse estágio é capaz de fazer uso de operações reversíveis. Essas operações reversíveis formam a base da noção de tempo empregada no cálculo científico, na física etc.

As "idades" cronológicas correspondentes aos estágios mentais não devem ser interpretadas de forma muito rígida, já que crianças variam muito na cronologia de seu desenvolvimento, e os próprios estágios se imbricam e se fundem uns aos outros. Mas Piaget afirma consistentemente sua distinção, e o fato de eles seguirem um ao outro em uma ordem estabelecida que corresponde a um processo genético determinado endogenamente de maturação intelectual.

Com respeito ao tempo, os "estágios" de Piaget podem ser identificados por meio do seguinte procedimento experimental. Dá-se à criança um pacote de cartões com desenhos de dois frascos, de formas diferentes, um deles com as laterais retas, o outro em forma de pera. Quando organizados como na Figura 12.1 os cartões mostram a água escoando do frasco em forma de pera e passando para o frasco de laterais retas.

No estágio 1 a criança tem apenas uma percepção "intuitiva" do tempo. O tempo, segundo a criança no estágio 1, está inteiramente conectado com mudanças e processos observáveis no mundo externo e não pode ser abstraído deles. Recebendo um pacote de cartões embaralhados que mostram o enchimento do frasco II e o esvaziamento do frasco I, a criança é incapaz de colocá-los em qualquer tipo de ordem, isto é, não é capaz nem de enfileirar o conjunto de cartões mostrando cada frasco individualmente, e menos ainda de colocar a série de maneira que mostre o frasco I em seu relacionamento correto com o conjunto que mostra o frasco II. Esse estágio é ultrapassado no momento em que a criança descobre que os cartões para cada frasco separadamente podem ser organizados de forma a representar um processo. Nesse estágio (estágio 2a) a criança é capaz de agrupar as fases de um processo no processo como um todo. Um processo-classificação, poderíamos dizer, foi obtido, com a ordenação dos cartões mostrando um frasco enchendo ou se esvaziando. Segundo a teoria de Piaget, essa realização cognitiva não é resultado de aprendizado ou experiência, embora naturalmente a criança deva ter a sua disposição os necessários modelos observáveis do processo ocorrendo, ou seja, frascos reais cheios de água e assim por diante, mas é o resultado de um processo de desenvolvimento mental controlado endogenamente.

Figura 12.1 O experimento de Piaget

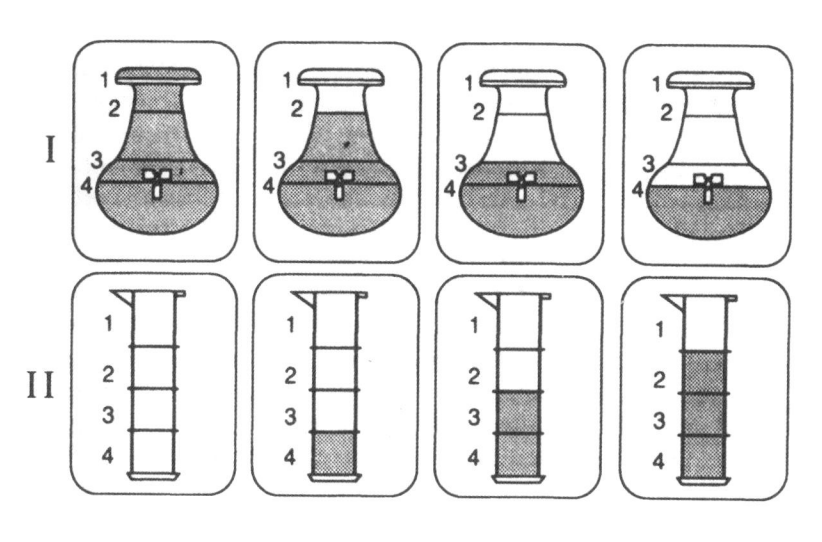

a

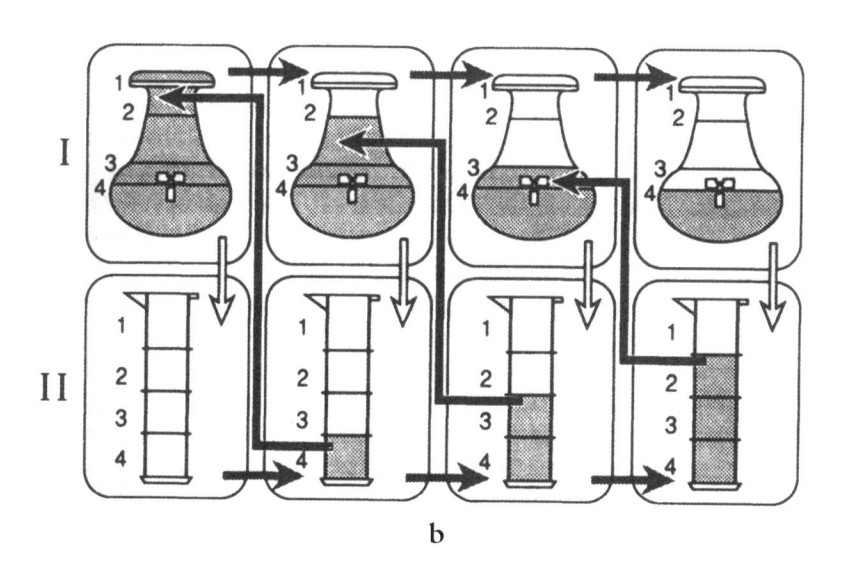

b

Nesse primeiro estágio a criança, embora consciente da natureza de uma série de fases que se somam para gerar um processo, não tem qualquer noção do aspecto duracional desse ou de qualquer outro processo isolado do processo sob consideração.

O próximo estágio chega (estágio 2b) quando a criança compreende que para qualquer membro da série I\1 → I\2 → I\3 → I\4 ... corresponde um membro e apenas um, do conjunto II\1 → II\2 → II\3 → II\4. No estágio 2b a criança é capaz de desempenhar "cosseriação", ou seja, pode captar o fato de haver um relacionamento regular de algum tipo entre o esvaziamento do frasco I e o enchimento do frasco II. Mas a compreensão que a criança tem disso ainda é qualitativo e não quantitativo. O relacionamento quantitativo entre a velocidade com a qual a água é retirada do frasco I e é substituída no frasco II ainda não pode ser compreendido. A criança ainda não "conserva" a duração. Por exemplo ela presume que uma queda de 20cm no nível da água no frasco em forma de pera ocupa a mesma duração que um aumento de 20cm no nível da água no frasco comprido, de laterais retas. No estágio 3 a criança é incapaz de perceber que só no último frasco (II) é que um relacionamento fixo será preservado entre duração e mudanças no nível da água, enquanto no frasco curvilíneo o relacionamento entre mudanças no nível da água e o tempo será variável.

Em outras palavras, o desenho experimental de Piaget coloca o frasco com laterais retas no papel do antigo relógio d'água (embora Piaget nunca comente esse fato) e a atitude mental sendo testada é: (1) a capacidade da criança de inferir as propriedades semelhantes às de um relógio do frasco de laterais retas, alimentado por uma torneira que corre em um ritmo constante, e marcadas com divisões iguais em suas laterais; e (2) fazer as inferências corretas sobre a significância das mudanças no nível de água no frasco curvilíneo considerando-se que a criança tem a sua disposição o frasco de laterais retas para usar como um relógio. A criança até o estágio 3 é incapaz de fazer as deduções ou "operações" necessárias e, portanto, o estágio é caracterizado como "pré-operatório".

Piaget afirma que uma compreensão totalmente operacional do tempo depende da aquisição de uma habilidade mental que ele chama de "reversibilidade". Suponhamos que queremos captar o fato de as marcas irregularmente espaçadas no frasco curvilíneo corresponderem aos deslocamentos da água ocupando durações idênticas aos deslocamentos que ocorrem entre as marcas regularmente espaçadas no frasco reto. Não podemos fazer isso apenas simplesmente acompanhando os eventos à medida que eles ocorrem no tempo real. Se fizermos isso, só saberemos que I\1 corresponde a II\4 (vazio), I\2 corresponde a II\3, I\3 corresponde a II\2 e I\4 corresponde a II\1. Mas ainda não temos justificativa para dizer que o deslocamento I\1 → I\2 é igual a I\2 → I\3 e que este deslocamento é, por sua vez, igual a I\3 → I\4, porque os marcadores de nível no frasco I estão espaçados irregularmente. Mas as marcas no frasco II estão espaçadas regularmente, portanto é óbvio que os deslocamentos II\4 → II\3 é igual a II\3 → II\2 e ambos são iguais a II\2 → II\1. A fim de estabelecer a identidade dos deslocamentos I\1 → I\2 = I\2 → I\3 = I\3 → I\4 é necessário raciocinar para trás, *desfazendo* um processo que já se passou no tempo real. Assim:

Se II\4 → II\3 = I\1 → I\2

e

II\4 → II\3 = II\3 → II\2

e

II\3 → II\2 = I\2 → I\3

então I\1 → I\2 = I\2 → I\3, que era o que precisava ser estabelecido.

I\1 → I\2 deve ser igual a I\2 → I\3 apesar da irregularidade das marcas porque ao "pensar para trás" sobre os deslocamentos que estão ocorrendo concorrentemente no frasco II a identidade dos deslocamentos (ou seja, as durações) é estabelecida. Tentei indicar essa ideia na Figura 12.1b. As flechas que vão para frente, e são horizontais, correspondem à ideia do tempo do estágio 2a incorporada nas séries separadas, únicas. As flechas verticais correspondem à ideia pré-operatória de cosseriação do estágio 2b. As flechas diagonais, inclinadas para trás, correspondem à ideia de "operações reversíveis".

Na teoria piagetiana, a aquisição de operações reversíveis que capacitam a criança a usar o frasco de laterais retas como um relógio d'água para calibrar os deslocamentos no frasco curvilíneo são conectadas com a aquisição simultânea de toda uma bateria de habilidades mentais operacionais que envolvem relacionamentos causais, relações aritméticas e lógicas etc., que são formas essenciais de abstração necessárias para solucionar tarefas computacionais do tipo encontrado na atividade técnica da elite numerada nas sociedades avançadas. A reversibilidade necessária para analisar as fases de um processo em termos de "duração" abstrata e não em termos de "trabalho feito", isto é, mudanças físicas concretas que ocorrem em tempo real e não em um tempo abstrato, manipulável, é cognata com a habilidade mental necessária para perceber que a ordem em que uma operação aritmética comutativa é realizada não tem qualquer influência em sua soma eventual.

(a) $7+4 = 11$ (b) $4+7 = 11$ (c) $5+3+2+1 = 11$

A criança pré-operatória considera (a), (b) e (c) como três somas diferentes porque na segunda soma os números a serem somados são apresentados em uma ordem diferente e na terceira os números são diferentes. A criança operatória é capaz de construir um conjunto abstrato de todas as possíveis partições dos números inteiros entre 1 e 11 em dois, três ou mais subconjuntos, e portanto é capaz de perceber que (a) e (b) são a mesma partição e que (c) é a mesma partição mais subdividida. O pensamento operatório, em outras palavras, é a capacidade de se estender livremente em uma área analítica, aqui, aritmética, mas o mesmo se aplica a fazer avaliações duracionais, sem ser limitado pela ordem fenomenal das coisas, objetos, processos etc. A criança operatória pensa com modelos abstratos (operações reversíveis) enquanto a criança pré-operatória faz uso de modelos concretos (operações concretas).

Não há dúvida de que Piaget está buscando delinear universais cognitivas do tempo e é sugerido, embora não afirmado, que todas as crianças eventualmente atingem o estágio operatório. No entanto a obra de Piaget foi lida de uma maneira muito antiuniversalista por Hallpike em seu livro *The Foundations of Primitive Thought* (1979) [As bases do pensamento primitivo]. Hallpike representa outra variante do relativismo cultural, não aquela que contrasta culturas como operando "visões do mundo" incomensuráveis e culturalmente determinadas, mas uma espécie de relativismo baseado em uma suposta hierarquia cognitivo-desenvolvimentista. Segundo Hallpike, a capacidade de abstrair o "tempo" como um aspecto computável de *todos* os processos, em termos de duração, sucessão e simultaneidade, é uma aptidão que os membros das sociedades pré-tecnológicas não possuem. O pensamento "primitivo" continua combinado a uma concepção do tempo intuitiva e concreta que ainda é, em todos os casos, direcionada para processos reais na natureza e na sociedade. As concepções primitivas do tempo são pré-operatórias porque estão conectadas com processos reais e esses processos não se revertem. O tempo não é compreendido como um contínuo dimensional abstrato, por exemplo, como aquilo que pode ser representado pelos símbolos "t" nas equações da física e que podem ser integrados em deslocamentos espaciais a fim de expressar um produto comum, a velocidade, na equação V = s/t (velocidade igual ao deslocamento no espaço por unidade de duração transcorrida). No pensamento primitivo o conceito técnico de velocidade é substituído pelo conceito pré-técnico de *rapidez* que é a propriedade que objetos possuem por direito próprio, como o vermelho é uma propriedade das maçãs, a ferocidade uma propriedade dos leões, e assim por diante. "Rapidez" e "lentidão" são características concretas e qualitativas de objetos e processos específicos; a "velocidade" é uma ferramenta conceitual abstrata para relacionar o comportamento de objetos e processos a coordenadas espaçotemporais definidas independentemente de quaisquer entidades específicas.

Essa ausência de um esquema geral de duração, conectado com uma noção abstrata de espaço via o conceito intermediário de velocidade, inibe a computação que exige operações reversíveis. De um ponto de vista, o tempo está muito ligado ao mundo real, no sentido de que ele não pode ser captado separadamente de processos específicos do mundo real que se materializam em tempo real; e de outro ponto de vista ele está isolado demais para ser conceitualmente útil, no sentido de que não há qualquer articulação entre tempo e espaço, tempo e causalidade, tempo e número, geometria e lógica de um modo geral. O tempo pré-operatório, portanto, não pode ser incorporado em modelos analítico/explicativos abstratos do tipo tão essencial no pensamento científico e técnico. Segundo Hallpike, os conceitos do tempo em sociedades pré-tecnológicas são típicos, embora não universalmente, conectados com processos concretos e não homogêneos.

Bloch (1989: 117) respondeu a Hallpike simplesmente argumentando que Hallpike tinha confundido "representações coletivas" – particularmente, presume-se, as representações coletivas contraintuitivas que são divulgadas no ritual – com processos cognitivos subjacentes. Mas embora isso seja indubitavelmente verdade, não é toda a história, porque parte da evidência de Hallpike para essas afirmações vem, como veremos, de contextos não rituais, e até da experimentação psicológica que atravessa culturas inspirada em Piaget e, além disso, um estudo detalhado do texto de Piaget revela bastante claramente que Piaget vê a implementação prática do pensamento "operatório" em contextos (que envolvem cálculo, a construção de modelos científicos explicativos e coisas semelhantes) que seriam difíceis de encontrar além das fronteiras das sociedades tecnologicamente avançadas.

13

Crítica da abordagem piagetiana à cognição do tempo

Uma das características mais importantes das ideias de Piaget sobre o desenvolvimento cognitivo é seu reconhecimento de que os primeiros estágios no desenvolvimento intelectual não desaparecem simplesmente quando são superados pelos estágios posteriores. Eles continuam a existir, com sua abrangência limitada pelas adições posteriores, mas ainda ativos em áreas restritas. A inteligência pré-operatória sobrevive, encerrada na inteligência operatória, como a muda do carvalho continua a viver no carvalho maduro. Piaget e Hallpike tendiam a acreditar, no entanto, que o advento de uma compreensão operatória do tempo tem efeitos gerais e não efeitos localizados na conceitualização do tempo e que a atitude intelectual normal para com o tempo no caso de membros cultos das sociedades tecnologicamente avançadas é operatório por natureza e pode ser mais ou menos identificados com a variável T nas equações físicas. Essa é a parte do argumento desenvolvimentista que, a meu ver, precisa de um exame cuidadoso.

Neste capítulo irei propor que é apenas em certas circunstâncias que o tempo é conceitualizado como um contínuo dimensional abstrato e que, na maior parte do tempo, a vida social e prática se realiza usando uma bateria de conceitos de manuseio do tempo que não são significativamente diferentes daquelas utilizadas nas sociedades pré-tecnológicas. Além disso, o tempo operatório, como definido por Piaget e Hallpike, embora característico de determinados contextos técnicos/computacionais nas sociedades avançadas, não é identificável com o tempo físico/matemático como compreendido por físicos e filósofos da ciência. A concepção científica atual do tempo não é a culminação de algum processo de desenvolvimento mental gerado endogenamente e/ou resultado da familiaridade com processos tecnológicos. O tempo físico não é apenas um contínuo, mas um tipo específico de contínuo, ou seja, linearmente ordenado, denso, continuado do tipo-ordem dos números reais (LUCAS, 1973: 35ss.). Escreve Piaget:

> Tudo isso (isto é, sua análise experimental do desenvolvimento de conceitos do tempo entre crianças)... sinaliza a natureza comum de operações temporais em todas as esferas, e o relacionamento íntimo entre o tempo psicoló-

gico e o tempo físico: ambos são coordenações de moções com velocidades diferentes, e ambos envolvem os mesmos "agrupamentos". Isso é obviamente de se esperar, já que ambos se originam do tempo prático ou sensório-motor, que, por sua vez, está baseado nas relações objetivas e nas ações pessoais. À medida que o universo externo é gradativamente diferenciado do universo interno, da mesma forma os objetos e ações também se tornam diferenciados, mas continuam intimamente inter-relacionados (1970: 277).

Piaget afirma que o tempo cognitivo é tanto semelhante ao tempo físico-matemático quanto é emergente no tempo pessoal sensório-motor ou subjetivo. Isso, creio eu, é por demais ambicioso. O tempo cognitivo não é unitário e sim extraordinariamente diverso e sensível ao contexto. Como as pessoas lidam com o tempo depende de seu sistema de referência e isso varia não só de acordo com os parâmetros gerais da cultura, da idade e da educação, mas também de acordo com a tarefa à mão, as necessidades da situação específica e uma intenção específica.

Fraisse (1964) observou que a abordagem de Piaget ao tempo, que enfatiza o desenvolvimento relativamente tardio da capacidade da criança de se envolver em uma análise abstrata dos relacionamentos temporais em sistemas físicos (tais como o arranjo dos frascos descritos acima), não consegue fazer justiça à aquisição muito rápida da criança da capacidade de lidar com o tempo nos relacionamentos sociais, ou seja, de entender o arcabouço organizacional do dia, os significados das expressões de cálculo do tempo do tipo não métrico e sua função, em conjunção com o sistema de tempos e aspectos verbais nas línguas naturais, na comunicação de tipos complicados de informação socialmente relevantes.

Os estudos experimentais de Piaget documentam não a emergência do conceito de tempo na criança, e sim a emergência de uma habilidade mental específica, o tipo de habilidade que é necessário a fim de fazer cálculos. A meu ver é implausível que a capacidade necessária seja pré-programada morfogeneticamente na biologia do desenvolvimento mental; pelo contrário, durante todos os diálogos experimentais registrados no livro de Piaget, dos quais examinarei um espécime representativo mais adiante, só ouço o ranger muito audível das engrenagens pedagógicas.

O meio pedagógico que fornece o pano de fundo implícito para as pesquisas de Piaget e que, incidentalmente, é a razão primordial para que elas sejam de pouca aplicabilidade em uma variedade de culturas, é a formação da elite técnica que tem familiaridade com a aritmética nas sociedades industriais avançadas. Até que ponto o meio pedagógico da Maison des Enfants em Genebra se impõe na formação das premissas básicas vem visivelmente à tona neste aparte de um texto de Piaget: "Para o adulto, que está acostumado com as medidas e mergulhou nas ideias da mecânica clássica, a distância e o tempo são conceitos primitivos, dos quais a velocidade deve ser obtida: $V = S/T$[1] (1970: 29).

Obviamente, chamar isso meramente de etnocêntrico é frágil demais, já que nem todos os adultos, nem mesmo todos os membros da elite em nossa sociedade, podem ser descritos como "mergulhados nas ideias da mecânica clássica". Além disso, essa afirmação é factualmente duvidosa em pelo menos duas coisas. Os adultos em nossa sociedade compartilham com as crianças o conceito de "rapidez" que não tem nada a ver com distância ou tempo. Além disso, as investigações mostram que mesmo os membros da elite familiarizada com a aritmética que deveria estar "mergulhada na mecânica clássica" na verdade mostram ter crenças bastante conflitivas sobre a questão de dinâmica. Um estudo com universitários americanos que iam se formar em física (McCLOSKEY, 1983) produziu a constatação surpreendente de que mais de um quarto deles (27%) acreditavam que uma bola que um homem correndo deixasse cair iria cair no chão em um ponto diretamente embaixo da posição no espaço ocupado pela mão do corredor no momento em que ele soltasse a bola, isto é, a bola cairia reta, ou até faria uma curva para trás, segundo alguns deles. Entre universitários que não estavam se formando em física foi constatado que a proporção que acreditavam a mesma coisa aumentava para a surpreendente porcentagem de 87%. Em outras palavras, após mais de 300 anos de exposição à mecânica clássica, a maioria dos membros das sociedades tecnologicamente avançadas teria afirmado que Galileu e Newton nunca existiram. É claro, os estudantes de física na amostra terão de se corrigir e abandonar sua dependência na "teoria do ímpeto" anterior a Galileu se quiserem passar nos seus exames finais. Mas não podemos deixar de nos perguntar se essas ideias, embora omitidas com o objetivo de passar nos exames, são realmente eliminadas do conjunto de premissas contextuais que subjazem a cognição em contextos menos formais.

Por essas razões, não é possível traçar uma firme linha divisória entre sociedades "primitivas" e "modernas" com relação aos conceitos do tempo. O máximo que podemos dizer é que em certas sociedades avanços técnicos foram feitos no desenvolvimento de procedimentos computacionais que exigem a introdução de uma noção de duração homogênea do tipo usado em contextos técnicos. Mas esses contextos técnicos são estritamente limitados e o conceito do tempo usado em um contexto técnico pode diferir fortemente do conceito do tempo usado em outro. Enquanto isso, os objetivos mais gerais da coordenação social continuam a ser servidos por um corpo de conhecimento simbólico que lida com os conceitos inteiramente não homogêneos, conectados a processos de cálculo de tempo usados na vida cotidiana. Com relação a isso não há qualquer diferença no nível geral que atingiu sociedades diferentes, embora, é claro, existam diferenças muito grandes nos conteúdos dos esquemas temporais em uso nos vários contextos culturais. Um exame das expressões para tratar o tempo usadas comumente em nossa própria língua revela o uso muito generalizado de indicadores de tempo, de um tipo não métrico, relacionados a processos. Falamos sobre eventos e nos organizamos com relação a eles fazendo uso de um esquema temporal engastado na sociedade. Na extremidade inferior do espectro temos expressões como "no piscar de olhos"/"enquanto o diabo esfrega um olho"/"num instante"/"num momentinho"; e na extremidade superior, "há muito tempo"/"há séculos"/"uma eternidade"/"desde tempos imemoráveis"/"para sempre", todos eles bastante adequados em contexto, mas nenhum dos quais tem qualquer significância métrica. Com efeito, dizer "estive esperando uma eternidade" é muito mais informativo, no contexto, do que dizer "estive esperando aqui 11 minutos e 36 segundos", já que a intenção da mensagem é sobre o relacionamento entre o tempo que esperávamos aguardar e o tempo que na verdade gastamos esperando e não sobre a própria duração da espera. Expressões que têm a ver com as expectativas convencionais sobre o cronograma das atividades são tão mais comuns que aquelas que relatam as durações reais, que as afirmações que abertamente incorporam o último tipo de informação são rotineiramente requisitadas para comunicar o primeiro tipo. Alguém que diz "estive esperando aqui horas" tendo esperado um total de 45 minutos não está nem mentindo nem utilizando incorretamente a língua inglesa. "Cinco minutos" pode significar qualquer coisa entre dois minutos e vinte minutos, dependendo das circunstâncias; adivinhar a duração verdadeira intencionada exige um profundo conhecimento do pragmatismo da língua inglesa e do funcionamento do mundo cotidiano. E, é claro, todo o mundo entende o que queremos dizer quando nos referimos a um dia longo, um filme que nunca termina, uma visita encantadora que terminou em um instante.

Não só o vocabulário técnico do tempo homogeneizado, segundos, minutos, horas, anos, é utilizado continuamente de maneira que aplicam não os padrões do relógio e sim os da prática social aceita, mas o próprio relógio sucumbe ao contexto social. O relógio tem dois papéis a desempenhar: em primeiro lugar o de medir o tempo, seu uso piagetiano, e, em segundo, para servir como a armadura para um horário coletivamente reconhecido, seu uso simbólico. Em uma moldura conceitual os 60 minutos entre as 15 e as 16 horas são os mesmos 60 minutos entre as 8 e as 9 da manhã, mas, simbolicamente, em termos daquilo que Zerubavel (1981) chamou de "ordem sociotemporal", essas duas durações de 60 minutos são totalmente incomensuráveis. A duração homogênea, fora de um contexto técnico ou laboratorial, é um mito.

O tempo prático é não homogêneo porque qualquer pedaço de duração determinado é cognitivamente relevante apenas em conjunção a processos socialmente relevantes, governados por um esquema de expectativas. É verdade que em nossa sociedade dependemos muito dos relógios e dos calendários a fim de coordenar tanto as atividades de trabalho quanto as de lazer. Os relógios, como inovações tecnológicas, facilitaram certas transformações históricas importantes na base produtiva da sociedade industrial (LE GOFF, 1980; THOMPSON, 1967; ATTALI, 1982). Mas o tropel de moradores das megalópoles nunca usa seus dispositivos para medir o tempo ou de alguma maneira manipular a duração abstrata. Nenhuma "inteligência operatória" – ou talvez nenhuma inteligência de qualquer tipo – seja necessária para prestar atenção aos comandos dos pequenos capatazes que usamos à volta de nossos punhos. Nenhuma "coordenação de moções com velocidades diferentes" enche os ônibus e trens com os passageiros que vão para o trabalho e voltam para casa nas horas do *rush* matinais e noturnas, e os transfere em outras horas em seus locais de trabalho, lares e locais de entretenimento. Esses movimentos de massa não são produzidos pela coordenação de suas atividades em seu próprio nome por parte dos indivíduos e sim, simplesmente, por indivíduos que seguem um cronograma socialmente estabelecido. Esse cronograma pode ser modificado em aspectos marginais, por ajustes do chamado horário flexível no trabalho, ou por procedimentos ocasionais tais como férias, absentismo ou trabalho até mais tarde no escritório. Mas esses reajustes individualmente determinados sempre ocorrem e adquirem sua significância contra um pano de fundo de expectativas estabelecidas de acordo com o caráter simbólico das horas do dia. As horas entre 6 e 7 da manhã não são "horas comerciais". O trabalho feito durante "horas não comerciais" não é de forma alguma o mesmo que o trabalho realizado em horas comerciais, por mais que envolva as mesmas *atividades*. As divisões do tempo marcados no relógio como cronograma ao contrário do relógio como um dispositivo para medir são pontos de inflexão em um dia simbolicamente estruturado. Um homem está sentado à mesa de seu escritório, sentindo-se cansado, faminto e impaciente. Ele dá uma olhada em seu relógio de pulso – 16:41h. Ele não está medindo o tempo: ele não tem necessidade de calcular que precisa permanecer confinado ali por mais 49 minutos. Tudo o que ele quer é verificar o significado simbólico da hora contra seu próprio estado subjetivo. Nenhuma decisão de planejar uma reorganização das atividades depende de essa constatação de que ainda faltam 49 minutos de trabalho; o que o homem quer fazer é se colocar dentro do dia de trabalho pré-estruturado, cada parte do qual tem seu tom emocional. Às 16:41h é legítimo antever o fim do dia, às 15:25h não.

O problema da sensibilidade contextual do conhecimento não é colocado por Piaget e é evitado também por Hallpike. Por sensibilidade contextual quero dizer que quanto uma pessoa "sabe" sobre o mundo depende não somente daquilo que ele/ela internalizaram e aquilo que, por assim dizer, está em sua posse permanente, mas também daquele contexto do qual esse conhecimento vai ser extraído e por que meios. A seguinte citação de Girard é usada por Hallpike como evidência da natureza pré-operatória da conceitualização primitiva do tempo:

> A impossibilidade de conceitualizar o desdobramento futuro das várias fases de um fenômeno sazonal se mostra de uma maneira particularmente surpreendente quando tentamos descobrir de um grupo de homens como, no decorrer do ano agrícola, eles irão realizar o trabalho necessário no cul-

tivo de inhames, ao qual eles dedicam a maior parte de seus esforços. Naquela tarde específica nos foi impossível obter qualquer informação sobre a ordem das tarefas com as quais eles iriam se ocupar durante as semanas e meses vindouros para o cultivo bem-sucedido dessa planta... Eles não representam para si mesmos, em sua totalidade, as tarefas agrícolas a serem realizadas no decorrer de um ano: o momento apropriado para começar cada uma delas não está determinado pela contagem do tempo; é a aparência de um fenômeno sazonal de periodicidade semelhante que é tomado como ponto de referência. É por esse motivo que o mágico da horta... que decide o momento apropriado para realizar as várias tarefas não depende da contagem de anos, meses ou dias; ele obtém seu conhecimento de uma observação intensa e cuidadosa dos vários sinais que a natureza lhe fornece (GIRARD, 1968-1969: 173-174; HALLPIKE, 1979: 351).

Em primeiro lugar, observamos o fato de agricultores não "primitivos" não plantarem suas safras ou não cuidarem delas de acordo com um cronograma "determinado pela contagem do tempo" porque a variabilidade das condições climáticas de um ano para o outro praticamente não permite que isso ocorra. Agricultores nos países tecnologicamente avançados são igualmente obrigados a prestar atenção nos "vários sinais que a natureza lhes fornece". Em segundo lugar, aos horticultores entrevistados por Girard faltava, aparentemente, a capacidade de dar uma explicação verbal coerente sobre o ciclo do cultivo do inhame, enquanto Hallpike presume que qualquer agricultor em nossa sociedade seria capaz de fazê-lo. Não há dúvida de que alguns o fariam, mas é possível que outros não fossem capazes de fazê-lo não por falta de conhecimento de agricultura, mas em virtude de uma técnica expositiva insuficiente. Grande parte, suspeitamos, dependeria de como o agricultor adquiriu seu conhecimento agrícola: sistematicamente, frequentando um colégio agrícola ou, pouco a pouco, com os pais, parentes e pela experiência prática. O que fica absolutamente claro nessa passagem e que a posse de um certo corpo de sabedoria técnica (relacionada com o momento certo para as operações horticulturais) é bastante distinta da capacidade de saber explanar essa sabedoria de uma maneira organizada. Todos os informantes de Girard estavam mais ou menos cientes daquilo que o mágico da horta sabia com relação aos sinais das estações que deveriam ser seguidos para decidir o momento apropriado do trabalho na horta, mas nenhum deles, inclusive o próprio mágico da horta, era capaz de dar uma explicação clara de exatamente *o que* sabiam. Esse conhecimento só podia ser extraído em um contexto específico, isto é, nas operações reais na própria horta.

Uma premissa básica do método de Piaget é que ele é viável, sob condições experimentais, para identificar capacidades cognitivas separadamente de qualquer contexto específico de aplicação, criando uma cisão entre a "capacidade de pensar" e os contextos cotidianos em que o pensamento é aplicado praticamente. Piaget observa, por exemplo, que as crianças tendem a acreditar que as pessoas maiores são mais velhas que as menores, que um carvalho, que é alto, "deve" ser mais velho que uma pereira que é baixa e assim por diante. Isso ele atribui a uma deficiência básica nos processos do pensamento na criança pré-operatória, ou seja, uma incapacidade de desassociar o tempo e o espaço dos processos que envolvem ambos. Piaget diz que as crianças raciocinam que crescimento é igual a deslocamento no espaço com o passar do tempo e, portanto, mais crescimento é igual a mais deslocamento no espaço, consequentemente, mais tempo, portanto árvores altas, ou pessoas altas são mais velhas que as baixas.

A interpretação alternativa seria que o que falta às crianças não é capacidade de raciocinar, e sim informação. Como é que uma criança pode saber qual é a idade de uma árvore ou de uma pessoa? Por outro lado, no contexto do mundo social da criança a idade relativa é muitas vezes uma informação muito pertinente, principalmente nos casos em que adultos e outras crianças estão envolvidos. Na ausência de um conhecimento real, as crianças muitas vezes são obrigadas a adivinhar a idade relativa de seus colegas e avaliações errôneas podem ter consequências sérias. Como a idade e a altura estão fortemente, ainda que não absolutamente, correlacionadas no mundo social da criança, uma premissa heurística é feita de que, na ausência de informação conflitante, mais alto é igual a mais velho. E isso funciona bem até que um pesquisador captura a criança em uma armadilha em que faz afirmações sobre a questão de árvores, objetos cujas idades relativas provavelmente não foram um interesse importante para a criança até então. As crianças também acham que adultos do sexo masculino são mais velhos que adultos do sexo feminino. Uma vez mais, isso não tem nada a ver com os conceitos de tempo e espaço, e tudo a ver com a perspicácia extremamente sofisticada da criança sobre a dinâmica do mundo de convenções sociais e símbolos dos gêneros. "Os pais são mais velhos que as mães" é uma premissa heurística sólida, de acordo com realidades estatísticas e, além disso, a criança está consciente, desde uma tenra idade, da associação simbólica dos papéis masculinos com idade relativa, maturidade e autoridade intrafamiliar, e papéis femininos com juventude relativa, imaturidade e dependência.

Os projetos experimentais que são usados para monitorar a emergência da inteligência operatória sempre levam consigo atributos contextuais que interagem de várias maneiras com a experiência extraexperimental do sujeito sendo submetido ao teste. Nunca é fácil, ou talvez sequer possível, determinar se os resultados experimentais refletem capacidades cognitivas subjacentes ou uma reação arbitrária produzida por um descompasso entre o contexto e a origem do pesquisador e os da pessoa submetida ao experimento. Um exemplo notório em que dizem que fatores contextuais distorceram os resultados de um experimento do tipo piagetiano é a conservação "aberrante" da quantidade por crianças tiv (PRYCE-WILLIAMS, 1961;

HALLPIKE, 1979: 272ss.). Crianças tiv com idades entre 7 e 8 anos mostraram total conservação de quantidade, isto é, a capacidade de avaliar que a quantidade de líquido em um frasco comprido e fino continuava idêntica quando era transferida para um frasco baixo e gordo. Essa capacidade está acima do padrão europeu para aquela idade, e Pryce-Williams argumenta que os tiv são particularmente bons nesse tipo de conservação porque estão muito familiarizados com um jogo, o jogo do buraco africano, em que pequenos seixos são transferidos entre buracos de formas e tamanhos diferentes. Portanto eles estão conscientes de que tais mudanças na forma do recipiente não modificam a quantidade transferida.

Hallpike dá uma importância considerável aos resultados obtidos por outro pesquisador piagetiano em várias culturas, Bovet, que testou camponeses algerianos da mesma maneira geral (BOVET, 1975; HALLPIKE, 1979: 270ss.). Bovet também constatou que crianças e adultos algerianos são conservadores muito bons de quantidade, mas por razões que tanto ele quanto Hallpike acham inadequadas do ponto de vista da teoria piagetiana. Quando mostravam aos sujeitos algerianos água em frascos longos e depois em frascos gordos, e rolos compridos de plasticina e depois bolas redondas do mesmo material, eles ignoraram completamente as mudanças de forma e disseram que era a mesma água/plasticina nos dois casos, e que deveria ser a mesma quantidade, já que era o mesmo material. Quando o pesquisador os questionou, mostrando as mudanças nas formas, eles retiraram o que tinham dito antes e disseram que a quantidade tinha ficado menor ou maior.

Bovet e Hallpike chamam isso de "pseudoconservação", e nos levam a deduzir que é de um tipo diferente da conservação "genuína" que teria sido produzida por sujeitos europeus sob circunstâncias equivalentes. Esse é um caso extraordinário de fé na eficácia de teorias considerando-as superiores ao resultado de experimentos. Tendo evitado, de uma maneira imprevista, a armadilha feita por Piaget para apanhar a criança pré-operatória, os algerianos devem ser iludidos a fazer os erros que "deveriam" fazer, e são forçosamente levados a isso. Mas quanto tempo as crianças europeias iriam insistir com suas formas de conservação se fossem confrontadas pelo pesquisador de uma maneira igualmente crítica? Neste momento os experimentos têm pouco a ver com quaisquer processos cognitivos fundamentais e tudo a ver com a dinâmica do relacionamento entre pesquisador e pesquisado.

Um dos experimentos de Bovet está diretamente voltado para e avaliação do tempo e deixa bem claro como é o contexto implícito de aplicação de uma certa linha de raciocínio – e não algum recurso cognitivo generalizado – que determina a resposta à situação do teste. Duas miniaturas de carro são colocadas para correr em duas faixas paralelas em uma pista circular. Ambos deixam a linha de partida e voltam a cruzar essa mesma linha para terminar a corrida no mesmo momento. Os algerianos de Bovet na maior parte das vezes disseram "incorretamente" que os dois carros viajavam na mesma velocidade, ignorando que o carro na faixa externa tinha uma distância maior a percorrer e, portanto, tinha de ir mais rápido a fim de chegar à linha de chegada no mesmo momento que o carro que estava na faixa mais curta. Mas o que me parece que os sujeitos estão realmente dizendo é simplesmente que a corrida, como uma corrida, era um empate. Se um atleta de corrida é forçado pelos outros e correr na faixa mais ampla da trilha e consequentemente perde a corrida para outro corredor que correu uma distância menor e marginalmente mais devagar, isso não é levado em consideração na hora da concessão das medalhas de ouro. No contexto da corrida, contrariamente ao contexto intencionado do experimento, os respondentes algerianos estão perfeitamente justificados em dizer o que disseram. O que encontramos aqui não é uma diferença em mentalidades, e sim no contexto cultural/simbólico no qual materiais experimentais idênticos são interpretados.

O que emerge da obra de Bovet é a imensa dificuldade que seus sujeitos têm em compreender a natureza dos problemas que lhes são apresentados. Quando eles o fazem, muitas vezes têm pouca dificuldade em dar as respostas que lhes eram, forçosamente, mais ou menos oferecidas em uma bandeja durante as cansativas explicações iniciais. O fato de essas terem sido tão necessárias na Argélia enquanto aparentemente eram muito menos necessárias quando os mesmos experimentos eram realizados em Genebra, é toda a evidência de que precisamos a fim de corroborar a conclusão de que é o meio pedagógico que é a verdadeira influência determinando o resultado dos procedimentos dos testes piagetianos, e não um processo biológico determinando a morfogenética da inteligência geral.

Esses comentários sobre Bovet mostram que entre a inteligência genética e os resultados experimentais ou observacionais há sempre uma tela densa de pressuposições não declaradas. Podemos explorar esse tema um pouco mais, considerando dois exemplos de um raciocínio aparentemente "aberrante", que não são, creio eu, tão aberrantes quanto parecem. Um desses exemplos é extraído do trabalho de Piaget sobre o raciocínio temporal entre crianças. O outro vem de minha monografia sobre os umeda, em que um jovem adulto produz um tipo de afirmação aparentemente comparável.

Primeiramente um diálogo com Lin (com seis anos de idade) um dos sujeitos de Piaget na Maison des Enfants:

Pesquisador: Quanto tempo você leva para chegar em casa da escola?

Lin: Dez minutos.

Pesquisador: E, se você corresse, você chegaria em casa mais rápido ou mais devagar?

Lin: Mais rápido.

Pesquisador: Então você levaria mais tempo ou não?

Lin: Mais tempo.

Pesquisador: Quanto tempo mais?

Lin: Eu levaria dez minutos.

Lin obviamente ainda vai levar bastante tempo até ter uma compreensão operacional do tempo. Mas talvez ele precise até de mais tempo para alcançar uma compreensão pragmática das intenções comunicativas por trás do tipo de pergunta que acabaram de lhe fazer. Superficialmente, ele claramente deixou de respondê-las corretamente, ou pareceria que até mesmo coerentemente. Suas duas últimas respostas são tão excessivamente imprevisíveis que convidam um segundo olhar. Por que Lin se compromete dizendo que, se ele corresse da escola até em casa, ele levaria o mesmo tempo (dez minutos) que levaria se caminhasse (contradição 1) e depois que, na verdade, levaria mais tempo para chegar em casa mesmo que ele andasse mais rápido (contradição 2)? Não podemos explicar essas respostas invocando uma explicação em termos de conservação inadequada: parece que o que estamos confrontando são contradições na lógica; ou teríamos de supor que ele está respondendo aleatoriamente.

Mas observemos um fato extremamente importante, que não é enfatizado no relato original: ou seja, que o pesquisador convidou Lin a considerar um caso hipotético – o que ocorreria em um "mundo possível" em que Lin, saindo da escola, corre para casa. Essa é uma linha de ação que sem dúvida ele nem sonharia em adotar neste mundo (real) já que neste mundo (real) todos os meninos de seis anos vão fazendo cera no caminho de casa. Em outras palavras, Lin e o pesquisador estão discutindo uma condicional contrafactual, o que ocorreria em um outro mundo que não este, um mundo em que Lin é obrigado a ir correndo da escola até em casa.

Aqui está a chave para o que Lin diz. O menino está sendo bastante sensato em suas respostas, já que elas se relacionam com um outro mundo, um mundo que ele pode imaginar, em que seria necessário que ele corresse para chegar em casa em dez minutos. O pesquisador, enquanto isso, acha (incorretamente) que Lin e ele estão o tempo todo falando sobre este mundo (real). Assim, Lin e ele estão de acordo que neste contexto, neste mundo (real) Lin leva dez minutos para chegar em casa, no seu ritmo normal. Além disso, Lin e ele concordam que, se Lin correr, ele chegará em casa mais rapidamente – quer dizer, em um *ritmo* mais rápido, já que correr é um meio de locomoção mais rápido do que caminhar. Mas neste momento os sistemas de referência de Lin e do pesquisador começam a divergir. O pesquisador ainda está pensando em termos do mundo (real) no qual a distância entre a escola e a casa é tal que Lin precisa de dez minutos para chegar em casa no ritmo normal e um mundo contrafactual geometricamente idêntico e intimamente relacionado em que o tempo dessa viagem é diminuído porque Lin vai mais rápido (ele corre). Lin definiu o mundo contrafactual do qual ele está falando de uma maneira diferente. Ele está pensando sobre um mundo contrafactual com uma geometria diferente, em que, *mesmo se ele correr*, ele ainda levaria dez minutos para chegar em casa. Lin incorporou o trajeto de dez minutos da escola até sua casa em um mundo contrafactual sobre o qual (ele acha) que tanto ele e o pesquisador estão discutindo. No mundo contrafactual em que ele (Lin), mas não o pesquisador, tem em mente, Lin está perfeitamente correto em afirmar que chegaria em casa mais rápido (em um ritmo mais rápido) do que no mundo real, porque ele estaria correndo e não andando. Mas o trajeto iria "normalmente" levar mais tempo, porque seria um trajeto mais longo, mais longe, e normalmente levaria mais tempo porque meninos pequenos nem sempre se apressam em seu caminho para casa. Mas esse trajeto "mais longo" ainda assim levaria "dez minutos" porque esse seria o tempo de trajeto que Lin tinha como objetivo manter.

É o pesquisador, e não Lin, que está sendo ingênuo. O pesquisador não percebeu a mudança no contexto do mundo implícito introduzido pelo hipotético "se". Lin capta isso e elabora um mundo conterfactual totalmente coerente. O diálogo revela pouco sobre "coordenações de moções e velocidades" e tudo sobre as deficiências do procedimento experimental piagetiano. Dessas deficiências, a mais prejudicial é que é impossível ter um controle para a textura complexa e conjectural da linguagem natural, que pode variar arbitrariamente, e que, como nesse caso, pode ter uma importância muito maior na determinação das respostas da criança do que seu grau hipotético de maturidade cognitiva.

Essa análise me permitirá também corrigir uma impressão enganosa que eu próprio fui culpado de transmitir em uma passagem de *Metamorphosis of the Casswaries* [A metamorfose dos casuares]. Lá relatei alguns comentários de um informante umeda, que foram citados por Hallpike e que claramente tem analogias com os tipos de afirmações feitas pelas crianças "pré-operacionais" de Piaget, embora Hallpike evite dizer isso especificamente:

> caminhando entre duas aldeias com um jovem, fiz um comentário sobre o ritmo vagaroso que estávamos mantendo, sugerindo que poderíamos não chegar antes de escurecer. Ele (sabendo perfeitamente bem que não havia perigo de isso ocorrer, como ficou provado) me garantiu que se fôssemos andar rápido, o sol se poria com a rapidez correspondente, enquanto se continuássemos no nosso ritmo vagaroso o sol faria o mesmo. Em suma, indicadores de tempo lunares ou astronômicos não eram considerados mais precisos ou rigidamente determinados que quaisquer outros eventos, um parâmetro contra o qual eles podiam ser medidos, mas simplesmente equivalente às atividades humanas, o ciclo sazonal, os processos biológicos, o clima etc. etc. todos os quais ficam juntos em uma maneira não analisada, mas nenhum dos quais são considerados como o ímpeto primário de todos os demais (GELL, 1975: 163).

Embora eu defenda meus comentários originais, já não acho que a afirmação de meu informante com relação aos movimentos do sol era evidência de eles serem verdadeiros precisamente da maneira que supus. O que meu informante estava realmente dizendo era que *se* (contrafactualmente, e para ele, contrafactualmente transparente, mas não para mim) havia um mundo possível em que era necessário se apressar a fim de ir da aldeia A até a aldeia B, que estariam em todos os mundos relevantes, a uma distância fixa uma da outra, *aquele seria* um mundo em que o sol se movia muito mais rapidamente pelo céu do que faz aqui. Perfeitamente lógica de sua parte: o que ele estava tentando fazer era ajustar na minha mente certas propriedades deste mundo real – um problema com o qual os informantes de antropólogos têm de lutar eternamente e muitas vezes em vão – apontando para as propriedades que um mundo não real possuía.

Seria obviamente fora do âmbito deste livro considerar todas as implicações da teoria piagetiana para a antropologia (MIMICA, 1989; TOREN, 1990). Más é claro que não é possível extrair da obra de Piaget uma teoria operacional de universais cognitivas do tempo. Mais recentemente, o próprio Bloch chegou a uma apreciação idêntica da situação, quando escreve:

> A solução de Piaget, que estruturas cognitivas devem ser consideradas como resultado da construção individual, depara-se com a dificuldade que se Piaget tivesse examinado mais cuidadosamente a natureza dos dados antropológicos, sua complexidade, seu caráter específico altamente cultural, não podemos acreditar que ele teria se sentido confiante de que o tipo de teorias que estava sugerindo poderia jamais ter explicado... [a cognição em ambientes naturais]. Bastante simplesmente, parece haver um abismo intransponível entre os mecanismos gerais e simples que ele propõe e o produto extremamente complexo que ele deveria ter produzido... nós não podemos ver como a variação cultural pode ocorrer no nível em que ela ocorre, já que os mecanismos que ele nos dá não são especificamente culturais e nem o ambiente que ele leva em conta é de forma alguma específico (BLOCH, 1989: 116).

Com isso só podemos concordar. Mas neste seu texto posterior, como em seu texto original (1977) sobre universais cognitivas do tempo, Bloch não depende de Piaget isoladamente, e sim de Piaget combinado com a psicolinguística. A trilha comum final para formas sólidas do universalismo cognitivo vai na direção do estudo das línguas naturais. Não há qualquer dúvida de que os seres humanos são biologicamente predispostos a se tornarem falantes de uma língua natural. E tampouco há dúvida de que todas as línguas naturais permitem que aqueles que as falam codifiquem mensagens inteligíveis sobre os relacionamentos temporais entre eventos. Portanto é um passo natural, na construção do caso antirrelativista sobre cognição temporal apelar para a evidência da linguística comparativa, como faz Bloch. É essa evidência que vem da linguagem que devo considerar a seguir.

14
Argumentos linguísticos para a universalidade cognitiva do tempo

Um ponto importante levantado por Bloch contra o relativismo cultural temporal foi sua afirmação de que as línguas naturais do mundo, todas elas sem exceção, lidam com o tempo mais ou menos da mesma maneira:

> A evidência para tal conclusão... vem da... massa de estudos recentes da sintaxe e da semântica de línguas diferentes que foram realizados por linguistas americanos. São muitos os desacordos e as polêmicas nesse campo, mas pelo menos o consenso parece estar surgindo sobre uma questão, e essa é que a lógica fundamental empregada na sintaxe de todas as línguas é, apesar do que diz Whorf, a mesma. As implicações disso para as noções do tempo são claras. A lógica da língua implica uma noção de temporalidade e sequência e, portanto, se toda a sintaxe está baseada na mesma lógica, todos os que falam devem, em um nível fundamental, compreender o tempo da mesma maneira... (1977: 283).

Bloch está certo ao dizer que o consenso da opinião linguística e psicolinguística é rejeitar a forma rígida do relativismo linguístico defendido por Whorf (CARROLL, 1956), cujas ideias eu resumirei brevemente a seguir. Mas Bloch é muito pouco específico sobre a natureza dos universais linguísticos substantivos que manifestam a subjacente uniformidade cognitiva temporal da humanidade. É possível que as línguas sejam tão diferentes umas das outras como Whorf assegurou, mas essa hipótese de Whorf não funciona porque a língua não afeta ou reflete diretamente a cognição da maneira que Whorf supunha. E não só Whorf, porque é aparente nessa passagem que Bloch implicitamente concorda com Whorf com respeito ao fato de a língua refletir diretamente a cognição, e ele só difere de Whorf ao negar que as línguas são fundamentalmente diferentes umas das outras em sua "lógica" temporal. Temos de determinar se a relatividade cultural linguística falha porque as línguas são todas baseadas em um padrão gramatical idêntico, ou porque os artifícios gramaticais e a cognição são relativamente independentes uns dos outros. Isso pode provar que os motivos por trás da elaboração das formas gramaticais têm a ver com as exigências funcionais da fala discursiva e da escrita e não que a língua serve de mediador para processos cognitivos latentes.

Neste capítulo irei delinear, o mais brevemente possível, a maneira como o tempo e os relacionamentos temporais são tratados nas línguas naturais. Então continuarei para considerar duas áreas relevantes do debate linguístico. Primeiro considerarei a relatividade cultural linguística propriamente dita e segundo, voltando aos temas piagetianos dos capítulos 12 e 13, discutirei a "a aquisição da conversa tempo" por crianças pequenas como uma fonte de evidência independente do desenvolvimento cognitivo da noção do tempo.

Todas as línguas têm adverbiais de tempo, aspectos e modalidades, e a vasta maioria delas tem tempos. Esses são os quatro componentes básicos dos mecanismos para lidar com o tempo das línguas naturais; mas embora eles possam ser distinguidos analiticamente, na prática eles interagem continuamente, de tal forma que a seleção de um certo adverbial (como "amanhã") muitas vezes determina a seleção de um tempo particular para o verbo da sentença ou frase em que a palavra "amanhã" ocorre (normalmente o futuro). As regras sintáticas que regulam as interações de adverbiais, tempos, aspectos e modalidades é o tema principal da literatura técnica neste ramo da linguística.

14.1 Adverbiais de tempo

São expressões que estão incorporadas em frases a fim de indicar a moldura do tempo do verbo principal ou do verbo da cláusula na qual são encontradas. São chamados de adverbiais porque são genuinamente advérbios (exemplo: Irei para Birmingham *imediatamente*), ou funcionam da mesma forma (Irei para Birmingham *amanhã*, *quarta-feira próxima* etc. Nem todas as línguas têm o mesmo conjunto de adverbiais: o inglês tem um conjunto imenso; a língua umeda tem um conjunto muito mais restrito. Eles tampouco são definidos da mesma maneira nas várias línguas: em hindi *kal* significa "ontem" e "amanhã" e só o tempo do verbo ou o contexto da expressão nos permitirá dizer qual é a tradução correta em inglês. Os adverbiais podem ser criados à vontade, na forma de frases adverbiais, introduzidas por "quando" "tão logo que" etc.: "Irei para Aberdeen, assim que parar de nevar".

Além desses adverbiais "explícitos", é possível dizer que todas as expressões contêm adverbiais implícitos, não realizados, como parte de suas "representações semânticas" subjacentes ("representações semânticas" são as representações mentais que incorporam as intenções comunicativas do orador e/ou as representações mentais formadas pelo ouvinte quando esse interpretou frase). Esses adverbiais "implícitos" são aqueles que *seriam* apropriados para a representação semântica que, por definição, nunca está desprovida de *alguma* moldura temporal, por mais indefinida. Assim o "adverbial implícito" de "o gato estava sentado no capacho" está "em algum momento antes do presente" em virtude do tempo passado do verbo principal "estava sentado". Adverbiais implícitos, não realizados, podem talvez ser chamados de "adverbiais kantianos" com a justificativa de que é uma verdade necessária que qualquer fenômeno (e, portanto, qualquer representação semântica de um fenômeno) está localizado temporalmente.

14.2 Tempos verbais

Tempos são inflexões presas ao verbo, ou construções com verbos auxiliares que indicam em que momento, ou durante que intervalo de tempo a ação, o processo, ou a situação das coisas indicadas pelo verbo vigora. É amplamente aceito, embora não universalmente, que a maneira mais conveniente de analisar o tempo nas línguas naturais é fazer uso das (variantes do) sistema de "três tempos" introduzido por Reichenbach (1947). Ele foi o primeiro a distinguir entre (1) TF ou tempo de fala, o momento em que uma fala ocorre, (2) TE ou tempo do evento, o momento em que o evento a que frase se refere ocorre e (3) TR ou tempo de referência, que é o "ponto de vista temporal" que é adotado sobre o evento, antes dele, depois dele, ou simultaneamente com ele. Um exemplo em que TF, TE e TR são todos diferentes é:

Antes de ir para a batalha, Sir Percival *tinha confessado* seus pecados.

TE (= a confissão)/ TR (= a ida para a batalha) /TF (= o tempo posterior em que esses eventos estão sendo narrados).

O pretérito mais que perfeito composto do indicativo "tinha confessado" contrasta com o infinitivo de "antes de ir" indicando que a confissão foi anterior ao momento da batalha, que, por sua vez, é anterior ao momento em que a narração está ocorrendo. O tempo da fala, o tempo do evento e o tempo de referência podem assim ser distinguidos, mas isso nem sempre ocorre. Em muitas simples declarações de fato todos eles coincidem, como na proposição (implicitamente verdadeira em todos os tempos) "os corvos são negros" ou um relato de eventos atuais focado no presente, que é só transitoriamente verdadeiro, "aí vem o Sr. Brown" em que ET=ST=RT. Ou dois dos três podem coincidir, mas não o outro: assim, a oração:

John atravessou o Canal a nado (TE ------TR=TF)

relata um fato (presente) sobre John, isto é, que em um determinado momento ele atravessou o Canal a nado. O tempo de referência e o tempo da fala coincidem, mas não o tempo do evento (a data da travessia do Canal feita por John). Enquanto:

John atravessou o Canal a nado ano passado (TE,TR ----TF)

relata um evento no passado da perspectiva do tempo de ocorrência daquele evento (ano passado). Aqui o tempo de referência e o tempo do evento coincidem, com a exclusão do tempo de fala. Seria gramaticalmente errado dizer:

John tem atravessado o Canal a nado ano passado

porque o efeito da frase adverbial (ano passado) é fazer retroceder a moldura temporal da oração como um todo para o ano passado, o que é inconsistente com a inserção do tempo de referência no tempo de fala (isto é, no presente) por meio do tempo do verbo (tem+atravessado). Esse é um exemplo típico da interação entre adverbiais e tempos verbais que foi mencionado um momento atrás.

A maioria das construções dos tempos verbais são dêiticos, isto é, são relacionados com F, o momento da fala, e comunicam o passadismo, o presentismo ou a futuridade de um evento com respeito a algum "agora" transiente. Assim, eles se parecem com expressões espaciais, tais como "aqui" e "lá" que dependem para seu significado na posição espacial do orador, que pode mudar. Os tempos verbais às vezes se originam realmente de expressões espaciais, por exemplo, o uso do verbo "ir" como um auxiliar regular para expressar ações futuras que podem não ter nada a ver com a deslocação de qualquer coisa para qualquer lugar (p. ex., "vou pensar sobre isso com carinho").

Tempos verbais que são deiticamente presos à F, incluindo-o ou excluindo-o, são tempos "absolutos" (COMRIE, 1985). Mas existem também tempos relativos em que uma relação entre E e R é estabelecida, mas não qualquer relação particular entre qualquer um desses dois e F. Normalmente eles ocorrem em cláusulas subordinadas, em que o tempo do verbo principal estabelece a referência do tempo absoluto da frase como um todo (p. 60ss.). Mas a essa altura a análise das construções dos tempos verbais se funde com a análise do aspecto, o mais misterioso, mas ao mesmo tempo o mais genuinamente "universal" dos artifícios gramaticais encontrados nas línguas naturais para lidar com relações temporais. Há, como veremos, línguas que não têm tempos verbais, mas não há nenhuma língua sem distinções de aspecto.

14.3 Aspecto

Isso se refere à "forma" temporal ou o contorno de eventos, processos ou estados. O verbo indica um "evento" que chega a um clímax e tem como resultado uma mudança óbvia na maneira como as coisas são (p. ex., John quebrou o lápis)? Ou o verbo apenas indica algo que continua, incompleto e progressivo (John pensou com carinho)? "Quebrar" é pontiagudo, "pensar" é linear; esses verbos têm "contornos" diferentes no tempo. O problema com aspecto, do ponto de vista do linguista, é que algumas vezes a comunicação das diferenças em "contornos temporais" entre "eventos" pontiagudos e "estados" lineares é uma função das várias categorias semânticas do verbo (verbos estativos *versus* não estativos) enquanto em outros momentos a distinção é uma função das várias inflexões ou marcações do verbo independentemente de suas características aspectuais "inerentes".

Isso pode ser esclarecido fazendo uma comparação entre russo, uma língua com um sistema de aspecto gramaticalizado muito proeminente, e o inglês, que também tem o aspecto como uma categoria gramatical, mas em menor grau. Em russo, o verbo *lecit* (ação imperfectiva, incompleta) significa "*tratar* uma doença" e o mesmo verbo, com uma inflexão para o aspecto perfectivo (finalização da ação), *vylecit* significa "curar uma doença". O russo obtém por meio do uso da inflexão aspectual de um único verbo aquilo que o inglês obtém por meio do uso de dois verbos que pertencem a categorias semânticas diferentes, estativos *versus* não estativos.

No entanto, em inglês é possível dar a verbos naturalmente estativos como "tratar" um verniz não estativo, usando-os no aspecto perfectivo do inglês, como na frase

The doctor has treated the pacient (O médico tratou o paciente)

que implica que o tratamento, tendo ou não sucesso, pelo menos chegou ao fim. E conversamente, o verbo não estativo "cure" [curar] pode ser convertido em um verbo que indica um processo contínuo, que ainda não se completou

While the doctor is curing my leg, I will stay off work [Enquanto o médico estiver curando minha perna, ficarei de licença).

Apesar dessas complexidades, não é muito difícil desenvolver uma percepção geral do que é aspecto, tanto como uma característica inerente à semântica dos verbos ou como uma categoria gramatical. A distinção essencial quando estamos lidando com o aspecto "inerente" é entre verbos estativos e verbos não estativos. Estativos são verbos como gostar, conhecer, querer, sentir, que não são "ações" e que caracteristicamente não aparecem no aspecto presente progressivo:

I am liking ice-cream [estou gostando de sorvete]

porque "to like" [gostar] é *inerentemente* progressivo ou duradouro. Não estativos são os verbos de ação, como quebrar, começar, morrer, que se referem a eventos culminantes ou "pontuais". Entre estativos óbvios e não estativos óbvios há uma área cinzenta de verbos de "atividade" (basicamente não estativos) como correr, nadar, aprender, que dependem mais do contexto para ser interpretados como estativos ou não estativos, e serão marcados pelo aspecto de acordo com isso.

Estou aprendendo francês (aspecto progressivo, o francês ainda não foi aprendido)

versus

Aprendi francês (aspecto perfectivo, o aprendizado do francês já foi realizado). As línguas diferem enormemente no grau de gramaticalização do aspecto. Em inglês, o aspecto é marcado de uma maneira um tanto regular e obrigatória em todos os tempos verbais, ao contrário do francês, em que só o passado imperfeito é regularmente marcado gramaticalmente. O inglês faz duas distinções de aspecto, (1) aspecto progressivo-imperfectivo) (*I was walking, I am walking, I will be walking*) *versus* (2) aspecto perfectivo-completivo (*I walked*, *I have walked*, *I will have walked*). O inglês tem outros aspectos também, tais como o uso do presente neutro para indicar uma ação habitual:

I walk to work these days [Atualmente vou andando para o trabalho]

E outras línguas têm marcadores aspectuais para ações reeiteradas, incomumente prolongadas ou incomumente breves, ações que estão começando, ações que estão terminando e muitas outras.

Por que é que as línguas fazem distinções aspectuais com tal regularidade? Em algum sentido, o aspecto, muito mais do que o tempo verbal, classifica uma propriedade genérica fundamental de eventos e estado das coisas, isto é, se estamos interessados neles como produtores de um resultado, de uma mudança, ou se estamos interessados neles como "uma condição contextual" contra a qual os eventos de uma natureza mais pontual ocorrem. Mas também é importante perceber que a marcação do aspecto surge não como um meio de "classificar" o mundo como um fim em si mesmo, mas, porque a menos que essas distinções sejam mantidas, é difícil construir um discurso coerente. Apenas para dar um exemplo, considere o uso discursivo do passado imperfeito:

While Henry was looking the other way, Nelly picked his pocket [Enquanto Henry olhava para o outro lado, Nelly meteu a mão no bolso dele]

Sem o imperfeito, seria muito mais difícil transmitir o sentido em que o evento focal, o evento que continua a história (Nelly metendo a mão no bolso de Henry) é contido ou envolvido em outro evento, Henry olhando para o outro lado, que começou antes do evento focal, continuou durante ele e só terminou depois de ele ter terminado. Em termos abstratos, "Henry olhando para o outro lado" é um evento pontual exatamente como "Nelly metendo a mão no bolso de Henry". Mas, em termos discursivos, Henry olhando para o outro lado forma o contexto temporal, dentro do qual nós nos posicionamos, a fim de observar Nelly em sua atividade abominável. Portanto não é por amor à classificação de "objetos temporais" graças a sua doçura própria que as línguas marcam por aspecto, mas porque existem razões funcionais, discursivas que fazem esse tipo de marcação comunicativamente útil.

14.4 Modalidade

A modalidade verbal é a marcação gramatical do *status* epistemológico da proposição afirmada na frase, isto é, se a frase afirma algo que é conhecido como um fato, ou é algo relatado por rumores, ou é uma inferência provável, ou uma possibilidade imaginária (contrafactual), ou meramente uma expressão daquilo que, idealmente, "deveria" ser verdade. A modalidade, ao contrário do aspecto, não tem nada a ver com o tempo intrinsecamente, mas nas línguas naturais há uma forte tendência para que o tempo verbal e a modalidade estejam conectados. A conexão tempo-modalidade surge porque afirmações sobre o presente, afirmações de fato histórico ou afirmações de verdades "eternas" ("corvos são negros") são modalmente certas (*realis*) enquanto afirmações sobre o futuro, quando têm um TR e um TE que são ambos futuros, são necessariamente hipotéticos (*irrealis*). Portanto muitas formas futuras do verbo são modais, que indicam futuridade indicando menos-que-certeza modal. Em inglês, por exemplo, o futuro auxiliar *shall* vem de um verbo modal indicando dever:

> *I shall go to Birmingham* (= *it is my duty to go to Birmingham*) [eu irei a Birmingham (= é meu dever ir a Birmingham)]

e o verbo auxiliar *will* do verbo modal de *willing*:

> *He will come here* (= *it is his will that he comes here*) [Ele virá aqui (= é sua vontade que ele venha aqui)].

Os auxiliares modais *shall* e *will* perderam seu papel transparente como verbos deônticos independentes ou verbos voluntativos e agora funcionam como modificadores do sistema de referência, deslocando o TR para o futuro, mas ainda há uma sombra de modalidade com relação a eles, e eles podem ser usados como modais com referência ao presente ou a eventos do passado recente, como quando se supõe alguma coisa:

> (ouve-se um forte ruído) *That will be Henry falling downstairs, I dare say...* [deve ser Henry caindo na escada, me arrisco a dizer].

Enquanto isso, nem todas as construções futuras são modais. Muitos futuros estão baseados em verbos de movimento, como em

> *I'm going to be an astronaut*

(pronunciado *gonna*) – embora a probabilidade seja que crianças aprendendo os futuros com *go* não estejam cientes da ideia de movimento físico de um lugar para outro quando usam os auxiliares *go*, e tampouco estarão cientes de qualquer conexão entre *will* como um auxiliar futuro e *willing* algo que vem a passar. Mas apesar da existência de muitos fatores complicadores, pode ser oferecido como uma regra geral que há uma interação particularmente forte entre tempos futuros e construções modais "irrealis", como há entre os tempos passados e um tipo de aspecto, isto é, o aspecto perfectivo, no sentido de que, para que uma ação seja o total completo, ela deve estar completa no tempo, isto é, no passado. O presente, por outro lado, está intrinsecamente conectado com a modalidade "realis" e com frequência com a modalidade imperfectiva. Dizer "que vai chover amanhã" implica a incerteza modal inerente em todos os atos de previsão, enquanto dizer "está chovendo" não implica esse tipo de irrealidade/incerteza.

Tendo muito rapidamente introduzido as partes relevantes da teoria linguística (para levantamentos mais abrangentes, cf. LYONS, 1977; COMRIE, 1976, 1985) irei me voltar agora para a influência da pesquisa linguística no tópico de relatividade temporal cognitiva. Esse tema foi revelado por Whorf, em um número de ensaios sobre línguas ameríndias escritos nas décadas de 1930 e 1940 e coletados por Carroll (1956). Um desses ensaios focaliza especificamente o tempo na língua dos hopi do Arizona e é, assim, particularmente relevante para o argumento. Whorf estabelece um contraste global entre aquilo que ele chama de línguas "europeias médio padrão" (SAE na sigla em inglês) e a língua hopi. As línguas SAE caracteristicamente substantificam o tempo, de tal forma que ele é tratado como uma substância estendida, divisível, semelhante ao espaço. Os hopi, ao contrário, não têm sequer a categoria tempo: "a língua hopi é considerada como se não contivesse quaisquer palavras, formas gramaticais, construções ou expressões que se refiram diretamente àquilo que nós chamamos de 'tempo'" (CARROLL, 1956: 57). As justificativas de Whorf para fazer essa afirmação tão abrangente foram a ausência, ou aquilo que ele considerou como sendo a ausência, de construções em hopi equivalentes aos tempos verbais SAE. Em vez disso, os hopi tinham aquilo que hoje seria chamado de modalidades, dando à atitude proposicional do orador com relação ao conteúdo de sua afirmação. Ele distinguiu três modalidades hopi ("afirmações"):

1) Reportiva (a forma do verbo não marcada, usada para relatar eventos que já ocorreram).

2) Expectiva (-*ni*: usados para transmitir a atitude modal de esperar que um evento aconteça).

3) Gnômica (-*ngwu*: usada para transmitir a atitude modal de verdade gnômica, ou seja, P é verdadeiro em todos os momentos em todos os lugares).

O que Whorf afirma é que essas modalidades não tinham quaisquer significados intrínsecos de tempos verbais e, portanto, que o "tempo" não estava sequer construído no *design* da gramática hopi.

A primeira coisa a dizer é que independentemente da defensibilidade da "hipótese de Whorf" em geral, as afirmações específicas que Whorf faz sobre os hopi, para as quais ele nunca forneceu muita evidência, são muito pouco sólidas. Malotki (1983) publicou uma monografia bastante longa mostrando (1) que os hopi, característica e sistematicamente, usam metáforas especiais para indicar fatos temporais, a própria característica que Whorf indicou como sendo caracteristicamente SAE; e (2) que os hopi têm um sistema de dois tempos verbais (um não futuro não marcado vs. futuro -*ni*) e um sistema de aspecto muito elaborado que permite a distinção consistente no não futuro entre as interpretações do aspecto/perfectivo/tempo passado e do aspecto imperfectivo/tempo presente. Não só Whorf está completamente errado sobre a "atemporalidade" linguística dos hopi, mas poderíamos até dizer que, das duas línguas, o inglês é mais atemporal, no sentido de que, como vimos, o futuro no inglês é uma modalidade, o presente no inglês é um aspecto, e embora o passado em inglês seja primordialmente um tempo verbal para afirmações fatuais sobre o passado, como o não futuro dos hopi, o passado no inglês funciona como uma modalidade "irrealis" em frases como:

I wish I knew how to play the piano [Eu ficaria feliz se *soubesse* tocar piano]
Como Church (1976: 58; MALOTKI, 1983: 672) diz: "se o inglês tivesse sido uma língua dos índios americanos, poderia ter sido usada como um exemplo de uma língua em que as relações de tempo não são distinguidas. Mas poucos entre nós acreditariam que os falantes do inglês não fazem esse tipo de diferenciação. É claro que a estrutura gramatical de uma língua nos diz muito pouco sobre nossa maneira de pensar a respeito do mundo".

A língua hopi não é nem atemporal nem lhe faltam tempos verbais. É possível que não existam línguas "atemporais", mas certamente existem línguas sem tempos verbais. O birmanês e o dyirbal, uma língua australiana, são citadas por Comrie (1985: 50-53) como exemplos desse tipo de língua, em que as únicas categorias marcadas sobre o verbo são modalidades, basicamente realis *versus* irrealis. Mas nada realmente muda, comunicativa ou cognitivamente, como resultado da incapacidade de uma língua de transmitir os tempos por inflexão do verbo ou construções do verbo auxiliar. O mesmo resultado é obtido por meio de adverbiais, pelo tempo verbal "implícito" que flui a partir do contraste aspectual perfectivo/imperfectivo, e pelo contexto – o contexto da fala (a declaração com relação à situação do mundo real na qual ela é produzida) e o contexto do discurso (a afirmação com relação às afirmações vizinhas no fluxo do discurso, narração, texto etc.). Muitas línguas mais, às quais não faltam tempos verbais, têm apenas dois sistemas de tempos verbais como o não futuro dos hopi (= passado + presente) vs. futuro, ou alternativamente, passado *versus* não passado (= presente +futuro).

Será que a estrutura gramatical da língua realmente não tem nada a ver com alguma coisa fora dela? Será que não tem nada a ver com a cultura, por um lado, ou a cognição, por outro? Deixem-me examinar, também brevemente, outra variante da hipótese de Whorf, que poderíamos chamar de hipótese diacrônica de Whorf, que seria afirmar que a evolução diacrônica da língua com o passar do tempo pode refletir mudanças nos padrões de pensamento, nas maneiras gerais de interpretar o mundo e seus significados, à medida que esses mudam na história. Aqui, posso invocar um exemplo muito apropriado, ou seja, a evolução do tempo futuro nas línguas românicas, ou seja, a família de línguas europeias (francês, espanhol etc.) que se originaram do latim falado nos períodos tardios dos romanos e durante a Idade Média (FLEISCHMAN, 1982).

O latim tinha um paradigma de um futuro bem marcado para verbos (ex.: *cantabo*) com um significado estritamente temporal (e não modal). As línguas românicas modernas também têm um paradigma futuro distinto (*chanterai, cantaro, cantaré* etc.). Mas não há qualquer linha direta de descendência entre os futuros românicos modernos e *cantabo*. O que ocorreu é que durante o desenvolvimento das línguas românicas entre 500 d.C. e c. 1000 d.C. *cantabo* caiu em desuso e foi substituído por uma construção com verbo auxiliar para expressar a futuridade *cantare habeo* (cantar eu tenho). Essa construção perifrástica do futuro então se aglutinou à raiz do verbo para fazer surgir os futuros românicos inflexionais modernos. O -r- provisório do românico moderno é vestígio do infinitivo no latim (*cantare*, cantar) e as terminações dos casos são vestígios de "habeo" desgastado e suavizado pelo tempo.

O estudo absorvente de Fleischman (1982) sobre a evolução dos futuros românicos descobre esse desenvolvimento e outros associados. Um dos problemas que ela discute é exatamente aquilo que estimulou o declínio de *cantabo* e o surgimento de *cantare habeo* durante a segunda metade do 1º milênio d.C. Por que o futuro sem ambiguidade do latim deveria ser substituído por uma construção perifrástica ambígua – essencialmente um modal deôntico –, que "implicava" referência de tempo futuro? Um argumento que ela considera é o argumento cultural, proposto em sua forma mais desenvolvida por Coseriu (1958: 97-98) que considerou que "o fator determinante no remodelamento do futuro do latim foi o impacto sobre o Império Romano da Cristandade" (FLEISCHMAN, 1982: 47ss.). Coseriu argumenta que o futuro do latim, abstrato e puramente temporal, não poderia acomodar a nova orientação ética da Europa cristã. O "antigo" futuro era externo ao eu agentivo, o futuro "novo" estava internalizado, carregado com uma responsabilidade pessoal (pela salvação) e com obrigação moral. Portanto não foi por acaso que uma construção perifrástica indicando modalidade deôntica de obrigação (cantar eu tenho, ou seja, eu tenho de cantar) ocupou o lugar do paradigma futuro impessoal do latim. Além disso, o significado "futuro" das construções *habeo* é documentado pela primeira vez nos escritos dos Fundadores da Igreja, a origem principal da nova "orientação ética". Santo Agostinho parece ter transmitido precisamente esse novo sentido de tempo como algo "subjetivo" e não "objetivo" na famosa passagem nas *Confissões* (XI: 20) em que ele diz que o tempo existe apenas na mente, o passado é memória, o presente é percepção e o futuro é expectativa.

Outros autores citados por Fleischman (1982: 45) dão uma versão ligeiramente diferente de um argumento semelhante quando levantam a hipótese de que o declínio de *cantabo* e o surgimento de *cantare habeo* reflete o surgimento da cultura popular (que acompanhou o declínio da civilização "clássica") que é inerentemente desfavorável às abstrações e prefere a ideia concreta e pessoal de "ter" o futuro, como um campo modal de possibilidades e oportunidades "presentes", em vez de contemplá-lo objetivamente, e de um ponto de vista abstrato, como um tempo que-ainda-não-passou, e não distinto ontologicamente do tempo que passou ou que está passando. A visão da cultura popular e a visão da orientação ética claramente não estão, inerentemente, em conflito; as duas tendências poderiam ter ocorrido simultaneamente e ambas teriam promovido o surgimento da construção *habeo*.

Essas interpretações culturais da remodelação do paradigma verbal do latim no naufrágio da civilização clássica e no surgimento contemporâneo da Cristandade são muito mais atraentes do que as elaborações palpavelmente fantásticas de Whorf sobre as implicações culturais/cognitivas dos hopi. Mas elas também implicam uma espécie de "relatividade cultural" entre frases diacrônicas no contínuo desenvolvimento do pensamento e da língua europeus. A língua teve de mudar para acomodar uma nova ontologia pessoal, numa nova concepção da história e da agência, uma nova retórica de motivos e metas de vida. Não acho que seja necessário descartar esse tipo de argumento completamente, na medida em que ele seja restrito àquilo que é conhecido como a versão "fraca" da hipótese de Whorf, a saber, a hipótese de que línguas diferentes, em virtude de suas convenções, facilitam padrões de pensamento diferentes, estratégias retóricas diferentes, argumentos e imagens padronizadas diferentes. Mas, ainda assim, há problemas históricos com o argumento. A afirmação de que o desenvolvimento das línguas românicas de dialetos regionais populares resultou na rejeição do paradigma *cantabo*, "abstrato demais", tropeça na dificuldade de que o próprio latim foi, em um determinado momento, um dialeto "popular" e que os falantes originais do latim "tribal" diziam *cantabo*, mas não tinham, presumivelmente, uma visão "abstrata" da vida. Isso, se é que jamais existiu, foi o produto da civilização "clássica" romana, que veio muito mais tarde. Parece que as línguas indo-europeias (e outras) regularmente oscilam entre ter paradigmas de tempos verbais "sintéticos" (inflexionados, abstratos) e paradigmas de tempos verbais "analíticos" (com verbo auxiliar, concretos). O próprio *cantabo* foi, em um determinado momento, uma construção com verbo auxiliar no proto-indo-europeu (cant-a + *bhwo, to verbo "ser"). E no paradigma do moderno *chanterai* que se torna sintético pela aglutinação de *cantare habeo*, é muitas vezes substituído, hoje, pelo futuro com ir (*je vais chanter*) que é analítico, mas baseado em um verbo de movimento, e não de modalidade deôntica. Fleischman observa que no espanhol o futuro com ir (*yo voy a dormir*) parece ter entrado em outro ciclo de aglutinação na fala popular do hispano-americano, onde *yo va dormir* pode ser ouvido. A próxima inflexão "futura" da raiz do verbo pode ser um prefixo, va- e não um elemento com um sufixo -r-. Se essas oscilações entre paradigmas de tempos sintéticos e analíticos são uma característica tão regular da mudança linguística diacrônica, poderão exemplos particulares de mudança, tais como a sequência *cantabo* → *cantare habeo* ser atribuídos a circunstâncias históricas/culturais específicas? Pareceria, pela explicação de Fleischman, que os fatores primários envolvidos na história das construções do futuro românico foram internos à própria língua, especialmente a mudança profunda entre o latim, uma língua em que o verbo normalmente vem por último, depois do objeto (OV) para as línguas românicas modernas todas elas tendo a ordem de palavras sujeito-verbo-objeto (SVO).

Apesar disso, parece-me que embora seja verdade que uma alternação cíclica entre os futuros analíticos e sintéticos nas línguas românicas foi determinado, não por fatores ideológicos específicos, mas apenas por uma faceta de uma transformação global do latim (OV) para o românico (SVO) – o que, em essência, é o argumento de Fleischman –, ainda continua sendo discutível que a seleção particular de uma perífrase deôntico-modal como base para o paradigma do futuro "analítico" pré-românico de uma variedade de construções perifrásticas do latim tardio, com implicações "futuras", é um fato significativo e estritamente cultural. Com isso, não é minha intenção implicar um relativismo linguístico/cognitivo, dizendo, por exemplo, que usuários do *cantare habeo* "não podiam pensar de forma abstrata sobre o futuro" em virtude da composição de sua língua. Mas não acho que seja absurdo pensar que a língua incorpora uma retórica sedimentada, o resíduo congelado de uma tradição de argumentos convencionais, que foram, em um determinado momento, pensamentos ativos, alcançados contra a resistência da língua (como eu próprio tenho de lutar com a língua hoje, a fim de dizer o que quero dizer e não alguma outra coisa), mas que se tornam, gradativamente, clichês discursivos e, eventualmente, automatismos da "gramática". A língua e o discurso estão continuamente se equilibrando entre a convenção e a descoberta. O que está errado com o whorfismo não é que a língua impõe uma barreira, facilitando a expressão de certas ideias e inibindo a expressão de outras (ela certamente faz isso) –, mas imaginar, como consequência desse fato admissível, que o pensamento é "determinado" pela língua. Pelo contrário, o pensamento (a descoberta de novas ideias) tipicamente vai contra a natureza da língua, tortura-a e deforma-a (cf. os escritos de filósofos e sábios, cheios de paradoxos e neologismos). Essas desnaturações da língua a serviço da criação de novos significados fornece as novas bases psicológicas da mudança da língua como uma evolução global e impessoal. O tropo de ontem é a gramática de hoje, e, como repositórios de tropos, as línguas são entidades culturalmente relativas. Mas, pelo mesmo motivo, as línguas, como as matérias-primas para a reestruturação destrutiva, são aquilo que libera a cognição para que ela possa seguir livremente seu caminho pela história.

15

O desenvolvimento da conversa do tempo

A próxima questão relacionada com universais cognitivos temporais que desejo discutir é a questão da emergência das construções para tratar do tempo durante a aquisição do idioma, entre bebês expostos a línguas diferentes. Esse material lança uma luz interessante sobre aquilo que pode ser considerado as características mais "elementares" da cognição do tempo, na medida em que processos cognitivos se refletem no uso da língua.

O resumo anterior da "gramática do tempo" da língua natural pode ter fornecido indicação suficiente da natureza um tanto complexa desse ramo da gramática, e talvez também dos problemas terríveis que a criança tem de enfrentar a fim de se tornar um usuário competente da língua natural. A questão essencial do ponto de vista psicolinguístico não é simplesmente observar o surgimento de uma construção gramatical específica na fala infantil em seus vários estágios de desenvolvimento, mas averiguar exatamente qual é a intenção da criança quando ela as usa, ou seja, qual pode ser a "representação semântica" subjacente. Suponhamos que uma criança usa um verbo em um tempo que não parece ser padrão naquela situação. Aquela criança pode (1) estar usando a forma de maneira perfeitamente correta, mas para descrever uma situação que ela não compreendeu bem, isto é, a gramática está correta, mas a representação semântica está errada segundo os padrões dos adultos; ou (2) a criança pode ter a representação semântica totalmente apropriada, mas não ter um comando suficiente da gramática de sua língua para comunicar corretamente a representação que ela tem da situação, ou (1) e (2) podem se aplicar simultaneamente. É muito difícil saber exatamente o que as crianças querem dizer quando elas dizem qualquer coisa, porque tanto os significados quanto as falas podem variar independentemente da norma adulta.

No entanto, estudos experimentais foram realizados, tentando manter um controle para esses fatores e observações naturalistas, em que a especificação adequada do contexto das falas da criança também pode ser utilizada para reduzir a incerteza inevitável. O resultado da quantidade limitada de trabalho que foi feito sobre a aquisição dos tempos e do aspecto, no entanto, indica consistentemente que as crianças começam por empregar as construções com tempos verbais de uma maneira diferente do padrão.

Bronckart e Sinclair (1973) estudaram as escolhas com relação aos tempos verbais feitas por crianças francesas ao fornecerem descrições de ações realizadas pelo pesquisador. O que descobriram foi que crianças mais jovens (de 3.7 anos) regularmente usavam o presente francês para descrever ações que levavam um tempo relativamente longo e não tinham um clímax (um caminhão lentamente empurra um carro na direção de uma garagem) e regularmente usavam o "passado" francês (o auxiliar *avoir* + o particípio passado) para indicar ações de uma natureza rápida ou pontual (um carro bate numa bola de gude que rola rapidamente e entra em um bolso). O que eles concluíram é que crianças nessa idade estão insuficientemente conscientes do "passado" para usarem o tempo verbal passado como um passado genuíno, e, em vez disso, o usavam para codificar a categoria aspectual não duradoura, rápida ou de eventos com um clímax (que são dados no tempo "passado" porque terminam rapidamente). Eventos mais duradouros, sem um clímax, que não são menos "passado" de acordo com as noções adultas de tempos apropriados, são codificados como "presente" porque esse tempo verbal é associado com a categoria aspectual de progressividade, e não presentidade cronológica. Em outras palavras, na primeira infância o verdadeiro tempo verbal não se desenvolve, apesar do surgimento do tempo passado em algumas falas. Como a perspectiva da criança é ainda predominantemente egocêntrica, o tempo como uma extensão linear ainda precisa tomar forma. Em vez disso as mesmas formas linguísticas abertas são usadas para codificar distinções aspectuais dentro de coordenadas espaçotemporais egocêntricas. Crianças mais velhas gradativamente se tornam mais coerentes no uso do passado para todas suas descrições das ações de seus pesquisadores, sem considerar a longa duração ou não da ação específica envolvida. Da idade de seis anos em diante, falas pseudotemporais, que na verdade codificam o aspecto e não o tempo verbal, são substituídas por falas com tempos genuínos, com um TR (tempo de referência) móvel. Esse experimento é apresentado como um apoio à teoria geral do desenvolvimento cognitivo de Piaget. Por que essas descobertas devem ser consideradas aprobativas de Piaget não está totalmente claro. De um ponto de vista o aspecto é uma maneira menos "egocêntrica" de classificar eventos do que o tempo verbal. Características aspectuais de eventos são "objetivas" no sentido de que não são dependentes das próprias coordenadas espaçotemporais da criança. As características dos tempos verbais de eventos, por outro lado, realmente dependem dessas coordenadas. Os tempos são articulados com o tempo subjetivo, a consciência momentária da presentidade em posição à irrecuperalibidade subjetiva do passado e a inacessibilidade da futuridade. Se o mero egocentrismo foi a característica definidora da cognição da criança, os tempos deveriam surgir antes dos aspectos. Evidentemente, é a falta de "autoconsciência" necessária para a identificação das coordenadas espaçotemporais egocêntricas (que, por sua vez, são necessárias para atribuir tempos verbais às falas) que faz com que o aspecto seja a característica mais acessível a ser codificada, do ponto de vista da criança.

Enquando isso, parece bastante estabelecido que a marcação do aspecto e não a marcação do tempo estava ocorrendo entre os sujeitos mais jovens do experimento de Bronckart e Sinclair. Mas a essa altura é necessário perguntar se seus resultados para os jovens falantes do francês fornecem uma base para generalizações para outras culturas (com outras línguas) sobre idades e estágios no desenvolvimento cognitivo. Isso não parece ser verdade. O aspecto pode vir antes do tempo na França, mas crianças aprendendo inglês parecem captar o tempo verbal em uma idade na qual as crianças francesas estão ainda codificando principalmente por aspecto, no uso das formas de tempos verbais. A língua à qual a criança está exposta exerce um efeito independente sobre a ordem em que o domínio de tipos diferentes de distinções gramaticais é alcançado.

Esse resultado foi estabelecido em um experimento narrado por Smith (1980: 272). Em seu estudo de crianças americanas, usando um ambiente experimental semelhante ao de Bronckart e Sinclair, ela constatou que pouco menos de 7% das respostas usavam o tempo presente, mesmo com crianças com idade de 4: 7 anos, mas havia uma variabilidade entre o aspecto perfectivo e o aspecto imperfectivo que parecia depender do tipo de ação que elas estavam tentando descrever. À medida que iam ficando mais velhas, as crianças de Smith se tornaram usuárias consistentes do sistema aspectual do inglês, assim como do sistema de tempos verbais. É possível que em idades abaixo de 4: 7 pode ter havido mais uso da distinção entre presente e passado para transmitir aspecto. Ela própria cita uma fala de uma criança inglesa com a tenra idade de 1: 8 anos, gravada por Halliday (1975) que replica o padrão de Bronckart e Sinclair (a criança está espontaneamente tentando narrar um incidente que ocorreu durante uma visita recente ao zoológico):

Try eat lid... goat... man said no... goat try eat lid... man said no [Tenta comer a tampa... o bode... o homem disse não... o bode tenta comer a tampa... o homem disse não].

Aqui os esforços infrutíferos do bode para comer a tampa (imperfectivo) estão no tempo presente, mas o evento "pontual" do homem dizendo "não", é, de maneira bastante surpreendente, na forma irregular correta do passado do verbo *say*. Smith cita essa passagem para mostrar que as crianças de língua inglesa têm uma noção de passado desde o começo. Isso pode ser verdade, mas essa fala não prova isso, já que parece igualmente sujeita a uma interpretação baseada no aspecto.

Smith cita trabalhos em inglês e outros idiomas que mostram que com a idade de quatro anos as crianças já usam os tempos do passado consistentemente para indicar o passado temporal, não apenas o aspecto perfectivo. Isso suscita o problema de identificar as características intrínsecas do inglês que podem predispor as crianças a aprenderem a usar os tempos do passado relativamente cedo, em contraste com as características intrínsecas do francês que tendem a atrasar esse desenvolvimento. A conclusão a que chega Smith é que, como a marcação do aspecto perfectivo vs. o aspecto imperfectivo em todos os tempos verbais em inglês é sistemático e obrigatório, as crianças não usam as formas dos tempos verbais para expressar aspectos. Em francês, por outro lado, o aspecto é marcado apenas intermitentemente, todos os tempos sendo aspectualmente neutros a não ser no imperfeito passado, que é usado em narrativas, mas não nos tipos de descrições simples que Bronckart e Sinclair estavam tentando obter. Além disso, no francês o tempo presente tem muito mais propósitos que seu equivalente em inglês. Ele é aspectualmente neutro entre o presente progressivo e o presente simples, que não é marcado aspectualmente. A fim de transmitir progressividade no tempo presente em francês é necessário usar um advérbio tal como *actuellement* ou uma frase adverbial como *...est en train de*. Também é muito mais natural empregar o "presente histórico" no francês do que no inglês, ou seja, relatar uma história no presente e não no passado, como ocorre em Damon Runyon (*so this guy, he hits me and I go down...* [então esse cara me dá um soco e eu caio]. O tempo "passado" no francês (*avoir/être* + particípio passado) cumpre a função tanto do presente inglês com um aspecto perfectivo (*John has swum the Channel*) [John atravessou o Canal a nado] e o passado em inglês com aspecto perfectivo (*John swam the Channel*) [em português, igualmente John atravessou o Canal a nado]. O francês realmente tem um outro tempo passado (*o passé simple – John* nagea *La Manche*) mas esse é obsoleto e certamente não é usado por crianças pequenas.

Como a marcação do aspecto é complicada e variável, as crianças francesas inicialmente empregam os tempos verbais para codificar aspectos como uma medida temporária, por assim dizer, porque as diferenças aspectuais entre os estímulos que lhe são apresentados pelos pesquisadores eram óbvios e relevantes. Portanto, é a complexidade da língua francesa, e não os ritmos autônomos do desenvolvimento cognitivo, que é responsável pelos resultados de Bronckart e Sinclair. As crianças inglesas, por outro lado, mostram um controle da marcação do tempo mais prematuro (que não pode, como ocorre no francês, ser sequestrado para objetivos da marcação do aspecto) e elas lutam com o aspecto da melhor maneira possível, aprendendo a distinguir o perfectivo e o imperfectivo nas molduras dos tempos verbais que são consistentes e imutáveis.

Da mesma forma, em outro estudo da aquisição de tempos verbais em crianças pequenas, por Antonucci e Miller (1976) (baseado na observação em contextos naturais, e não em contextos experimentais) as diferenças na ordem em que as construções foram adquiridas parecem ter mais a ver com a língua que está sendo aprendida do que com qualquer processo autônomo de desenvolvimento mental. Aqui a língua em questão era o italiano – bastante semelhante em estrutura ao francês, poderíamos crer. As formas do tempo passado do verbo surgem muito cedo entre as crianças italianas, na verdade, no final do segundo ano de vida. Mas as crianças italianas evidentemente aprendem o tempo passado (disfarçado de particípio passado do verbo) inicialmente como um adjetivo, desprovido do auxiliar, mas concordando em número e gênero com o substantivo objeto da frase. Isso é muito anômalo porque a gramática adulta especifica a concordância entre o particípio passado e o sujeito, e não o objeto de verbos transitivos. Então, durante seu terceiro ano, elas aprendem a usar o tempo passado normal do italiano, com um auxiliar, e a seguir o imperfeito italiano (inflectido). Isso contrasta com as crianças francesas, que parecem não usar o imperfeito passado na mesma idade de forma alguma com a mesma frequência. O que parece ocorrer com o italiano é que as crianças nessa idade inventam uma regra, que é que verbos que têm intrinsecamente um aspecto inerente "pontual" (isto é, que denotam ações que têm resultados definidos) são formas do tempo passado com o auxiliar + o particípio passado, e verbos com um aspecto inerentemente não pontual (isto é, que denotam ações em progresso ou contínuas) recebem passados na forma inflectida imperfeita. Portanto há duas classes distintas de verbos, com tempos passados não intercambiáveis, verbos de "ação" pontual com passados perfectivos, e verbos estáveis ou de atividade com os passados imperfectivos. Os resultados de Antonucci e Miller confirmam os de Bronckart e Sinclair na medida em que a distinção entre verbos de "ação" com passados perfectivos e verbos "de estado ou atividade contínua" com passados imperfectivos mostra uma sensibilidade precoce para distinções aspectuais que levam à formação de "regras" anômalas na criança italiana. Mas as crianças italianas diferem das francesas por marcarem o passado consistentemente para ambas as categorias de aspecto desde muito pequenas. É possível que elas sejam supersensíveis ao aspecto, mas elas certamente também são sensíveis ao tempo verbal, na medida em que a partir do terceiro ano os relatos de ocorrências passadas são consistentemente transmitidos em um ou outro dos tempos passados, não no tempo presente.

No entanto, os próprios Antonucci e Miller, adotando a linha piagetiana, não acreditam que as crianças italianas com mais ou menos quatro anos estejam marcando o passado propriamente dito quando fazem uso do imperfeito passado. Eles oferecem a interessante sugestão de que esse tempo, que ocorre apenas quando as crianças estão inventando histórias, na verdade marca a modalidade irrealis – "vamos fazer de conta que..." Isso parece ser uma interpretação indevidamente restrita, e os autores não explicam por que verbos pontuais no tempo verbal do passado perfectivo não são marcados para irrealis da mesma maneira quando eles ocorrem em fantasias, como eles estão igualmente inclinados a fazer. E também é relevante que o italiano, ao contrário do francês ou do inglês, usa a forma do passado imperfectivo como o tempo verbal para a narração de eventos, para dar uma sensação de urgência e fluidez, comparável ao uso do presente histórico narrativo no francês.

L'assasino apriva (imperf.) *la porta, entrava* (imperf.) *nella stanza e strangolava* (imperf.) *la sua vítima*. [O assassino abriu a porta, entrou na sala e estrangulou sua vítima] (ANTONUCCI & MILLER, 1976: 169).

Consequentemente, o uso prematuro do passado imperfeito por crianças italianas provavelmente reflete o lugar proeminente desse tempo verbal no estilo narrativo italiano. Mas a sugestão tem mérito, apesar disso, no sentido de que pode bem ser verdade que o passado e a modalização podem estar combinados no uso prematuro de tempos passados na linguagem infantil de um modo geral. O tempo passado pode ser usado no inglês (adulto) com implicações modais irrealis, como foi observado no capítulo anterior.

O italiano, o francês e o inglês são línguas relativamente próximas e, no entanto, é aparente, mesmo a partir dessa pequena seleção entre os milhares de línguas distribuídas pelo globo, que existem amplas divergências no sequenciamento específico do aprendizado das construções de tempo verbal e de aspecto. Parece razoavelmente certo que crianças pequenas tenham realmente um entendimento básico do "passado" que se distingue do aspecto perfectivo, embora esse fato possa ser obscurecido pela necessidade simultânea de codificar pelo aspecto sem recorrer a adverbiais ou a outros artifícios perifrásticos. Falantes de línguas "sem tempos verbais", sem dúvida, são usuários precoces de adverbiais e modais se comparados a seus congêneres europeus, embora eu não tenha dados sobre a aquisição de línguas sem tempos verbais para corroborar essa dedução.

É aparente que as divergências na estrutura detalhada do francês, do inglês e do italiano são a fonte de dificuldades consideráveis quando se tenta extrair um padrão a partir de dados sobre a aquisição de línguas e, em particular, a aquisição de tempos verbais. Essas línguas são antigas e complexas, cada uma delas um palimpsesto de camada sobre camada de mudanças diacrônicas, construções antigas, tempos verbais e marcadores de aspecto também antigos, parcialmente eliminados por outros mais novos, coexistindo todos em uma desordem total. Existirão outras línguas mais simples, em cuja estrutura possa ser possível vislumbrar um sistema "primordial" de tempo/aspecto/modalidade livre de incrustações históricas e outros fatores complicadores?

Segundo Bickerton (1981) e Givon (1982) essas línguas, sim, podem ser encontradas. São as línguas chamadas de *creoles* [crioulas]. Línguas crioulas, segundo Bickerton, surgiram em comunidades que foram perturbadas linguisticamente, normalmente pelo impacto do colonialismo e a importação de grandes números de trabalhadores e/ou escravos cultural e linguisticamente diversos para as economias das plantações, socialmente caóticas. Os peões etnicamente misturados, os membros deslocados de tribos etc. inicialmente desenvolvem uma variedade heterogênea de "pidgins" gramaticamente instáveis, mas continuam a falar suas línguas nativas entre si. Mas em um determinado momento, em virtude do colapso das normas tradicionais de vida familiar e de exclusividade étnica, nasce uma geração de crianças cuja experiência linguística primária é da ordem dos pidgins gramaticamente instável falados pela geração adulta. Essas crianças estão em uma situação excepcional, porque não têm qualquer insumo linguístico consistente; elas ouvem variedades de pidgin e variedades de línguas não pidgin, mas não lhes apresentam nenhum padrão linguístico único e predominante. Elas têm, segundo Bickerton e Givon, de "inventar" uma língua; não exatamente do princípio, porque já têm o vocabulário pidgin com o qual trabalhar, mas o trabalho principal de estabilizar a gramática do insumo pidgin ainda precisa ser realizado. É um fato extraordinário que as línguas crioulas que as crianças "inventam" (isto é, o produto final de sua estabilização do pidgin local, de tal forma que ele passa a ser uma primeira língua eficaz que pode ser transmitida de uma maneira comum para a geração seguinte) mostra uma convergência estrutural extraordinária, embora essas línguas crioulas tenham surgido em locais geograficamente dispersos e tendo como base várias línguas "substratas" (ou seja, pré-pidgin).

Bickerton escreveu um livro muito interessante no qual ele afirma que a gramática das línguas crioulas nos fornece uma janela para o "bioprograma" linguístico inato da espécie humana. A gramática crioula está impressa nos circuitos, por assim dizer. Em suas mãos, essa hipótese vem a parecer extraordinariamente razoável, embora, necessariamente, um tanto especulativa. Givon adota a perspectiva mais cuidadosa de que os paralelos gramaticais entre línguas crioulas historicamente não relacionadas são explicados de uma maneira mais útil, com referência a universais de uma natureza funcional-comunicativa, e não a fatores biológicos inatos que têm a ver com o cérebro.

Apesar dessas diferenças de interpretação, às quais retornarei mais tarde, Bickerton (1981) e Givon (1982) dão descrições idênticas do sistema dos tempos/aspectos/modos das línguas crioulas. O verbo crioulo pode aparecer não marcado (Ø), e nesse caso ele transmite ações passadas ou estados presentes; ou ele pode ser precedido por três marcadores: (1) um marcador de aspecto (*stay* [permanecer] ou algum equivalente) que transmite aspecto, iteração ou habitualidade não pontuais, contínuos e assim por diante; (2) um marcador modal irrealis (*go* [ir] ou algum equivalente) indicando futuridade, condicionalidade ou o imperativo e, finalmente, (3) um marcador de tempo verbal anterior/perfeito (*bin* [deposite] ou algo equivalente) que indica perfectividade nos verbos duradouros e perfectividade da ação com relação a algum TR passado, no caso de verbos não duradouros (tempo mais que perfeito). Quando usado em combinações os marcadores sempre aparecem na mesma ordem, com o marcador de aspecto precedendo o verbo imediatamente, o marcador modal precedendo o marcador de aspecto e o marcador do tempo anterior precedendo o modal.

Bickerton e Givon sugerem que os equivalentes funcionais a todas as quatro formas do verbo crioulo, ou seja, Ø-V, stay-V, go-V e bin-V são universais linguísticos. Nenhuma língua pode existir que não faça essas distinções, embora elas possam fazer muitas outras distinções e gramaticalizar muitos mais tempos verbais, modos ou aspectos do que as línguas crioulas fazem. Não estou em uma posição que me permita avaliar a veracidade dessa afirmação. Bickerton não discute línguas não crioulas, que se desviam radicalmente do padrão que acabamos de descrever, mas Givon (1982: 141-146) considera um caso assim em algum detalhe, a língua chuave da Nova Guiné. Essa é uma língua que parece violar a afirmação de que todas as línguas devem ter um equivalente ao marcador "anterior", "bin". As frases chuave são criadas enfileirando cláusulas, das quais apenas a última é afirmada e tem um tempo verbal, ou como não futuro (presente ou passado) ou como futuro (irrealis, condicional). Não há qualquer vestígio de um tempo verbal com um TR passado. Em outras palavras não há qualquer provisão na língua chuave para a manobra que fazemos no inglês, quando dizemos:

By the time John went to school, he had learned to read [Quando John finalmente foi para a escola, ele já tinha aprendido a ler]

ou na língua umeda, tok psisn, que se aproxima a uma língua crioula:

Olosem taim John i-go long skul, em I bin save long rit,

em que a ação da cláusula principal, John aprendendo a ler, precede, no tempo, a ação da cláusula subsidiária, John indo para a escola. Em chuave, Givon afirma: "Se um evento precedeu no tempo, ele não pode ser mencionado após uma cláusula afirmada que o segue em tempo real dentro da mesma cadeia" (1982: 145). A conclusão de sua discussão é que a carga funcional carregada pelo marcador crioulo anterior/perfeito/mais-que-perfeito "bin" é transferido para um mecanismo completamente diferente. Em vez de modificar o verbo, o chuave impõe fortes restrições à ordem-de-menção das ações na cadeia de cláusulas: se as ações ocorrem no princípio na cadeia, elas fornecem informação contextual, identificam o tema da frase e as pressuposições necessárias para interpretar a cláusula final, que é aquela que afirma algo e que leva a narrativa a um estágio mais avançado. Podemos imaginar isso como uma espécie de TR móvel, que passa por toda a frase, do começo ao fim, organizando ações em sequência temporal, cláusula por cláusula, até que, afinal, a cláusula-afirmação estabelece o TR definitivo da frase como um todo. Givon observa que, como uma questão de fato estatística, em qualquer língua, verbos em frases que contêm mais de um verbo ocorrem de forma preponderante em uma ordem-de-menção, que corresponde à ordem em que as ações ocorrem e, portanto, o chuave só faz uma regra daquilo que é, em outras situações, uma prática geral, mas não obrigatória. Ele diz também que essa regra é encontrada em outras línguas das regiões montanhosas da Nova Guiné e no tibeto-birmanês, que pode lançar alguma luz sobre a suposta ausência de tempos verbais do birmanês, mencionada anteriormente. Seu argumento é elegante e persuasivo, embora o que exatamente resta da suposta significância universal da gramática crioula, nas formas em que ela realmente existe nas línguas crioulas, é difícil dizer. Quanto mais peso dermos às equivalências "funcionais" entre as línguas que mostram diferenças morfossintáticas profundas, menos campo haverá para deduzir conclusões sobre processos cognitivos das características de qualquer língua, ou de família de línguas, em particular.

Retornarei ao tema de interpretações funcionais de sistemas de tempo/aspecto/modo (TAM) mais tarde. Enquanto isso, há outro ramo do estudo das línguas crioulas que é mais uma especialidade de Bickerton do que de Givon, e que é a investigação da ideia interessante de que o sistema TAM "puro" da língua crioula pode ser identificado com o sistema usado por crianças aprendendo sua língua materna, antes de terem aprendido o sistema adulto em sua total diversidade estrutural. Se o cenário esboçado anteriormente para a gênese das línguas crioulas está certo – e essas línguas realmente têm vestígios de terem sido "inventadas" por crianças – relativamente sem as restrições dos insumos por parte de adultos, então é de se esperar que as línguas "experimentais" inventadas por crianças como uma estação intermediária no caminho para a aquisição da fala adulta podem possuir características "crioulas". Ou pelo menos essa é a alegação feita por Bickerton (1981).

Assim, por exemplo, ele observa o fato extraordinário de que as crianças inglesas, antes de adquirir qualquer outra forma de tempo verbal ou aspecto, seja ela qual for, começam a usar o sufixo -*ing* para distinguir o aspecto presente progressivo de verbos de ação do presente não marcado. Elas indicam uma ação continuada com a forma -*ing* e todo o demais, passado, presente ou futuro com a forma básica, a raiz do verbo. Elas fazem isso mesmo no final do segundo ano de vida, enquanto crianças francesas ou italianas só fazem distinções aspectuais comparáveis muito mais tarde. E, o que é mais extraordinário, as crianças inglesas nunca "supergeneralizam" o sufixo -*ing* conectando-o a um verbo de duração, ou seja verbos cujo aspecto inerente é progressivo e não pontual, tais como *like* [gostar]. Elas nunca dizem *I am liking ice cream* mesmo que estejam em um estado contínuo de gostar daquela substância maravilhosa. Elas supergeneralizam em outras partes na língua, produzindo um sem fim de plurais incorretos, *sheeps*, *mouses* e *foots* [carneiros, camundongos e pés, cujos plurais corretos seriam respectivamente *sheep*, *mice* e *feet*] e tempos passados incorretos, *eated* em vez de *ate*, *flied* em vez de *flew* e assim por diante. Mas elas nunca supergeneralizam acrescentando -*ing* a verbos de duração, o que certamente é curioso. Bickerton afirma que isso ocorre porque elas são conscientes por natureza de que os verbos de duração têm um aspecto progressivo inerente e que, portanto, adicionar um -*ing* a eles seria redundante.

Será que a sensibilidade para a distinção estado/processo é inata? O argumento principal contra essa suposição é que seja qual for a misteriosa habilidade que as crianças inglesas têm para distinguir verbos de duração de verbos de não duração, essa habilidade não se manifesta em outros países, nem na França, nem na Itália, e talvez tampouco em muitos outros lugares.

Apesar disso Bickerton crê que o "aprendizado sem erros" da distinção estado/processo das crianças inglesas é pré-programado, "não em virtude de sua universalidade" que pode ser tão baixa quanto Brown (1973: 326) sugere, mas porque ele desempenha um papel crucial nas gramáticas crioulas (BICKERTON 1981: 160). Essa certamente é uma linha perigosa para ser adotada, a menos que seja uma verdade sem qualquer discordância que só se uma construção é encontrada nas línguas crioulas é que ela pode ser considerada inata e que outras línguas revelam os funcionamentos do programa da língua inata somente na medida em que elas se pareçam com as línguas crioulas, sem de nenhuma maneira prejudicar a hipótese de uma natureza inata se isso não ocorrer. As línguas crioulas não apenas revelam o funcionamento do "bioprograma", mas também estabelece o padrão para aquilo que é "programado" em oposição àquilo que é contingente. Há evidentemente um risco de circularidade aqui.

Outra explicação possível para o "aprendizado sem erros" da distinção estado/processo é que as crianças inglesas na verdade aprendem os verbos de ação na forma do presente progressivo. Essa é a forma usada pelos adultos quando estão demonstrando uma ação para uma criança, algo que eles são obrigados a fazer pelas regras do inglês. Assim, eles mostram à criança o que é montar em alguma coisa, acompanhando a ação com a elocução *riding... riding...* de tal forma que a marcação do aspecto progressivo é inerentemente parte do contexto da demonstração/aprendizado para os verbos de ação. Verbos duradouros são aprendidos em contextos diferentes e não são "demonstrados" da mesma maneira; portanto a diferença fundamental pode ser na pragmática das situações de aprendizado e não em qualquer oposição semântica programada entre estados *versus* processos.

No mesmo sentido, Bickerton aceita a constatação de Bronckart e Sinclair de que as crianças inicialmente usam o tempo passado no francês a fim de marcar pontualidade (de aspecto) e não o passado (no tempo verbal), mas em vez de colocar um verniz piagetiano nessa descoberta, como eles fazem, ele a interpreta como um fenômeno linguístico, e não um fenômeno cognitivo. Não é dizer que a essas crianças falta uma noção descentralizada de "passado"; ao contrário, é que o programa que controla a aquisição de idiomas é primordialmente voltado para estabelecer as distinções aspectuais entre estados e processos, e só posteriormente distinguir o tempo verbal passado do tempo verbal presente. Como essa descoberta está de acordo com o modelo crioulo, ele é aceito, mas nada se fala sobre o fato de as crianças inglesas da mesma idade serem bastante capazes de usar tempos verbais passados que não podem ser interpretados como pseudoaspectos, nem como o equivalente ao passado "anterior" da língua crioula que tem um TE passado que é anterior ao TR que, por sua vez é anterior ao TF. O passado (de verbos de ação) da criança inglesa tem um TE e um TR que são ambos igualmente anteriores ao TF, isso é, eles são passados simples, e seriam realizados na língua crioula através da forma Ø do verbo. O passado "anterior" crioulo é mais equivalente aos mais-que-perfeitos do inglês, do francês e do italiano, que são desenvolvimentos tardios, e nada comuns na fala de crianças (europeias) na faixa etária de menos de cinco anos. A gramática do "bin" na língua crioula não tem qualquer equivalente na fala das crianças europeias. Realmente, eu me pergunto insistentemente se ela desempenha qualquer parte na fala das próprias crianças crioulas com menos de cinco anos, e, se isso é verdade, é impossível argumentar que a gramática de "bin" foi inventada por crianças ou reflete a "infância da língua". Para confirmação só nos basta voltar para a análise de Bickerton (1975, cap. 2) de "Bin", "Don" e "a" na língua crioula da Guiana, que é decididamente complicada. Esse fragmento da gramática crioula certamente só poderia ter sido inventado por adultos.

No entanto, este não é o lugar para discutir a natureza inata em detalhe. Seria mais útil concluir levantando considerações mais gerais sobre a cognição do tempo e linguagem. Por que, afinal, as línguas naturais têm tempos verbais, modos e aspectos? Mesmo se concordarmos com Bickerton que os seres humanos foram programados para criar línguas exatamente com essas características, essa pergunta ainda teria de ser respondida, porque seria necessário demonstrar como uma vantagem "evolucionária" coube às criaturas que falavam esse tipo de língua, e não outras línguas de tipos diferentes.

O tempo verbal, o modo e o aspecto têm a ver, principalmente, com a organização da informação no discurso. Tempos verbais e aspectos são particularmente importantes nas narrações, ao relatar e ao explicar sequências de ações e reações, normalmente aquelas de seres animados. As modalidades são particularmente importantes ao fazer planos para o futuro, ao distinguir afirmações confiáveis das não confiáveis, e ao usar a língua performativa e prescritivamente. A semântica no nível da frase de expressões específicas que estão codificadas para o tempo verbal, modalidade e aspecto estão subordinadas às exigências de tipos genéricos específicos de discursos, apresentação de histórias, planejamento de discussões, o exercício da autoridade por meio da fala, a atividade de ensinar, ou seja lá o que for. O que as crianças aprendem não é "a gramática da língua" e sim construções gramaticais com relação a uma variedade de molduras discursivas pragmáticas, que se desenvolvem e se multiplicam com sua capacidade crescente de participar em uma variedade ampla de tipos de interação social. A significância da gramática crioula é que ela fornece um modelo útil para um sistema central pragmático-discursivo, não universal em termos de formas gramaticais ou de capacidades cognitivas subjacentes, mas refletindo as restrições funcionais essenciais sobre a língua como uma ferramenta discursiva, de uma maneira relativamente transparente. Essa parece ser a abordagem de Givon. Seguindo a direção de Bickerton, ele sugere três universais funcionais:

1) Ser capaz de comunicar a ordem temporal de eventos.

2) Ser capaz de comunicar se algo é conhecido por meio dos sentidos ou se é imaginário.

3) Ser capaz de indicar se um evento (ou estado) se estende ou se ele ocorre uma vez, ou repetidamente.

Essas exigências comunicativas são subscritas pela capacidade cognitiva de fazer distinções relevantes – por exemplo, entre eventos reais e eventos imaginários. Na língua crioula, a função (1) é exercida pela regra geral segundo a qual a ordem de menção no discurso corresponde à ordem dos eventos na realidade. O tempo destinado a uma narrativa vai passando de uma cláusula à outra, de uma frase à outra, *exceto* quando o marcador anterior "bin" é usado para "olhar para trás" por trás do passado/presente contínuo da narrativa, para alguma condição anterior. A função (2) é exercida pela marcador modal "go" para a futuridade, conjecturalidade etc. e a função (3) é exercida pelo marcador de aspecto *stay* para a continuidade da ação ou do estado.

Como a língua crioula só dá espaço para essas exigências funcionais, sem as muitas características adicionais que existem em outras línguas, Givon argumenta, parece-me que plausivelmente, que a língua crioula revela um mecanismo discursivo primordial. Esse mecanismo não está impresso nos circuitos do cérebro, mas reflete diretamente, diz ele, "as características mais importantes para serem codificadas no sistema comunicativo dos humanos, como as observações genéricas mais pertinentes a serem feitas sobre eventos: sua sequência, sua facticidade, sua duração. É também provável que pode haver razões práticas, relacionadas com a sobrevivência, para escolher essas características no sistema comunicativo codificado" (1982: 156; a ênfase do autor foi omitida). Mas a abordagem funcional-pragmática aos tempos verbais e fenômenos afins nos desvia de uma perspectiva estritamente desenvolvimentista, já que as forças dominantes que moldam a fala pragmaticamente são as exigências da existência adulta e a integridade das práticas comunicativas da sociedade adulta. Aqui, trago para uma conclusão essa breve discussão do tempo com relação às línguas naturais. Embora possamos tentativamente identificar os "universais" da língua natural na mecânica da língua para lidar com o tempo, a meu ver é claro que esses universais não correspondem aos universais cognitivos no sentido estrito (ou no sentido exigido por Bloch (1977), mas apenas aos universais pragmático-funcionais relacionados ao discurso, e não à compreensão conceitual no sentido mais amplo. Em outras palavras, não podemos tentar construir um modelo das bases psíquicas da cognição do tempo (universais temporais psicológicos) com base nas gramáticas das línguas naturais. Para fazer isso, o tempo precisa ser considerado de uma maneira mais abstrata, como uma característica da experiência propriamente dita, e não como uma mera característica do discurso.

Mas, como todos nós sabemos, é difícil pensar sobre o tempo de uma maneira abstrata sem se envolver imediatamente em sérias dificuldades intelectuais. Até aqui, o resultado geral dessa crítica das abordagens relativistas e antirrelativistas à antropologia do tempo foi enfatizar a prática e a função contra a abstração e a pseudometafísica. Mas não podemos deixar que as coisas terminem aqui, porque a prática e a função dependem das bases cognitivas, que continuaram inexploradas. E não podemos propor uma teoria sobre *noesis* (o processo de cognição) sem ter simultaneamente uma teoria sobre *neoma* (aquilo que está lá para ser objeto da cognição). Até aqui, realmente, a categoria "tempo" propriamente dita continuou a não ser examinada e só demonstramos que, seja lá o que for o tempo, ele não é uma categoria determinada sociologicamente, nem um universal da língua natural impresso nos circuitos cerebrais, ou um conceito determinado endogenamente, ou coisas semelhantes. Chegou o momento de esboçar uma doutrina positiva do tempo como um prelúdio para uma antropologia do tempo mais racional. Como é que os seres humanos pensam sobre o tempo, e o que há para eles pensarem? Como é que o tempo realmente torna-se relevante para nós? Como sucede haver um passado, um presente e um futuro? Essas são características do universo, ou de alguma maneira elas surgem de nosso ponto de vantagem especial no universo como organismos conscientes? É para perguntas desse tipo que me voltarei a seguir.

PARTE II
MAPAS DO TEMPO E COGNIÇÃO

16

O tempo na filosofia: a série-A *versus* a série-B

Um dos principais objetivos que venho tentando realizar até agora foi o de dissuadir os antropólogos de especulações metafísicas injustificadas. Identifiquei essa corrente metafísica na antropologia simbólica como uma herança maligna de Durkheim (entre outros). Insisti que realmente nunca ocorre que as investigações etnográficas produzam resultados que vão exigir, para sua interpretação, a revisão de ideias filosóficas de caráter positivo que, em outras circunstâncias, poderíamos estar inclinados a aceitar. Mas uma das razões pela qual os antropólogos são insuficientemente críticos quando se trata de escrever sobre o tempo é porque, de qualquer forma, eles realmente não têm ideias filosóficas muito claras sobre esse tópico. Confusos e mistificados com todo esse assunto, eles não têm nenhum modelo funcional da cognição do tempo como processo mental. Portanto, um serviço essencial que um livro sobre a antropologia do tempo pode desempenhar é remover essa sensação generalizada de confusão que a noção fantasmagórica do *tempo* evoca, não só apresentando uma explicação filosófica coerente do tempo, mas também elaborando um modelo geral de sua cognição. Essa é uma tarefa difícil a ser realizada por alguém que não é filósofo, mas certamente não menos difícil que a tarefa com que se depararia um filósofo que tentasse apresentar suas ideias filosóficas de uma maneira que fosse acessível a antropólogos e não apenas a seu público costumeiro de outros filósofos. Consequentemente, não há motivo para desanimar. Proponho-me, então, neste estágio, fazer o esboço de uma visão específica da filosofia do tempo, aquela que achei mais útil, primeiro para dissipar o mistério que rodeia o tempo, e, segundo, como uma base para um modelo geral de sua cognição que será elaborado mais tarde neste livro.

É claro, não há qualquer consenso universal entre filósofos sobre qual é a melhor maneira de compreender o tempo. As opiniões vão desde um subjetivismo extremo e um misticismo impenetrável, por um lado, até um objetivismo e fisicalismo desumanizado e rígido por outro. Mas tendo experimentado tanto da literatura disponível quanto me senti capaz de fazer, cheguei a uma conclusão muito sólida. A maior parte do trabalho sobre o tempo na filosofia pertence à filosofia da ciência, particularmente da física, e lida com problemas (relatividade, viagem no tempo etc.) que não têm qualquer influência sobre aquilo que podemos chamar de tempo "humano". As obras mais conhecidas por filósofos especificamente interessados na existência humana – Husserl e seus sucessores, Heidegger, Sartre, Merleau-Ponty etc. – tinham muito a dizer que era relevante e Husserl, em particular, nos deu um modelo de consciência interna do tempo que será explicado detalhadamente mais tarde, mas suas obras estão longe de serem autoexplicativas. Todos eles são autores excepcionalmente difíceis. Mas descobri realmente um autor filosófico que me pareceu tentar fazer uma coisa impossível entre a irrelevância lúcida e a incompreensibilidade relevante. O autor em questão é D.H. Mellor cujo pequeno livro *Real Time* (1981) [O tempo real] é, a meu ver, de longe o guia geral mais útil que temos sobre o assunto. Mellor é um filósofo analítico que pertence à dominante escola anglo-americana. Não hesito em dizer que minhas ideias sobre o tempo vêm dele, e assim, indiretamente, dos pensadores de quem ele herdou as suas, de volta a McTaggart, Russell, Broad etc. Vale a pena acrescentar que, embora eu apoie as noções analíticas sobre o tempo de Mellor, isso não implica que eu seja ativamente hostil aos autores humanístico-fenomenológicos que acabo de mencionar, Husserl, Sartre etc. Pelo contrário, creio que se torna muito mais fácil ler textos fenomenológicos com algum grau de compreensão genuína uma vez que possamos abordá-los de um ponto de vista metafísico estável fornecido por filósofos analíticos como Mellor. Em particular, o estudo da consciência interna do tempo (o tempo cognitivamente universal de Bloch) tem de ser baseado na psicologia fenomenológica e mais tarde irei apresentar um modelo da consciência do tempo construído precisamente dessa maneira. Mas a fim de estar em uma posição que me permita fazer isso, precisamos fazer com que a metafísica do tempo básica fique clara em nossa mente. E só a abordagem analítica, escolhida por Mellor, nos possibilita fazer isso.

O tempo foi um tema de reflexão filosófica desde o primeiro momento. As ideias de Kant sobre o assunto já foram mencionadas (no capítulo 1), mas não tenho a intenção de discutir a história longa e complicada do tema, e me restringirei ao período recente. O século XX viu, por um lado, o surgimento de uma visão do tempo semelhante ao espaço (sob a influência da física relativista) e, por outro lado, a rejeição desse tempo espacializado por outro grupo de filósofos, muitos dos quais influenciados por James e Bergson que enfatizam o aspecto do tempo dinâmico, subjetivo e como fluxo da experiência. Entre esses dois extremos, fisicalismo e fenomenologia, há, é claro, muitos matizes sutis de opinião. Felizmente, é relativamente fácil detectar, entre a confusão das vozes conflitantes, duas tendências opostas predominantes que serão rotuladas de visão série-A e de visão série-B.

Devemos esses rótulos convenientes diretamente ao filósofo contemporâneo R. Gale (1967, 1968) e indiretamente ao idealista de Cambridge na virada do século, McTaggart, que, durante uma tentativa para mostrar que o tempo é "irreal" – uma tentativa que de um modo geral foi considerada malsucedida – introduziu a distinção que simplificou significativamente a tarefa de classificar pontos de vista metafísicos sobre a questão "tempo". A contribuição de McTaggart foi que ele distinguiu dois tipos de tempo bastante diferentes e os rotulou de "A" e "B". O argumento de McTaggart contra a realidade do tempo é o seguinte:

(1) Categorizamos eventos de acordo como se eles fossem, em qualquer momento determinado, eventos passados, presentes ou futuros. Todos os eventos são uma dessas três coisas, mas não imutavelmente, já que qualquer evento que ocorreu foi um evento futuro até o momento de sua ocorrência, um evento presente no momento em que ocorre, e um evento passado a partir de então. Essa diferenciação entre eventos segundo os critérios de passado, presente e futuridade McTaggart chama de série-A.

(2) Também categorizamos eventos temporariamente de acordo com o momento de sua ocorrência, se um deles veio antes ou depois do outro. Eventos não mudam com respeito a esse critério como mudam com respeito ao critério de passado, presente e futuridade. Essa série-Antes/depois McTaggart chama de série-B.

(3) Essas duas séries, a série-A (passado/presente/futuro) e a série-B (antes/depois) são os dois tipos de tempo. McTaggart prossegue para dizer que a série-A é essencial para a ideia de mudança, já que é difícil perceber como a mudança pode ser favorecida pela série-B, pois essa é apenas uma fileira de eventos conectados uns aos outros como as contas em um colar. A série-A incorpora a ideia de transição ou "passagem" – as coisas sendo organizadas de uma maneira e depois de outra. Como a mudança é aquele aspecto do universo com a qual a noção do tempo parece especificamente destinada a lidar, o que deve ocorrer é que o tempo da série-A, o tempo mutante, é básico, enquanto o tempo da série-B deve ter como origem o tempo da série-A e, portanto, não é básico.

(4) Mas isso gera um problema. Como é que as propriedades da série-A de eventos podem ser "reais" – assim como uma propriedade dos cavalos é ter quatro patas – quando qualquer um evento (um evento do passado recente, p. ex.) é simultaneamente "futuro" com relação a eventos de um passado mais distante, presente com relação a eventos simultâneos com ele, e muito passado com relação a eventos ainda no futuro. Se o passado, o presente e a futuridade são características "reais" de eventos, como é que um evento pode ter essas características incompatíveis simultaneamente, como se um cavalo tivesse quatro patas, duas patas ou nenhuma pata tudo ao mesmo tempo.

(5) Essa dificuldade pode ser superável se estipularmos que somente em um momento determinado no tempo um evento possui um grau determinado de passado, presente ou futuridade. Em um momento (4 de julho) o evento *e* ainda era futuro; em outro momento (5 de julho) ele era presente, e em ainda um

outro momento (6 de julho) ele se tornou passado. Mas em nenhum desses dias o evento e possuía atributos incompatíveis de presente-passado ou de passado-futuridade. O evento e tinha apenas um desses atributos naquele momento e não os demais.

Essa resposta, embora satisfatória no sentido de que esclarece o problema suscitado em (4) acima, o faz distinguindo "momentos no tempo" em que o evento e não tem atributos não conflitantes da série-A, por meio de datas ou algum sistema equivalente a datas. As datas pertencem à série-B porque datas atribuídas a eventos não são atributos que mudam como passado/presente/futuridade. O momento no tempo indicado pela expressão 12 de janeiro de 1995 não se altera à medida que o século continua, nem irá se alterar quando tivermos alcançado o século XXI. Qualquer evento que aconteça dia 12 de janeiro de 1995 já tem aquela propriedade, não que saibamos muita coisa sobre eventos assim.

Pareceria que a única maneira de fazer com que os atributos de passado/presente e futuridade se colem aos eventos sem produzir contradições é introduzir uma cópia de segurança na forma de uma série-B de datas nas quais eventos tenham esses atributos de série-A.

(6) Mas se a afirmação em (3) acima é verdadeira, a série-B vem da série-A. No entanto, parece que necessitamos de uma série-B a fim de estabelecer a série-A em uma posição lógica sólida. Portanto, deve haver uma segunda série-A da qual essa série-B se origina, isto é, uma que acabei de invocar a fim de apoiar a primeira série-A. Mas a fim de apoiar essa segunda série-A necessitamos uma segunda série-B também. E uma terceira série-A da qual a segunda série-B se originou e uma... e assim por diante, descendo em uma regressão lógica viciosa. McTaggart conclui que o tempo deve ser irreal porque nenhuma característica real do mundo poderia fazer surgir paradoxos lógicos insolúveis.

Mesmo que não tenhamos quaisquer sentimentos fortes sobre se o tempo deve receber o privilégio de ser chamado "real", esse argumento tem um certo fascínio. São os passos que levam à conclusão que chamam a atenção, e não a própria conclusão, que a maioria das pessoas acharia que é implausível por mais fortes que sejam os argumentos preparados a seu favor. Os filósofos dedicaram muito esforço para diagnosticar o que eles acreditam ser os defeitos lógicos apresentados no raciocínio de McTaggart, embora alguns deles (DUMMETT, 1978) afirmassem que o argumento é perfeitamente sólido. A maioria contrária, no entanto, não está exatamente unida. O argumento, para que seja bem-sucedido, depende da correção de duas afirmações: primeiro, que deve haver tanto uma série-A quanto uma série-B; e segundo, que essas não podem coexistir sem que isso produza um paradoxo. Críticos negaram uma ou as duas dessas afirmações.

A resposta mais comum foi negar a primeira dessas afirmações, isto é, que há duas séries em vez de uma e que elas têm de coexistir lado a lado. Isso ou é porque a série-A não necessita a série-B ou porque a série-B não necessita a série-A. O paradoxo surge porque o membro genuíno do par está sendo contaminado pelo membro falso. A essa altura a questão realmente importante passa a ser: qual deve ser? Será que a série-A tem as credenciais para ser considerada como tempo real (básico, universal) ou será que é a série-B que tem essas credenciais? O tempo está baseado na passagem de eventos vindos do futuro, para o presente, e saindo outra vez para os recessos do passado, ou o tempo é uma relação imutável de antes/depois que se mantém entre eventos datáveis como na série-B? Gale (1967) foi o primeiro a mostrar como os filósofos do tempo podem estar claramente divididos entre um grupo da série-A *versus* um grupo de série-B, segundo as respostas diferentes que deem a essa questão crucial, a pedra fundamental das ideias filosóficas sobre o tempo. O próprio Gale é um homem da série-A, Mellor um seguidor "moderado" da série-B. Eu também sou um seguidor moderado da série-B. Mas isso não importa muito por enquanto. O que precisamos fazer agora é examinar em maior detalhe as próprias série-A e série-B.

Isso é particularmente necessário na medida em que um dos argumentos principais que quero deixar claro neste capítulo é que a distinção série-A/série-B não é apenas de interesse filosófico paroquial, mas pode ser considerada como tendo ramificações que se estendem por todas as ciências humanas, incluindo sob esse título a economia, a sociologia, a psicologia, a geografia etc., bem assim como a antropologia. Em linhas muito gerais, as considerações temporais da série-A se aplicam nas ciências humanas porque os agentes estão sempre engastados em um contexto de situação sobre cuja natureza e evolução nutrem crenças de um momento para outro, enquanto as considerações temporais da série-B também se aplicam porque os agentes constroem "mapas" temporais de seu mundo e sua sombra de possíveis mundos cujas características da série-B refletem o desenho genuinamente série-B do próprio universo. Grande parte da discussão subsequente vai ser dedicada às tentativas de fazer esse argumento mais claro, portanto é essencial fazer com que a série-A e a série-B fiquem bem claras desde o princípio.

Os filósofos podem ser divididos, como comentei, em um grupo série-A e um grupo série-B. A fim de ter alguma ideia sobre a diferente posição mental que caracteriza os membros de um ou de outro partido, pode ser útil apresentar duas citações breves, características de cada uma delas, para uma comparação imediata e absoluta. Usarei textos um tanto antiquados, já que os filósofos atuais estão inclinados a expressar suas ideias em uma linguagem mais cuidadosa do que os antigos, e nenhum deles talvez quisesse se associar totalmente com as posições um tanto extremas de Weyl e Mead, minhas fontes. Mas por seu valor exemplar, eles servem muito bem. É mais simples examinar a série-B primeiramente, portanto aqui está uma afirmação clássica da série-B do filósofo e físico Weyl:

> O mundo objetivo simplesmente é: ele não acontece. Somente à vista de minha consciência, subindo lentamente pela linha vital de meu corpo, é que uma seção do mundo vem à luz como uma imagem fugidia no espaço que está mudando continuamente no tempo (WEYL, 1949: 166).

Weyl tem em mente aqui o famoso diagrama de Minkowski que mostra a linha vital de qualquer coisa individual, tal como um corpo ou uma estrela, como uma faixa linear de eventos embutidos no espaço-tempo quadridimensional, como passas em uma fatia de bolo de frutas, para sempre *lá,* e conectada com o resto do universo por uma teia de relacionamentos causais convergentes e divergentes. O espaço-tempo quadridimensional, assim imaginado, é um campo estável, e não um processo de se tornar, e temos a ideia de que eventos "ocorrem" apenas porque nós os "encontramos" em uma ordem causal específica, não porque o próprio tempo na verdade progride do futuro para o presente e para o passado.

Considere agora, em contraste, essa clássica declaração da série-A de G.H. Mead:

> A realidade existe em um presente. O presente implica um passado e um futuro e a esses dois nós negamos a existência.
>
> O tempo surge por meio da ordenação da passagem de eventos únicos... A passagem causal condicionante e a aparência de eventos únicos... fazem surgir o passado e o futuro na medida em que eles surgem no presente. O passado inteiro está no presente como a natureza condicionante da passagem, e o futuro todo surge do presente como os eventos únicos que se realizam. Em linhas gerais o que isso quer dizer é que o passado (a estrutura significativa do passado) é tão hipotético quanto o futuro (MEAD, 1925: 33).

Enquanto Weyl nos sugere um tempo congelado, mais ou menos coextensivo com o espaço, Mead concebe o tempo como uma tela fina como uma hóstia de eventos únicos em um presente que muda e se movimenta continuamente. É só essa "presenticidade" que confere realidade a qualquer coisa, mas o presente carrega em si mesmo os efeitos residuais do passado inteiro, e prefigura o futuro inteiro. O tempo, e, realmente, todo o cosmos, é cotérmino com esse presente-no-processo. Essa é a visão extrema do tempo da série-A.

17

A série-B

Os contrastes entre a teoria-A e a teoria-B podem ser demonstrados pela Tabela 17.1

Nem todos os teóricos A apoiam tudo sobre o exposto no lado da série-A da tabela ou vice-versa para os teóricos B, mas ela é suficiente para dar uma ideia geral da divisão bipartida. Agora farei um esboço na versão "moderada" da posição da série-B adotada por Mellor e ao fazê-lo darei sua solução para o paradoxo de McTaggart. Mellor é um "moderado" na medida em que, embora ache que o tempo "real" é o tempo da série-B, ele aceita que todas nossas ações no mundo real surgem de escolhas que fazemos com base nas crenças "que são expressas usando tempos verbais" (série-A) sem os quais não podemos viver. Essa posição depende de aceitar certas partes do argumento de McTaggart e de rejeitar algumas outras, como se segue.

1) McTaggart estava certo ao distinguir a série-A e a série-B desde o início.

2) McTaggart estava errado ao pensar que a série-B era baseada na série-A ou se originava dela.

3) McTaggart também estava errado ao pensar que o passado, o presente e a futuridade são necessários a fim de explicar a mudança.

4) McTaggart estava bastante correto ao pensar que rotular eventos como passado, presente e futuro não tem como resultado um sistema temporal consistente e coerente.

Eu considerarei o ponto (1) como sendo incontroverso e continuarei para indicar sumariamente o raciocínio por trás de (2), (3) e (4). Por que a série-B deveria ser considerada menos "básica" que a série-A (ponto 2)? Porque, segundo os teóricos A, um evento só tem a data que tem porque foi, em um determinado momento, futuro, ocorreu em uma data determinada e depois disso foi passado. Mas uma objeção possível a isso seria que um evento tem a data que tem bastante independentemente de se ele é passado, presente ou futuro. Todos os eventos, inclusive eventos futuros, têm suas datas, que são atributos temporais não qualificados dos eventos. A data de um evento não muda com a passagem do tempo (isso é, a especificação da data de *hoje*). Se um evento sequer ocorre, é preciso que o faça em uma data definida, que pode ser situada com relação às datas de todos os outros eventos, passados, presentes e futuros. Naturalmente, não temos quaisquer meios de saber as datas de eventos futuros, ou se eles irão ocorrer em algum momento, ou nunca ocorrerão em momento algum. Mas as limitações sobre nossa capacidade de fazer previsões não faz com que os eventos futuros não tenham datas, não mais do que nossa incapacidade – compreensivelmente – de reconstruir os fatos relacionados com os eventos passados – se eles sequer ocorreram e, se ocorreram, quando – significa que quaisquer eventos passados também estão sem datas.

Tabela 17.1 A série-A *versus* a série-B

Teoria-A	Teoria-B
Tempo = Futuro ⇨ presente ⇨ passado.	Tempo = antes *versus* depois.
Ideias básicas: "passagem" "se tornando".	Ideias básicas: "sendo" espaço-tempo quadridimensional.
O tempo é dinâmico.	O tempo não é dinâmico.
A verdade é dependente do tempo.	A verdade não é dependente do tempo.
Passado, presente e futuridade são características *sui generis* de eventos.	Passado, presente e futuridade não são características reais de eventos e sim surgem de nossa relação com eles como sujeitos conscientes.
Há diferenças básicas (ontológicas) entre eventos passados, presentes e futuros.	Não há diferenças básicas (ontológicas) entre eventos passados, presentes e futuros.
A consciência humana do tempo subjetivo (da passagem do tempo) fornece esquemas apropriados para a compreensão do tempo. A temporalidade subjetiva reflete "o se tornar" como um fenômeno objetivo do universo.	A consciência humana do tempo subjetivo reflete inadequadamente a natureza "real" do tempo. "Tornar-se" não é um fenômeno objetivo.
A mudança resulta do "tornar-se".	A mudança é uma variação concomitante entre as qualidades de uma coisa e a data em que essas qualidades são manifestadas por aquela coisa.

A série-B não é baseada na série-A, nem se origina dela, porque não há nenhum efeito recíproco entre a situação mutante de um evento da série-A e seus atributos temporais permanentes na série-B. A passagem de semanas e meses traz os eventos de uma data futura para mais perto de nós, mas não é em virtude deste passar do tempo que os eventos têm datas específicas. Os eventos simplesmente têm datas de qualquer forma, como um atributo essencial de ser um evento, mas não é um atributo essencial de ser um evento estar localizado em algum ponto no futuro, no presente ou no passado. Esses são atributos temporários que os eventos ganham e perdem de um dia para o outro.

Podemos fazer uma analogia entre os atributos da série-A de eventos e os atributos visuais de objetos espaciais. Um cartão retangular, na minha frente sobre a mesa, tem, em seu contorno, a aparência de um trapezoide. Posso, se quiser, fazer com que ele aparente ter uma variedade de outras formas trapezoides e retangulares mexendo-o de um lado para outro ou mexendo meu próprio corpo. Mas estas várias formas não são características do próprio cartão, e sim de sua aparência quando visto de ângulos diferentes. Seria errado responder à pergunta "qual é a forma deste cartão?" afirmando que ele é trapezoidal, ou tem uma variedade de formas triangulares. O cartão tem uma e só uma forma (presumindo que não está dobrado), ou seja, a forma que você obteria medindo suas dimensões e os ângulos formados por suas extremidades. Os seguidores da série-B acreditam que as datas de eventos são o equivalente temporal dos atributos espaciais "reais" que você poderia identificar medindo o cartão, e os atributos espaciais ilusórios de ser um trapezoide, de variabilidade etc., que o cartão "parece" ter, mas na verdade não tem, correspondem aos atributos da série-A de eventos, que também são ilusórios.

Será que isso é tudo que temos a dizer sobre o tempo, então, o fato de eventos não terem datas? Não exatamente tudo, talvez, mas muito daquilo que precisa ser dito sobre o assunto realmente acaba se reduzindo a apenas isso. É certamente muito difícil fazer qualquer progresso com o assunto sem introduzir o conceito de uma data (que é a primeira lição do paradoxo de McTaggart), mas reduzir o tempo a datas é uma iniciativa impopular aos olhos de muitos. Estou certo de que meus colegas antropólogos ficarão extremamente insatisfeitos com o rumo que este argumento parece estar tomando. Como podemos possivelmente afirmar que o tempo é uma questão de colocar eventos em séries datadas, quando a maioria dos seres humanos, a não ser pelo uso do calendário, sociedades letradas como as nossas, quase nunca parecem ter o conceito de uma "data"?

Não tenho a intenção de argumentar que todos fazem uso de um sistema de calendários e datas que é igual àquele que nós usamos; na verdade, o que estou dizendo não tem nenhuma implicação cultural. Os fatos são que as pessoas estão conscientes dos relacionamentos temporais entre eventos e se comportam de acordo com isso na condução de seus negócios. O fato de elas serem capazes de fazer isso mostra que têm um esquema para relacionar eventos uns aos outros no tempo. Os índices fornecidos para eventos em termos de seja lá qual forem os esquemas transmitidos culturalmente que estão em operação são suas "datas". Esses índices podem se referir a um esquema métrico, tal como um calendário de algum tipo, ou não. De um ponto de visto lógico, isso não importa, embora do ponto de vista da compreensão antropológica isso importe muito.

O fato de eventos terem datas, atributos não mutantes temporais de série-B, é a base da solução dos problemas metafísicos do tempo; mas é apenas o ponto de partida inicial do "problema do tempo" prático com respeito ao comportamento humano em um mundo temporal. Nós nos preocupamos com eventos porque eles afetam nossos interesses vitais. Ter uma data é uma propriedade intrínseca de eventos. Segue-se que não podemos nos preocupar com eventos se não nos preocuparmos com suas datas de ocorrência. Se eu me interesso, de alguma maneira, em atirar em um porco, esse meu interesse tem uma data definida, eu tenha ou não quaisquer meios de prever aquela data, ou de expressar minha previsão em termos de um esquema de medida do tempo ou de calendários. A especificidade das datas está construída na noção de "evento" ou de uma situação, inclusive todos os eventos ou situações que um agente pode desejar produzir por meio de uma ação intencional. É bem verdade que me sinto bastante diferente sobre um evento da matança de um porco que prevejo que vai ocorrer nos próximos dez segundos. Mas a matança do porco da semana que vem mantém um atributo temporal invariante de ocorrer em uma certa data de todos os momentos entre agora e a próxima semana quando (com sorte) ela realmente acontece. Se não fosse por isso eu não reconheceria esse evento como aquele que eu esperava com tanta ansiedade há uma semana. Não posso reconhecê-lo como tal em virtude de quaisquer de suas características de série-A, porque durante o período entre um e outro ele teve, e perdeu, inúmeras dessas características, todas elas em conflito uma com a outra.

A questão de "perspectiva temporal", que é bastante real, pode ser considerada separadamente. Tudo que quero deixar claro por enquanto é que na medida em que os agentes estão interessados nos eventos de alguma maneira, eles estão interessados em suas datas. A disponibilidade de artefatos culturais para expressar essas datas não tem qualquer influência nisso. Pode bem ser que, como no caso dos umeda, o meio aceito de expressar a data de um evento que se aproxima é muitas vezes usar uma expressão dêitica baseada no "agora" – isto é, "no dia depois do dia depois de amanhã nós matamos um porco". Dito no D-menos-três, isso é equivalente a "no dia depois de amanhã matamos um porco" dito no D-menos-dois, a "amanhã, matamos um porco" e dito no D-menos-um a "hoje, matamos um porco" dito no dia da matança do porco. Linguisticamente, o orador usa os atributos mutantes da série-A da matança do porco para identificá-la, mas há apenas uma matança de porco que pode satisfazer todas essas especificações temporais mutantes, aplicáveis a dias diferentes, e essa é aquela que ocorre na data apropriada.

A conexão temporal de um evento é um fator que depende unicamente de sua data; sua especificação, usando o cálculo de uma língua natural, pode exigir o emprego de expressões que dependem, para seu significado, do contexto em que são pronunciadas, bem assim como do contexto temporal do evento especificado. Temos de fazer uma distinção entre os fatos temporais (reais) e os recursos cognitivos e comunicativos do agente humano. O substrato temporal subjacente é da série-B em sua natureza, mas esse substrato é apenas um limite inatingível. Os fatos temporais da série-B são como são, sempre foram e sempre serão, mas isso não é por si só uma coisa útil de se saber. Nosso problema é saber como expandir nossos interesses obtendo uma alça nos fatos da série-B, e ao mesmo tempo ter de se contentar com recursos cognitivos que, sem escapatória, são mais ou menos da série-A.

Tentarei reconstruir como isso é feito no capítulo 24. Mas agora devo voltar ao paradoxo de McTaggart, e ao terceiro dos cinco pontos mencionados acima. Mesmo considerando que as datas são a propriedade temporal fundamental de eventos, será que a série-B pode lidar com a *mudança*? McTaggart achava que a passagem do futuro para o presente para o passado tinha que estar presente em qualquer explicação do fenômeno de mudança. Os seguidores da série-B negam isso; se o tempo de série-B é real, e a mudança também é real, então a mudança tem de ser acomodada no tempo da série-B. Não é difícil imaginar, então, por que motivo McTaggart, e outros que compartilham de sua opinião, devem acreditar que o tempo da série-A é mais adequado que o tempo da série-B para esse objetivo: o tempo da série-A "muda" em seu próprio nome, e outras coisas podem mudar junto com ele. O tempo da série-B apenas fica ali parado, estático e imóvel, e os eventos conectados no tempo da série-B não mudam à medida que o tempo da série-B muda, porque o tempo da série-B nunca muda.

A fim de refutar a ideia de que o tempo da série-B não pode acomodar mudança é necessário falar um pouco mais sobre "eventos". Eventos são mudanças nas coisas. As coisas mudam, os eventos são as mudanças que acontecem às coisas, que produzem novas situações, mas os eventos propriamente ditos não mudam.

Há duas variedades de eventos: pseudoeventos e eventos reais (causais). Um exemplo de um evento real é uma chaleira fervendo como resultado da aplicação do calor. Um pseudoevento é aquele que não tem quaisquer precondições causais ou consequências. Um exemplo de um evento assim é a mudança no valor de verdade da proposição "hoje é segunda-feira" que subitamente se tornará verdade à meia-noite de hoje (domingo). Nenhuma conexão causal une a proposição "hoje é segunda-feira" a objetos físicos no mundo, tais como o relógio que é o árbitro local de quando o domingo cessa e a segunda-feira começa. As proposições não são o tipo de entidade à qual podem sequer ser atribuídas, portanto uma mudança no valor de verdade de uma proposição não é uma mudança naquela proposição, nem um "evento" em que ela participa. As características temporais de eventos e pseudoeventos são um tanto diferentes; pseudoeventos podem ocorrer instantaneamente (não há qualquer ponto de parada entre domingo e segunda-feira) enquanto que eventos reais demoram a ocorrer. Os eventos são temporariamente prolongados, algumas partes de um evento estarão mais próximas do começo daquele evento e outras partes estarão mais próximas de seu término. Essa é a distinção básica entre eventos e "coisas": as coisas se estendem no espaço, mas não no tempo, isto é, elas não têm partes temporais.

Essa é uma parte um tanto contenciosa da doutrina de Mellor, já que outros seguidores da teoria-B afirmam que as coisas, como eventos, também têm partes temporais (TAYLOR, 1955). A vantagem obtida em negar isso é que se as coisas não têm partes temporais, a tentação de atribuir certas partes de uma coisa ao passado, outras ao presente e ao futuro, não pode surgir.

Se as coisas não têm partes temporais, então, elas não têm quaisquer características temporais. Mas alguém fará uma objeção a isso: afinal não é certo que as coisas tenham a propriedade temporal de existir em alguns momentos e não existir em outros. O Crystal Palace existia entre 1851 e 1935, mas não antes ou depois disso. Mas é mais exato dizer que o Crystal Palace participou de uma série de eventos que ocorreram em datas entre 1851 e 1935, e não em quaisquer eventos que ocorreram fora desse intervalo temporal, em vez de dizer que a própria construção pertencia a qualquer data.

Essa maneira de falar sobre as coisas parece paradoxal, já que normalmente associamos datas a muitos dos objetos que encontramos na vida cotidiana. Posso me referir aqui à discussão da *chirunga,* da Magna Carta etc. (cf. capítulo 3, acima). Os prédios, os documentos, as relíquias etc. podem funcionar como símbolos, direcionando nossas mentes a invocar imagens de épocas passadas em que elas foram criadas. Da mesma forma qualquer objeto pode funcionar como um símbolo, um símbolo para suas origens, seu uso, seu dono e assim por diante. Mas o fato de uma coisa poder significar os eventos associados com sua própria criação não significa que a própria coisa tem atributos temporais: só podemos dizer que os eventos em que ela participou têm esses atributos. As coisas não têm datas, mas passam por estágios em suas carreiras como coisas, sendo novas, velhas etc.

As propriedades causais das coisas muitas vezes variam de acordo com o estágio nas carreiras-de-coisas que elas atingiram, portanto não é meramente por interesse histórico que muitas vezes precisamos saber a que estágio em suas carreiras elas já chegaram. Por exemplo, carros, nos estágios finais de suas carreiras, não se comportam como fazem quando eram novos. Segundo a lógica da passagem citada antes de G.H. Mead, posso anunciar meu Ford Fiesta com placa "V" como um carro de 1991, com a justificativa de que meu carro é real, e tudo real é de data atual. Mas eu ainda seria considerado culpado de representação enganosa já que é um fato bem sabido por todos os compradores de carros de segunda mão que a placa "V" indica um carro, por mais imaculada que seja sua condição, que data de 1979 e não de 1991, isto é, os eventos associados com sua construção ocorreram naquele ano. Por outro lado, meu carro não é um fragmento de 1979 que de alguma forma conseguiu chegar até 1991. Meu carro está todo aqui: ele não é uma fatia de um carro temporariamente prolongado que é parcialmente um carro de 1979, parcialmente um carro de 1980 (ligeiramente mais velho), parcialmente um carro de 1981 (começando a mostrar sinais de uso), parcialmente um carro de 1982 e assim por diante até o presente. As coisas não têm uma estrutura temporal interna de anterioridade/posterioridade ou passadidade/presentidade/futuridade.

Segundo Mellor, a mudança é uma variação concomitante nas propriedades que uma coisa possui em vários estágios de sua carreira-de-coisa, e as datas em que esses estágios foram atingidos. Assim se uma coisa tem propriedade P em um estágio de sua carreira em T1 e perdeu essa propriedade em outro estágio de sua carreira em T2, então uma mudança ocorreu. Isso é suficiente como uma definição de mudança que não depende da transição da série-A entre passado, presente e futuro e tampouco exige que as coisas tenham partes temporais.

Os pontos que estivemos considerando (2 e 3) são aqueles em que os seguidores da série-B discordam de McTaggart. Mas o ponto quatro e final é aquele em que eles concordam com Mellor, ou seja, que especificar eventos segundo critérios de passado/presente/futuro faz surgir contradições lógicas. Por quê? Porque o mesmo evento, o mesmo elo em uma única cadeia de causa e efeito é, em um determinado momento, futuro, em outro momento presente, em outro tempo passado. Isso parece um conjunto de propriedades bastante aceitáveis para um evento, como uma xícara de chá que está, em um determinado momento, quente, um pouco mais tarde morna, e ainda um pouco mais tarde, fria. Mas não é realmente assim, porque a qualquer momento determinado um evento escolhido como "presente" é um evento futuro do ponto de vista de "presentes" passados e um evento passado do ponto de vista de "presentes" futuros. Uma xícara de chá não é simultaneamente quente e morna e fria de pontos de vista diferentes. Segundo os seguidores da teoria-B os eventos só podem ter uma característica temporal genuína e essa é sua ocorrência em uma data determinada (ou durante um certo intervalo de datas). Especificações de eventos da série-A não são propriedades temporais de eventos, porque eventos não podem ter propriedades incompatíveis: "A série-A é um mito" (MELLOR, 1981: 93ss.).

Mellor argumenta que todos os esforços da série-A para refutar a acusação de que especificações da série-A de eventos são mutuamente contraditórias nada mais são do que o argumento de que não é contraditório dizer de um evento que ele é futuro (em um dia, isto é, hoje) depois mais tarde (amanhã) que ele é presente, e ainda mais tarde (depois de amanhã) que ele é passado. O evento tem características mutantes de futuridade, presentidade e passadidade, mas não todas ao mesmo tempo. Eventos passados foram eventos futuros em um determinado momento, mas já não o são, eventos futuros serão passado, mas ainda não o são, e assim por diante. Mellor afirma que essa proposição ajuda a esconder a dificuldade, mas que, na verdade, não a remove. Trata-se no fim das contas de uma duplicação de tempos verbais:

"Presente"	=	Presente no presente
		Futuro no passado
		Passado no futuro
"Passado"	=	Passado no presente
		Presente no passado
		Passado no futuro
"Futuro"	=	Futuro no presente
		Futuro no passado
		Presente no futuro

Mas suponha que nós nos apossemos de algum evento no futuro. Haverá eventos que são futuro com relação não só ao presente, mas também ao futuro relativo ao evento que nós escolhemos, isto é, futuro no futuro. Quando o evento que escolhemos realmente se concretiza, aqueles eventos ainda posteriores ainda serão eventos futuros. Isso contradiz a ideia de que "futuro = presente no futuro", porque o futuro já chegou e aqueles eventos ainda não estão presentes. Ainda mais prejudicialmente haverá eventos futuros um tanto mais próximos do presente do que o evento no futuro que escolhemos, enquanto ele ainda é um evento futuro relativamente distante. Eles são futuros, mas não com uma distância tão grande. Quando o evento que nós escolhemos se realiza (torna-se presente) esses eventos já serão eventos passados. Esses eventos futuros serão passados no presente. "Passado no presente" é uma característica série-A de eventos passados, não de eventos futuros segundo a lista fornecida acima. Portanto, obviamente, algo está errado. Dizer de eventos futuros que eles são presente no futuro não absolve a classe de eventos futuros, de um modo geral, da acusação de ter propriedades série-A contraditórias, isto é, de ser simultaneamente passado e presente e futuro com relação a si próprio. Nem todos os futuros eventos vão ser presente no futuro, porque, em algum momento determinado do tempo futuro, alguns deles terão se tornado eventos passados, alguns deles ainda serão eventos futuros e apenas uma fração mínima deles será de eventos presentes. Um evento pode ser, sem contradição, presente no presente, passado no futuro e futuro no passado; mas inevitavelmente há por isso futuro no futuro, passado no passado, presente no passado e presente no futuro.

Portanto a reduplicação de tempos verbais não ajuda. Tampouco adianta tentar estender o argumento acrescentando ainda uma outra camada de tempos verbais. Assim um defensor da série-A poderá dizer: "Ora, quem jamais poderia pensar que um evento poderia ser passado no passado e simultaneamente futuro no futuro?" O evento só foi passado no passado quando ele foi passado em algum tempo futuro, em algum tempo futuro (um evento ser passado no passado não é incompatível com o evento ser passado em algum tempo futuro em algum tempo futuro). E da mesma forma, um evento é futuro em algum tempo futuro somente quando ele é futuro em algum tempo passado em algum tempo passado. Mas embora isso torne os tempos verbais duplicados consistentes, o único resultado é a geração de todo um novo conjunto de propriedades temporais de um tipo de três estágios, que não podem todos ser considerados compativelmente mantidos por um só evento, isso é, um evento será passado em algum passado em algum passado e também futuro em algum futuro em algum futuro. Assim uma regressão sem fim é instituída em que cada camada sucessiva de tempos verbais complexos remove as contradições inerentes no tempo verbal sob ele na série, mas ele próprio faz surgir novas contradições que só podem ser resolvidas pela adição de outra camada, e mais outra, *ad infinitum*.

Esse argumento é um equivalente mais técnico do argumento de McTaggart, dado anteriormente, e é considerado válido pelos seguidores da teoria-B. O resultado é que as características da série-A de eventos não refletem as propriedades temporais reais que os eventos possuem. O tempo da série-B é "real", isto é, ele reflete os relacionamentos temporais entre eventos como eles realmente são, no mundo lá fora. O tempo da série-A não pode fazer isso, porque não pode representar relacionamentos temporais entre eventos de uma maneira sem ambiguidade e sem contradições. Os eventos estão ou não estão antes ou depois de outros eventos (isso se aplica na física relativista também, embora eu não entre em detalhes sobre isso aqui). Mas os eventos não são passado, presente ou futuro de uma maneira sem ambiguidade.

Enquanto isso, não há absolutamente qualquer dúvida de que uma grande parte de nosso pensamento com relação a eventos e aos relacionamentos temporais entre eles realmente faz uso do conjunto de discriminações da série-A. Pensamos de maneira diferente de eventos se acharmos que eles são futuro, em oposição ao presente ou ao passado. Se a série-A não é "real", por que ela é tão frequentemente uma característica de nossa experiência normal? É para essa questão que nós agora devemos voltar nossa atenção.

18
A série-A

Os defensores da série-B afirmam que as afirmações da série-A tais como "depois de amanhã, mataremos um porco" não são verdadeiras à luz de quaisquer fatos da série-A sobre matanças de porcos futuras (*versus* presentes ou passadas) porque esses fatos não existem. Eles são verdadeiros, se é que o são, em virtude dos fatos da série-B. Esses são que o evento em questão ocorre na data especificada, uma data que esse evento tinha em todos os momentos anteriores a sua ocorrência, contemporânea e subsequentemente. As verdades, inclusive as verdades sobre quando os eventos ocorrem, são atemporais. Qualquer afirmação da série-A é transformada em verdadeira ou falsa não em virtude de os fatos a que ela se refere terem se realizado, mas em virtude da verdade, indiferente ao tempo, de que os eventos a que ela se refere ocorrerem ou não em uma data específica.

Mas a fim de esclarecer esse ponto, é necessário introduzir algumas definições novas. Como já concordei com o grupo que acredita que só o tempo da série-B é genuíno, por enquanto reservarei o termo "tempo" para o tempo da série-B e o tempo da série-A será rebaixado para "tempo verbal", já que o passado, o presente e o futuro são os três tempos verbais básicos. Devemos ter em mente que o fenômeno linguístico conhecido como "tempo verbal" não corresponde necessariamente ao tempo da série-A, embora na verdade tenha muito a ver com ele (cf. capítulo 14, acima). A tese central da série-B pode assim ser reformulada como: qualquer afirmação *com tempo verbal (tensed)* tem condições de verdade *sem tempo verbal (tenseless)*. Isto é, os fatos que precisam ocorrer para que uma afirmação com tempo verbal seja verdadeira não são fatos com tempo verbal, mas fatos sem tempo verbal, ou seja, esse X-é-assim em D, em que D é uma data. Os fatos temporais são todos sem tempos verbais, isto é, verdadeiros em todos os momentos se forem, de alguma maneira, verdadeiros e falsos em todos os momentos se forem, de alguma maneira, falsos.

Mas o comentário "depois de amanhã, mataremos um porco" claramente não é verdadeiro em todos os momentos se for, de alguma maneira, verdade. Ele é verdadeiro em alguns momentos e não em outros. É verdadeiro se for dito dois dias antes da matança do porco, mas dito em outros momentos é uma previsão falsa ou uma mentira intencional. Portanto temos de estabelecer uma distinção entre os fatos sem tempos verbais que fazem com que uma afirmação com tempo verbal seja verdadeira ou falsa, e a própria afirmação, como um artefato da mente humana representando uma crença real ou fingida, que tem a propriedade de ser verdadeira em algumas ocasiões e não em outras.

Filósofos estão acostumados a chamar de "símbolos" coisas como comentários, elocuções, declarações, avaliações internas não verbalizadas, opiniões, crenças etc. São chamados de símbolos porque o mesmo comentário poderia ser feito, a mesma crença ou opinião mantidas em mais de uma ocasião por mais de um indivíduo. Elocuções diferentes da mesma declaração são símbolos diferentes do mesmo "tipo" de elocução. A distinção tipo/símbolo já foi apresentada com relação a tipos de eventos e símbolos de eventos (cf. capítulo 4).

Suponhamos que no dia 1º um umeda diga: "Depois de amanhã, matamos um porco", e no dia seguinte, dia 2, outro umeda diga: "Depois de amanhã, matamos um porco". Em um sentido essas duas elocuções são "a mesma", isto é, elas têm a mesma forma de palavras. Mas elas não têm as mesmas condições de verdade. O primeiro e o segundo umeda devem ou estar se referindo a dois eventos de matança de porcos bastante separados ou, alternativamente, um está certo sobre o momento da matança do porco e o outro está errado. Isso está longe de ser verdade com relação a todos os comentários-símbolos que esses umedas possam produzir. Se um umeda tivesse dito: "Há sempre uma grande quantidade de casuares lá embaixo perto do rio Mesa", outro símbolo desse tipo de comentário seria exatamente tão verdadeiro, se de alguma maneira fosse verdadeiro, se viesse dos lábios de um umeda diferente em outra ocasião, ou, na verdade, até dos lábios de Júlio César em 43 a.C.

Apenas alguns tipos de comentários possuem a propriedade de ter símbolos verdadeiros em certas ocasiões/em certas coordenadas espaciais/quando pronunciados por certos indivíduos etc. Outros têm símbolos verdadeiros independentemente do contexto de sua elocução. Um tipo de comentário que pertence à categoria anterior é "Meu nome é Alfred Gell." Dito por mim ou por qualquer pessoa com o mesmo nome, símbolos desse tipo de comentário são verdadeiros, ditos por outros indivíduos eles constituem uma impostura. Esse tipo de comentário é conhecido por lógicos como um *indexical*; símbolos de indexicais são verdadeiros se, e somente se, as condições para sua produção forem satisfeitas, condições que estão incorporadas nos próprios símbolos. Não há quaisquer condições sobre a produção de símbolos de "porcos são animais gulosos" – todos têm um mesmo direito de produzir esses símbolos e quem o faz, na prática, não tem qualquer influência sobre a verdade ou falsidade daquilo que está afirmado. Símbolos de "meu nome é Alfred Gell" são verdadeiros ou falsos dependendo de quem os diz. "Depois de amanhã, matamos um porco" também é um símbolo de um indexical, um símbolo que será verdadeiro se for dito nas circunstâncias corretas, isto é, quando os fatos da série-B sobre a data da matança do porco o justificarem.

Aquilo que se aplica a elocuções feitas abertamente por oradores também se aplica a crenças privadas. Algumas de minhas crenças são de tal tipo que podem ser verdadeiras ou falsas o tempo todo, inclusive algumas de minhas crenças sobre os relacionamentos temporais entre eventos, mas muitas das minhas crenças são de tal tipo que podem ser verdadeiras em alguns momentos e falsas em outros. Minha crença de que hoje é domingo (no momento uma crença correta) deixará de ser verdade se eu continuar a tê-la depois da meia-noite de hoje. Então terei de atualizá-la, e isso irá contribuir para minha sensação de que o tempo está passando. Símbolos mentais de crenças indexicais, no entanto, são um tanto diferentes dos símbolos expressados de indexicais.

As elocuções são eventos, e, como tal, têm datas. As crenças não são eventos, não são coisas que você faz, mas sim que você tem. Acho que crenças são como *inscrições*, coisas que escrevemos dentro de nossa cabeça como parte de uma grande listagem intitulada "coisas que creio" as quais outras coisas podem ser acrescentadas ou subtraídas, e que podem ser alteradas, à vontade. Os eventos reais associados com crenças são adquiri-las, referir-se a elas, modificá-las e desfazer-se delas. Os pseudoeventos associados com crenças são ocasiões em que as crenças-inscrições mudam seu valor de verdade à medida que as circunstâncias se modificam. Minha crença-inscrição de que "meu nome é Alfred Gell" é o equivalente mental da inscrição física que sou obrigado a usar em conferências, na forma de uma pequena placa identificadora em que se lê "Alfred Gell". Posso me referir a essa inscrição mental permanente sempre que precisar me lembrar de quem eu sou, exatamente como os outros participantes da conferência em que estou podem se lembrar de quem eu sou olhando para minha etiqueta identificadora. Se alguém fosse louco o suficiente para roubar minha etiqueta e maliciosamente tentar fingir que era eu, então um pseudoevento iria ocorrer e o valor de verdade de minha placa identificadora mudaria de verdadeiro para falso.

Da mesma forma, símbolos mentais de crenças que são expressas usando tempos verbais (*tensed*) (série-A) são inscrições permanentes (ou inscrições semipermanentes já que crenças podem ser revistas ou esquecidas) às quais os detentores das crenças podem se referir quando houver necessidade. Se a pessoa realmente se refere ou não à crença-inscrição é uma questão não relacionada com seu valor de verdade em qualquer momento determinado. Pode nunca passar pela minha cabeça, no meio da noite, de me perguntar em que dia estou, mas isso não impede que eu tenha uma crença falsa de que hoje ainda é domingo se deixei de perceber que a meia-noite já chegou e já passou.

Símbolos expressos usando tempos verbais (*tensed*), se expressos com sinceridade, são evidência da presença de crenças expressas usando tempos verbais por parte de quem falou. O orador tem uma crença que é verdadeira se ele a tem no momento apropriado (um momento especificável unicamente pelos fatos sem tempo verbal da série-B). Se "depois de amanhã, matamos um porco" é um símbolo de crença verdadeira, no dia seguinte, o detentor daquela crença terá de atualizar sua crença, dizendo "amanhã, matamos um porco" não porque os fatos sobre a matança do porco mudaram de alguma maneira, mas precisamente porque *não* mudaram. Se os fatos sobre o evento tivessem mudado – há uma doença no campo e a matança de porcos é adiada por um dia – ele pode persistir em sua crença em uma matança de porcos no dia depois de amanhã, apenas reconhecendo que sua crença de ontem sobre uma matança de porco no dia depois de amanhã (que seria ontem) era falsa.

É a conveniência de ter apenas crenças verdadeiras que são expressas usando tempos verbais que necessita a modificação contínua das crenças que nós temos. Mas crenças verdadeiras que são expressas usando tempos verbais são sempre difíceis de encontrar, na verdade, mais difíceis do que as crenças verdadeiras sem tempos verbais. Isso pode produzir mal-entendidos entre antropólogos e seus informantes, porque os antropólogos têm a tendência de interpretar elocuções verdadeiras sem tempos verbais fáceis de encontrar feitas por seus informantes como elocuções verdadeiras que são expressas usando tempos verbais baseadas em crenças verdadeiras que são expressas com o uso de tempos verbais. Essa é a explicação para um componente importante do folclore oral antropológico – "o sintoma da cerimônia que sempre regride" – o motivo pelo qual esse sintoma não é impresso com muita frequência ficará claro quando eu termine de explicá-lo.

"Quantas luas passarão antes de vocês realizarem a Grande Cerimônia?" o antropólogo pergunta, ainda nos primeiros dias de seu período de trabalho de campo. A resposta, "seis luas passam antes da Grande Cerimônia: uma lua para a pesca, uma para a caça, uma para a preparação de hortas, uma para colher nozes, uma para visitar parentes, e então ocorre a Grande Cerimônia". O antropólogo relaxa, feliz por saber que a Grande Cerimônia irá ocorrer enquanto ele ainda estiver no campo. Dois meses se passam, mas quase nada parece acontecer. Eventualmente, o antropólogo pergunta outra vez: "Quantas luas passarão antes da Grande Cerimônia?" e fica espantado ao receber uma resposta idêntica para aquilo que o informante, para a irritação do antropólogo, parece considerar a pergunta idêntica àquela que lhe fizeram meses atrás. E o processo se repete, mês após mês, até que o antropólogo, em desespero, fica certo de que nunca verá a Grande Cerimônia, de cuja existência ele começa a duvidar seriamente. Então, de maneira igualmente desconcertante, alguém vem lhe informar, um dia que todos foram colher nozes para a Grande Cerimônia, que ela irá ocorrer no devido tempo. Quatro meses mais tarde ela realmente acontece e o antropólogo felizmente pode testemunhá-la, mas, nesse processo, ele adquiriu noções preconceituosas e essencialmente falsas do "conceito de tempo" indígena.

Mas o informante que, quando perguntado originalmente, disse que a Grande Cerimônia ocorreria em seis meses e não em quinze meses, ou seja lá o número de meses que realmente se passaram, estava falando a pura verdade e totalmente consciente dos fatos temporais disponíveis. Sim, temos a intenção de realizar a Grande Cerimônia (um símbolo sem tempos verbais de uma intenção permanente). E quando? Depois de termos nos preparado para ela por seis meses (um símbolo sem uso de tempos verbais que corresponde aos fatos série-B sobre a organização temporal do evento ritual). É verdade em todos os momentos que a Grande Cerimônia exige seis meses de preparação, exatamente como é sempre verdade que são necessários três minutos e meio para cozinhar um ovo. O informante está cooperando com o antropólogo com toda sua boa vontade, ao fornecer conhecimento permanentemente verdadeiro e útil sobre os relacionamentos temporais da série-B entre eventos associados com a cerimônia. Muito provavelmente, ele só sabe isso, já que exatamente como as coisas se posicionam com relação ao consenso local sobre quando realizar a cerimônia e que preparações de cenário para ela podem ter sido já realizados, não é exatamente mais fácil para ele determinar essas coisas do que para o antropólogo. Ele está naturalmente impaciente quando o antropólogo faz a mesma pergunta repetidamente e, além disso, lhe parece irritado pelo fato de estar recebendo as mesmas respostas repetidamente, o que, considerando-se que é a mesma pergunta, é algo que ele deveria claramente esperar. O que o antropólogo quer, é claro, não são símbolos que não se expressam em tempos verbais, por mais verídicos que sejam, e sim símbolos de crenças, flexionadas temporalmente, crenças preferivelmente verdadeiras, com relação a "onde estamos agora" com respeito à Grande Cerimônia. Mas é justamente porque símbolos flexionados têm essa tendência alarmante de serem símbolos de crenças verdadeiras e passarem subitamente a ser símbolos de crenças falsas que é muito mais difícil conseguir o fornecimento de símbolos válidos desse tipo.

A necessidade do antropólogo de ter crenças verdadeiras com o uso do tempo verbal se origina do fato de ele necessitar essas crenças a fim de planejar e, portanto, agir de uma maneira cronológica. Embora as condições de verdade para sua crença flexionada de que a Grande Cerimônia irá ocorrer em um certo dia futuro sejam decididas pelos fatos série-B e sem o uso de tempos verbais, a data da cerimônia *per se* não é o que lhe interessa. Seu interesse é prático, de encaixar suas várias atividades de tal modo que ele possa estar em uma situação favorável para tirar uma vantagem antropológica da cerimônia quando ela ocorrer. Esse interesse não é compartilhado por seu informante, já que ele irá participar da Grande Cerimônia seja lá quando for que ela ocorra e não tem preocupações tais como o fim do dinheiro que financia o projeto etc. Isso é uma razão pela qual ele acha que as respostas que ele dá às perguntas do antropólogo são perfeitamente boas, enquanto o próprio antropólogo não pensa assim. A outra razão é que o informante só quer dar respostas verdadeiras e, portanto, interpreta as perguntas do antropólogo como pedidos de qualquer informação verdadeira que ele tenha disponível, algo que principalmente toma a forma de crenças sem o uso de tempos verbais, já que sempre temos motivos muito melhores para confiar em nossas crenças-inscrições não flexionadas do que nas flexionadas.

Mas eu ainda não disse por que nós temos de ter crenças flexionadas considerando que realmente só existem fatos não flexionados. A resposta mais simples para isso é percepção. A percepção é hoje considerada um processo ativo de formar avaliações ou hipóteses perceptuais por parte da pessoa que percebeu sobre o que deve haver no mundo externo que explicaria as excitações físicas de vários tipos retransmitidas a partir dos órgãos dos sentidos da pessoa que percebe. Naturalmente, esse é um processo complicado de vários estágios e seria trabalhoso e desnecessário descrevê-lo aqui (cf. MARR, 1983, para uma explicação recente da visão). O produto da percepção é acrescentado ao corpo de crenças-inscrições, como "crenças perceptuais" que têm a forma geral "neste momento, avalio que estou percebendo um X" em que X é um corvo, uma xícara de chá, os primeiros compassos de 5ª sinfonia de Beethoven, ou seja lá o que for. Perceber algo é, por definição, acreditar que percebemos aquilo, isto é, avaliar que a hipótese que temos de que estamos percebendo aquela coisa está confirmada. Mas símbolos de crenças perceptuais são todos símbolos flexionados, já que a crença perceptual "Neste momento, avalio que estou percebendo um corvo" só é verdadeira quando aquela hipótese perceptual particular estiver sendo confirmada pelas excitações físicas apropriadas e não em outros momentos. Se o corvo que percebemos levanta voo e desaparece, temos de dar adeus àquela crença perceptual específica.

Ora, poderíamos estar errados ao crer que tínhamos percebido um corvo em termos dos fatos do mundo real, se, por exemplo, nossas excitações físicas tivessem sido na verdade causadas por um estorninho do Sudeste Asiático fugido do zoológico, que parecia suficientemente com um corvo para ser confundido com um deles. Mas a crença perceptual de que nós avaliamos que vimos um corvo é verdadeira se o corvo for identificado correta ou erroneamente. Minhas avaliações perceptuais podem ser absurdas, mas não minhas crenças flexionadas a respeito da minha avaliação. A percepção faz surgir uma corrente de crenças automaticamente corretas, mas só temporariamente verdadeiras com o resultado de que agora avaliamos que percebemos isso, depois aquilo, depois aquele outro e assim por diante. Essas crenças são indexicais, como crenças de que hoje é domingo, segunda, terça etc.

Essa explicação da percepção permite que Mellor se desfaça de uma das pranchas principais na plataforma de um defensor da teoria-A. Um motivo para afirmar que o tempo da teoria-A é "real" é que o tempo da teoria-A se encaixa melhor com os fatos de nossa experiência subjetiva, ou pelo menos parece que o faz. A citação de Weyl, dada anteriormente, coloca o problema bem à vista. Pode até ser que os físicos falem da consciência subindo lentamente pelas linhas da vida no espaço-tempo quadridimensional; mas eles não estão no campo que explica o mundo como esse parece *a nós*. E ninguém reconheceria a semelhança do nosso mundo de trabalho no retrato feito por Weyl. A estranheza evidente dos resultados de tentar visualizar o que não pode ser visualizado – e o espaço-tempo quadridimensional na verdade não pode ser visualizado – foi um fator importante na criação de um clima de opinião a favor de distinguir tempo "físico" (tempo da série-B) de tempo "humano", isto é, tempo captado subjetivamente por sujeitos conscientes (tempo série-A). Na verdade, não é possível manter nenhuma distinção desse tipo; o tempo da série-B não é menos "humano" que o tempo da série-A. Mas há certamente uma aparência muito maior de naturalismo no tempo da série-A, o que se encaixa com os fatos de nossa experiência no sentido em que nós realmente vivenciamos nosso mundo como "presente", um conceito ao qual não é nada fácil se dar sentido no esquema das coisas da série-B. Mellor argumenta que a *presentidade* da experiência deve ser explicada não por qualquer diferença entre os fatos presentes e qualquer outro tipo de fatos, mas pela necessária coincidência entre a realização de avaliações perceptuais e o fato de nutrir crenças flexionadas a respeito disso.

O fenômeno subjetivo da passagem temporal que é reconhecivelmente o fator mais potente que dá plausibilidade à primeira vista à metafísica do tempo baseado na série-A é explicado em termos da série-B como a consequência do fato de (1) avaliações perceptuais produzirem símbolos de crenças flexionadas, e (2) de os símbolos de crenças flexionadas terem de ser continuamente atualizados a fim de manter toda a coleção de tais símbolos de crenças tão atuais quanto possível. A passagem do tempo não é um fenômeno do desenho do universo, é um produto secundário do processo de atualização de crenças que está ocorrendo entre os seres que percebem, como nós mesmos. Estamos "ancorados no presente" em virtude da necessária coincidência temporal entre as avaliações perceptuais produzindo nossas crenças de que tal e tal coisa está ocorrendo, e a produção dos símbolos de crença correspondentes. Não podemos ter quaisquer percepções que não sejam "presente" (embora não "do presente" já que com telescópios poderosos podemos ver eventos que ocorreram em datas muito anteriores à data de hoje). Ter percepções é o único fator causal capaz de nos informar sobre a necessidade de alterar nossas crenças expressas em tempos verbais, assim como o fator responsável pela formação de tais crenças desde o começo. A mera ocorrência de eventos em algum ponto na série-B por si só não produz quaisquer de nossas crenças flexionadas embora a ocorrência desses eventos seja o único árbitro para decidir se nossas crenças são ou não verdadeiras. Só por mediação perceptual, por meio de uma corrente causal que se dirige a partir do mundo externo, via as modalidades sensoriais para a formação de crenças perceptuais flexionadas – que quase no mesmo momento em que são mantidas são suplantadas – que o mundo da série-B impinge no sujeito da série-A. E o sujeito tem todos os motivos para sentir que o tempo está passando, em virtude da carga de trabalho envolvida na atualização contínua de crenças. Essa carga de trabalho é uma série de eventos "reais" (que consomem tempo e energia) que é parte do funcionamento cibernético do organismo. Sentimos o tempo como uma força dinâmica quase substantiva pulsando por meio do mundo porque temos de *trabalhar* para permanecer em condições de igualdade com ele; mas esse trabalho nós fazemos para mudar a nós mesmos, livrando-nos de antigas crenças-inscrições e instalando outras novas. O tempo não é nada dinâmico; ao contrário, nós, sim, é que o somos.

A pressão para estar em condições de igualdade com o tempo (porque seja lá o que o tempo faz, ele certamente não nos carrega com ele) vem de nossa necessidade esmagadora de atuar no momento oportuno, a fim de realizar nossos desejos. A ação precisa ser no momento oportuno porque a maioria das ações precisa de circunstâncias específicas para ter sucesso. Nós temos crenças não flexionadas, relativamente fáceis de encontrar, sobre as circunstâncias apropriadas para nos envolvermos em vários tipos de ação, mas temos de trabalhar muito para adquirir verdadeiras crenças flexionadas para que essas circunstâncias apropriadas realmente estejam presentes. Eu posso saber que devo plantar na primavera, mas a primavera já chegou? (E olho para o céu cheio de dúvida, em busca de sinais que possam me responder de uma maneira ou de outra.) Minha crença não flexionada orienta minha ação, no sentido de que eu, em todos os momentos, creio que o plantar deve ser feito em um determinado momento; mas isso não é o bastante para me dizer que "agora" é aquele momento. Mellor tem o cuidado de assinalar que não são os fatos objetivos da série-B que fornecem o ímpeto para a ação, e sim o mero fato de termos crenças, sejam elas verdadeiras ou não. É a crença do agricultor de que a primavera realmente chegou, e que as geadas não irão danificar os brotos que estão crescendo, que faz com que ele se decida a plantar seus campos.

19
A economia da teoria-B *versus* a economia da teoria-A

Já vimos que os filósofos estão divididos entre eles sobre a questão de dar prioridade à série-A ou à série-B. Defensores da série-B são "teóricos B" que dão uma explicação teórica-B da metafísica do tempo; os defensores da série-A são "teóricos A" que dão uma explicação teórica-A da metafísica do tempo. Embora eu esteja do lado da teoria-B, não posso fazer de conta que o argumento filosófico terminou. Nos casos em que os filósofos se dividem, mesmo sobre questões que não parecem muito pertinentes para interesses não filosóficos, muitas vezes ocorre que há uma linha de falha na geologia do conhecimento que pode se estender muito nas áreas que normalmente são reivindicadas pelas ciências especiais, inclusive tanto as ciências naturais como a física e as ciências sociais como a antropologia, a sociologia, a geografia etc. Creio que o confronto teoria-A/teoria-B é um caso como esses, que levanta questões de significância metodológica fundamental nas ciências sociais. Veja, por exemplo, a economia.

A Figura 19.1 é uma versão modificada da figura em *A Scheme of Economic Theory* [Um projeto de teoria econômica] de Shackle (1965) em que o autor, o economista mais eminente a fazer um estudo especial do tempo, classifica as teorias econômicas segundo o tipo de "tempo" no qual estão baseadas. Minha figura difere da original ao omitir uns poucos nomes e ao incluir o próprio Shackle, na ponta extrema do eixo do "tempo expectacional" por motivos que serão dados no momento devido. Também incluo Sraffa naquilo que presumo ser o lugar apropriado, como um teorista B ao lado de Böhm-Bawerke. Isso deve alertar os leitores para o fato de que simplesmente porque economistas compartilham certas atitudes metafísicas para com o tempo, não significa necessariamente que eles têm atitudes idênticas com relação a todos os outros aspectos da economia. Minha figura também difere da dele ao identificar o "tempo expectacional" com o tempo da série-A e o "tempo mecânico" com o tempo da série-B.

Figura 19.1 Tempo expectacional *versus* tempo mecânico

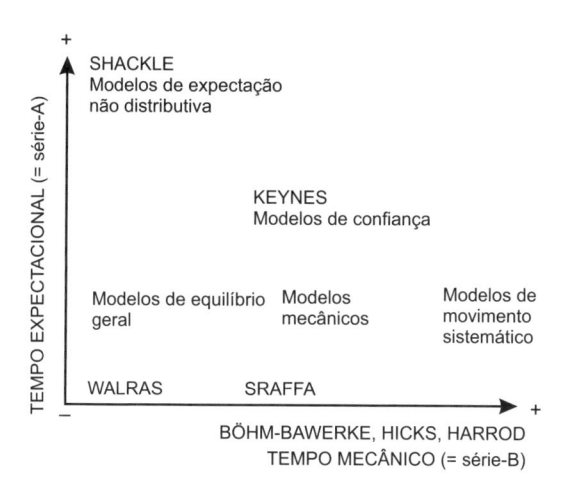

Não precisamos estar totalmente familiarizados com todos os detalhes das teorias de Walras, Hicks, Harrod, Keynes etc., a fim de captar a ideia de que, na teoria econômica, há um contraste triplo entre:

(1) Teorias que descrevem os estados de equilíbrio "atemporais". Modelos de equilíbrio do tipo walrasiano não tentam representar as mudanças nos relacionamentos entre as variáveis no modelo com o passar do tempo. Tais mudanças são tratadas como transtornos nas premissas *ceteris paribus* que rodeiam o modelo como um "sistema idealmente isolado" não como características da realidade a ser descrita pelo próprio modelo.

(2) "Modelos de mudança sistemática" incluem uma variedade enorme de modelos econômicos que descrevem mudança sistemática através do tempo, tais como os modelos de "desenvolvimento econômico" de Hicks e Harrod. Esses modelos, que subjazem grande parte do pensamento político na economia moderna, tratam a economia como uma rede de relacionamentos quantitativos entre índices (investimento, preços, produtividade, crescimento etc.) que variam concomitantemente uns com os outros com o passar do tempo. Modelos de "desenvolvimento" vêm na extremidade do eixo do tempo mecânico porque descrevem processos de mudança sistemática (não reversíveis). Mas os modelos de "substituição" cíclica na tradição da economia política revitalizada recentemente pelo trabalho de Sraffa e sua escola (SRAFFA, 1969; cf. KREIGEL, 1970; HARCOURT, 1972) são também teóricos B, no sentido de que eles não lidam com elementos psicológicos ou "fiduciários" na vida econômica. Chamei esses modelos de "modelos econômicos" especialmente porque eles parecem muito aos "modelos mecânicos" na tradição antropológica do estruturalismo de Lévi Strauss, um ponto que foi enfatizado por Gregory (1982).

(3) Uma terceira categoria de modelo econômico, que é muito menos comum, é a dos modelos "expectacionais". Modelos da série-B descrevem a economia em termos de conexões causais entre forças econômicas, que se manifestam como variações concomitantes nos valores dos índices tais como investimento líquido, poupança, produtividade etc. Modelos "expectacionais" consideram esses índices como estímulos que atuam sobre os membros da comunidade empresarial, fazendo com que eles ajam como agem. Os "modelos de confiança" keynesianos são teóricos A no sentido de que introduzem elementos "fiduciários" na explicação das mudanças nos valores dos índices econômicos, que são o resultado agregado de "escolhas" feitas pelos membros da comunidade empresarial à luz de suas crenças flexionadas temporárias de série-A sobre as atuais dificuldades econômicas. O próprio Keynes é um teórico A irresoluto, pois sua teoria dos relacionamentos entre índices econômicos importantes (investimento, emprego, oferta de dinheiro) permanecem firmemente apoiados nas pesquisas de equilíbrio igualmente compartilhadas pelos teóricos B; ele difere ao sugerir que o governo deve intervir a fim de fazer com que esses índices adotem uma configuração que inspiraria empresários a agir no interesse geral. Um economista teórico A puro tem de evitar o uso de modelos macroeconômicos completamente, já que esses são, por natureza, construções teóricas B. Shackle faz exatamente isso, como veremos.

Do ponto de vista da antropologia é interessante, prosseguir por essa digressão pela economia um pouco mais. Quero apresentar dois modelos econômicos em maior detalhe, o de Böhm-Bawerk e o do próprio Shackle, a fim de confirmar, em primeiro lugar, minha afirmação de que as teorias da ciência social podem ser contrastadas como teórica B *versus* teórica A. E, em segundo lugar, que os dois modelos são interessantes em si mesmos, e poderiam ser adaptados para uso antropológico em contextos fora daqueles estritamente econômicos para os quais eles foram desenvolvidos. Finalmente, os dois modelos que irei examinar são ambos exemplos das "cartas mitológicas" para a classe de empreendedores, ou melhor, para duas classes de empreendedores, uma que existia na Áustria antes da Primeira Guerra Mundial e outra que existe na Grã-Bretanha atualmente. Em outras palavras, a oposição série-A/série-B pode ter significância "ideológica": a teoria-B gera mitos que apoiam os interesses das oligarquias dominantes nas sociedades agrárias e igualmente as oligarquias dominantes nos sistemas socialistas centralizados; a teoria-A gera mitos que apoiam os interesses da classe empreendedora individualista que controla, ou pelos menos aspira a controlar as economias capitalistas não centralizadas, tais como a britânica.

Deixem-me abordar a teoria-B em primeiro lugar, na pessoa de Böhm-Bawerk, fundador da escola "austríaca" de teóricos do capital. Böhm-Bawerk, sob o *slogan* consideravelmente ressonante "Capital é tempo" propôs uma teoria da economia que é a que se aproxima mais ao conceito de tempo cósmico do "Bloco Universo" da pura teoria-B, que, bastante curiosamente, estava sendo desenvolvida na Áustria, exatamente ao mesmo tempo, por Lorenz e Minkowski.

Böhm-Bawerk escreveu no contexto social da Áustria no final do século XIX, uma sociedade cuja elite ainda e principalmente extraía sua renda da terra e da produção agrícola. O próprio Böhm-Bawerk pertencia a essa classe e serviu como ministro das Finanças sob o imperador. Por esse motivo é possível que lhe parecesse bastante natural ver a economia segundo as linhas sugeridas pela produção em ambientes rurais, tais como grandes fazendas, plantações, empresas comerciais envolvidas na produção de vinho, de queijo e outras coisas semelhantes. O capital produtivo, segundo Böhm-Bawerk, é o mesmo que *adiamento*. É verdade, especialmente da perspectiva do proprietário da terra, que a "produção" de safras consiste em grande medida em esperar que elas cresçam. Elas não crescem graças à agência humana, eles brotam por vontade própria e tudo que podemos fazer é criar as circunstâncias nas quais a natureza pode trabalhar. Isso é ainda mais verdadeiro com relação à silvicultura comercial, outra indústria austríaca importante.

A ideia central de Böhm-Bawerk era que o capital produtivo era igual à soma total dos bens em produção a partir do início do processo de produção até sua conclusão, quando os bens foram enviados ao mercado e consumidos. Assim, suponhamos que na Ruritânia mil garrafas de conhaque sejam consumidas diariamente, todas elas oriundas de uma única empresa. Os padrões são altos (o conhaque é uma bebida da elite) e nem uma gota da bebida é vendida até que o conhaque tenha dez anos de idade. Isso significa que a empresa de conhaque precisa fabricar uma média de mil garrafas de conhaque não maturado por dia, e deve armazenar a produção de cada dia por mais 3.650 dias. A fim de atender a esse índice de consumo, a empresa de conhaque precisa manter um estoque de 3.650.000 garrafas de conhaque em seus armazéns. Pela análise de Böhm-Bawerk, o proprietário da empresa de conhaque obtém um retorno em seu capital que o recompensa por cada ato de abstenção de consumo, com respeito a cada uma dessas 3 milhões e tantas garrafas de conhaque durante um período de dez anos. Paga-se um salário ao capitalista não para se arriscar, mas para esperar o período de produção, ao fim do qual ele pode desempenhar um ato de consumo que é equivalente a todos os atos de abstenção de consumo que desempenhou anteriormente. O proprietário da empresa de conhaque da Ruritânia, um conhecido benfeitor da sociedade, ao abster-se de consumir 3.650.000 garrafas de conhaque, é recompensado adequadamente no final. O capitalista também tem de sustentar os custos da mão de obra incorridos no processo de produção. Os pagamentos de salários, deduzidos da renda obtida com as vendas, também são interpretados como abstenções do consumo. Longe de explorar os trabalhadores, o capitalista "sustenta" suas necessidades de consumo com a renda que ele, em outras circunstâncias, poderia gastar consigo mesmo.

Podemos imaginar a economia como um todo sendo, em geral, como a empresa de conhaque. O capital é o estoque de bens em produção espalhado pelo tempo, e o período médio de produção (de todos os bens) é a medida da riqueza de capital total da sociedade. Os fatores de produção (a terra e a mão de obra necessárias para desviar as forças da natureza para uma direção produtiva) são acrescentados ao valor do estoque de capital incrementalmente, dia a dia, o pagamento de salários aos trabalhadores sendo uma forma de economia pelos capitalistas, já que o trabalhador é pago imediatamente pelo trabalho de fazer avançar os bens na direção da linha de chegada no processo de produção, enquanto o empregador precisa esperar até que os bens tenham realmente atravessado a linha de chegada antes de poder recuperar o consumo adiado a que ele se submeteu ao pagar seus trabalhadores em vez de gastar seu dinheiro em outra parte.

Não é difícil perceber a atração desse retrato da economia que, por assim dizer, convoca a ordem social a ser algo como o adjunto da modelagem temporal essencialmente natural do processo de produção. A natureza decreta que ela leva dez anos para produzir um conhaque aceitável, um ano para produzir a safra do trigo (ou um pão) e um número x de meses para construir uma casa ou fazer um terno. Essas lacunas ou intervalos naturais entre a compleição das fases sucessivas de um processo causal fazem nascer o capitalista e o trabalhador; o primeiro investindo no consumo do último, para que possa reservar para ele próprio o direito de possuir o produto na plenitude do tempo. A economia depende da base "natural" da textura causal do processo de produção, espalhado ao longo do tempo e independente da volição humana.

Percebemos a ausência, nesse esquema teórico, de qualquer elemento de incerteza: o proprietário da empresa de conhaque não está se arriscando de que seu conhaque irá ter melhor gosto após dez anos do que teria apenas depois de um ano, a natureza garante que isso será verdade. Ele tampouco precisa fazer decisões empresariais; sua contribuição para o processo de produção reside exclusivamente em ajustar seu consumo de modo a evitar consumir todas as garrafas de conhaque em sua posse, e, com isso, ter recursos para pagar seus trabalhadores. Ele pode passar o dia fazendo qualquer atividade que lhe satisfaça, contanto que ela não ameace desgastar seu capital; deveres oficiais, patrocínio das artes e ciências, caridade, qualquer coisa que não custe muito. Ele está essencialmente distante do processo de produção que sua abstenção permite ocorrer. Seu papel crucial é não intervenção causal em um processo causal natural. O capitalista é um asceta que transcende ao mundo; como Brahma, ele apoia o mundo ficando fora dele.

Essa explicação deturpada da teoria do capital de Böhm-Bawerk deve deixar claro por que suas ideias encontraram bastante aceitação entre os membros da classe de lazer na Áustria na virada do século. O lazer é bom, na verdade é produtivo, contanto que não seja intensivo de capital. A classe do lazer monta guarda sobre a riqueza de capital do país, garantindo que ela continua a ser colocada em um uso produtivo. Críveis ou não como mito, os escritos de Böhm-Bawerk servem como um exemplo excelente de teorização econômica no modo teórico B. A produção é uma dispersão de eventos datados conectados por uma rede de relacionamentos causais. O economista simplesmente mapeia essa rede de eventos no tempo de série-B congelado, que é totalmente independente da escolha consciente, da deliberação, incerteza, risco etc. e aconselha contra quaisquer tentativas mal consideradas de intervir na ordem natural das coisas. O quadro é de um universo laplaciano de determinismo total, cada evento ocorrendo porque deve ocorrer, e como foi predeterminado ele deve ocorrer, considerando-se o contexto causal. O tempo é visto como o arcabouço estável dentro do qual esses eventos predeterminados ocorrem em ordem inexorável, estática, objetiva e imutável. A isso Shackle chama de tempo "mecânico", mas ele é também reconhecidamente tempo da série-B à maneira de Weyl, cuja consciência desinteressada, subindo lentamente pela linha vital de seu corpo pode certamente ser comparada ao empresário desinteressado, que não interfere, de Böhm-Bawerk.

A grande maioria de modelos tanto na ciência natural quanto na social são modelos da série-B, como aquele que acabamos de examinar, que mostra relacionamentos entre um leque de eventos conectados por relacionamentos causais. Mas observamos na discussão inserida nos capítulos 17 e 18 que as *causas* de ações realizadas por seres conscientes, tais como nós mesmos, são crenças de série-A temporárias ou flexionadas; há, portanto, uma justificativa logicamente impecável para introduzir considerações da série-A na explicação da ação humana. Na economia, os modelos da série-B estão em competição com os modelos da série-A, que explicitamente levam em conta elementos "subjetivos" ou "fiduciários", isto é, o papel causal independente desempenhado pelas "expectativas" ou os estados de crença de um momento para outro dos empresários buscando o momento apropriado para lucrar em virtude de circunstâncias que podem não voltar a ocorrer. Shackle desenvolveu seu ramo de economia ao máximo, e agora darei uma explicação de sua teoria. A fonte que uso é seu *Time in Economics* [O tempo na economia] (1958) e trabalhos de um volume sobre Shackle (CARTER (org.), 1957).

A primeira coisa que observamos ao ler *Time in Economics* é que a economia, como estamos acostumados a vê-la descrita nos manuais, mais ou menos desapareceu. Tudo que resta é o empresário solitário, trancado em um "momento solitário" do tempo, irremediavelmente ignorante dos fatos verdadeiros de sua situação e obrigado a *decidir*.

Como decidimos? Há, é claro, muitas teorias sobre o processo decisório. Há teorias descritivas, tais como aquela elaborada por Schutz (*Deciding among projects of action* (SCHUTZ, 1967, vol. I)), é há também teorias prescritivas, tais como o modelo de teoria do jogo de Van Neumann, que também foi importada para a antropologia (BARTH, 1959). A teoria da tomada de decisões está intimamente relacionada com a teoria de probabilidade, já que presumimos que, em um mundo incerto, as decisões irão refletir as crenças dos agentes com respeito a onde se encontra o saldo de vantagem provável. Decisões tomadas sob condições de certeza absoluta quanto a seu resultado são, desse ponto de vista, não exatamente decisões; não no sentido de que as pessoas podem justificar um alto salário diante dos gerentes como uma recompensa por tomar as decisões "corretas".

Há duas escolas de pensamento sobre o tema de probabilidade. Uma delas considera que a "probabilidade" é uma característica que os eventos simplesmente têm intrinsecamente, como parte do desenho do universo, e que nós podemos vir a conhecer esses índices de probabilidade classificando eventos em tipos, escolhendo uma amostragem e contando o número de ocorrências do resultado A *versus* o resultado B sob aquilo que consideramos ser circunstâncias semelhantes. A outra escola de pensamento considera que a probabilidade não tem nada a ver com os próprios eventos, mas é uma medida do *grau de nossa crença* em um resultado específico. Não é difícil supor qual dessas teorias de probabilidade pertence à teoria-A e qual à teoria-B. Teorias de tomadas de decisão que estão baseadas no primeiro tipo de teoria probabilística adotam a forma de atribuir processos de inferência indutiva ao agente. Diante da necessidade de produzir uma decisão, ele examina brevemente em sua mente as ocasiões nas quais situações semelhantes de decisão surgiram anteriormente. Ele então se lembra das decisões que tomou, e de seus resultados, comparando a proporção de resultados bem-sucedidos que ocorreram após várias linhas de ação possíveis. Ele então seleciona a linha de ação que, no passado, com maior frequência levou a um resultado bem-sucedido. Essa é a teoria de decisões baseada na ideia de probabilidade distributiva (isto é, que surge das distribuições da frequência de resultados). Sociólogos e antropólogos podem estar inclinados a concordar com Shackle que essa teoria de tomada de decisões é descritivamente inadequada, ainda que seja prescritivamente sólida. As razões pelas quais Shackle rejeita essa abordagem não são, no entanto, as mesmas que iriam ocorrer a um sociólogo (ou seja, que as pessoas não são assim tão racionais, que decidem com base em hábitos, tradição etc., e não com base em uma avaliação objetiva de todas as linhas de ação possíveis). Os motivos de Shackle para rejeitar a probabilidade distributiva como base para o processo decisório são que as situações de tomada de decisão nunca ocorrem outra vez, e consequentemente não podem constituir uma amostra estatística. Cada uma apresenta uma configuração peculiar, uma amostra de um só item.

Shackle argumenta que qualquer decisão, para poder ser verdadeiramente contada como uma decisão, é uma nova aventura, um passo no escuro. O empresário usa sua experiência quando está se decidindo, mas a decisão eventual é um ato criativo de escolha. Ele não tem acesso à rede obscura de causalidade dentro da qual ele, e suas ações, estão envolvidos, e que irão eventualmente determinar o resultado, bom ou ruim. Se isso fosse assim ele não teria exatamente a responsabilidade de decidir pois ele teria simplesmente de concordar em uma situação determinada. Mas as decisões não são vivenciadas subjetivamente como atos de concordância diante do desenvolvimento de um modelo previsível de eventos conectados causalmente. Em vez de concordar em um mundo predeterminado, o tomador de decisões, segundo Shackle, faz nascer um novo mundo, um mundo sobre o qual nada pode ser dito com qualquer certeza até que as consequências desse ato de criação se tornem aparentes.

Subsequentemente, é claro, as coisas podem não ocorrer como o empresário tinha tido esperança de que ocorressem ou até esperado que ocorressem, mas o resultado da decisão é irrelevante para a análise dos processos que levam até a decisão que está sendo feita em primeiro lugar. A vida econômica consiste de um fluxo de decisões tomadas antes da possibilidade de saber qualquer coisa factual sobre os resultados dessas decisões; as decisões e seus resultados são logicamente independentes.

Ao se concentrar na "expectativa" de ganho como o motivo subjetivo por trás do comportamento econômico, e não da certeza de ganho prevista por modelos moldados no idioma de causalidade mecânica da série-B, Shackle representa um ponto de vista keynesiano. Além de ser economista, Keynes foi também filósofo e matemático; um pioneiro importante da ideia da teoria da probabilidade mencionada acima, que interpreta o grau de probabilidade de eventos como uma medida da força de nossa crença em sua ocorrência. Essa visão "subjetiva" da probabilidade, como uma função do conhecimento incompleto por parte dos seres sensíveis, em vez da aleatoriedade na realização dos próprios eventos, transfere-se para o pensamento econômico de Keynes. Assim como as chances no jogo não são retrospectivamente determinadas pelos resultados reais das corridas de cavalo para as quais essas chances são citadas, assim também as reações da cidade não são determinadas pelos processos e contingências econômicas reais às quais a cidade está reagindo. O clima dos negócios é determinado pelo estado atual do "sentimento" entre a classe empresarial, sentimentos que podem ser contrários à realidade e que podem ser manipulados pelas ações governamentais apropriadas. Shackle descreve o livro *General Theory* [Teoria Geral] de Keynes como "caleidoscópico" no sentido de que ele imagina períodos de equilíbrio estável, ainda que tênue, pontuados por episódios em que o consenso subitamente entra em colapso, de tal forma que até mesmo índices que tinham sido considerados como "normais" subitamente parecem nefastos, a preferência pela liquidez aumenta drasticamente, e segue-se uma perda total de ânimo na economia. Shackle reflete o lado psicológico do keynesianismo, embora o reduza do nível de psicologia de populações para o nível da psicologia individual. O empresário solitário de Shackle está permanentemente em um estado de incerteza radical, algo que Keynes atribui à City em momentos de pânico.

O que Shackle diz é que, se desejarmos compreender o comportamento econômico, então precisamos reconhecer que os empresários tomam aquelas decisões que lhes dão um maior grau de *alegria antecipatória* comparadas a outras decisões que eles possam tomar nas circunstâncias. A menos que sejamos realmente radicais (como BOURDIEU, 1977) e neguemos que a tomada de decisão é baseada em fazer escolhas entre alternativas, então esse ponto me parece impecável. Assim, o fator causal que faz com que o diretor de uma empresa invista pesadamente em um novo projeto não é os eventos causais associados com aquele investimento, o lucro ou perda eventual no negócio, como irá aparecer nos balancetes subsequentes, mas sim o fato psicológico que sugere que, naquele momento, aquela era a decisão que dava àquele que a tomou o maior prazer. Modelos da série-B na economia são logicamente falhos se eles interpretarem as causas das decisões tomadas no curso da vida econômica como se originando das consequências daquelas decisões, pois isso é inverter a ordem da causalidade. O lucro é o "motivo a fim de" (SCHUTZ, 1967) para se envolver na atividade econômica, não o "motivo pelo qual". A ação precisa ser entendida à luz não de seus antecedentes e suas consequências no mundo real, mas à luz do sistema-fantasia que a inspira. Essas fantasias adotam a forma de crenças indexicais, hipóteses transitórias sobre aquilo que a situação é "agora" e o que será subjetivamente vivenciado em futuros "agoras" quando o feito tiver sido realizado. Shackle fornece uma análise elegante, mais complexa do que qualquer uma a ser encontrada na literatura sociológica, dos processos que subjazem a formação das crenças símbolo-indexicais que motivam as ações.

Ao deliberar sobre sua escolha (p. ex., entre dois possíveis investimentos) o empresário constrói dois gráficos mentais, um para cada uma das possibilidades concorrentes (Figura 19.2). No plano horizontal o eixo x corresponde às expectativas de lucro e perda, enquanto o eixo y corresponde ao *grau de surpresa potencial* que acompanha a realização de uma certa medida de lucro ou perda no empreendimento. Shackle presume que perto do zero, na escala de lucro e perda, a surpresa potencial está em um mínimo, isto é, a surpresa é relativamente pequena se o empreendimento não for nem muito lucrativo nem trouxer grandes perdas, mas que, afastando-se dessa região central, os valores da surpresa potencial têm uma curva ascendente, de tal forma que resultados muito lucrativos ou com muitas perdas ocasionariam graus progressivamente maiores de surpresa se eles fossem concretizados. O que o empresário está buscando não são possibilidades "teóricas" de se garantir lucros muito altos, mas a perspectiva de possíveis lucros que não causariam graus muito elevados de surpresa se eles realmente ocorressem e, além disso, oportunidades para fazer lucros que podem ser exploradas sem incorrer na possibilidade de quaisquer perdas a não ser as muito surpreendentes (e portanto descontáveis).

Portanto precisamos de um indicador Ø que irá expressar até que ponto um resultado de lucratividade determinada obtém notas altas para relevância como um lucro ou perda fantasiada, mas é progressivamente descontado se simultaneamente ele obtiver notas muito altas na escala de surpresa potencial: valores - Ø = expectativa de lucro/perda X surpresa potencial.

Figura 19.2 Surpresa potencial para dois projetos concorrentes

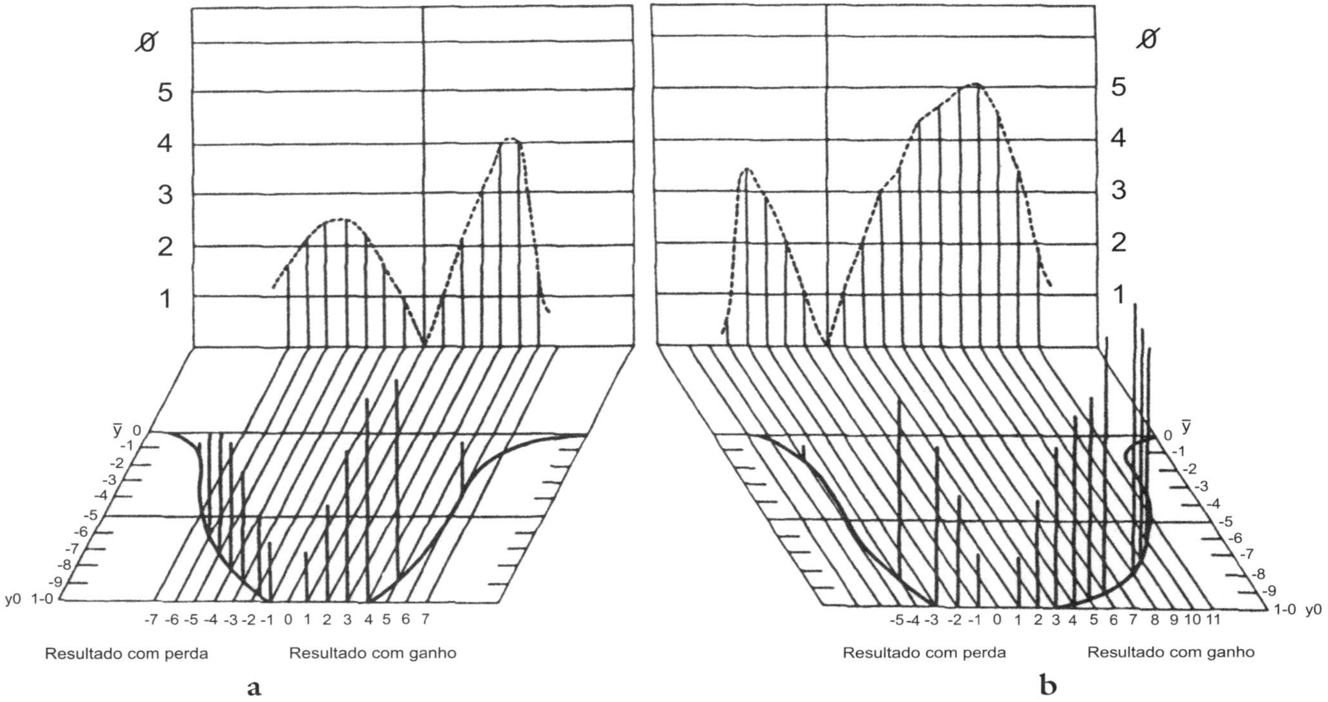

Um empresário não iria considerar um projeto por muito tempo, mesmo um que potencialmente viesse acompanhado de vastos lucros, se ele se sentisse excessivamente surpreso se esses lucros jamais adviessem. Ele só está interessado em empreendimentos que, em sua opinião, ocasionariam principalmente lucros que não fossem surpreendentes demais e perdas apenas muito surpreendentes. Os resultados de multiplicar expectativas de lucro e perda (x) pelos valores de surpresa potencial (y) para produzir valores Ø são ilustrados na Figura 19.2 projetados como curvas sobre a superfície Ø (o plano vertical). Em cada uma das duas superfícies estão duas curvas, uma de cada lado da depressão sem lucro/sem perda no meio do gráfico da surpresa. Essas curvas ascendem até atingir picos em dois pontos, um de cada lado, que são máximos locais para combinações de expectativa de perda/lucro dividida por surpresa potencial. Essas curvas são baixas no meio do gráfico porque as expectativas de lucro e perda são baixas nessa região central; a cada lado elas ascendem porque nessa região intermediária as expectativas de lucro/perda são mais altas, mas ainda não descontadas pelos altos valores de surpresa potencial, subindo até dois pontos de inflexão ("resultados-foco") antes de cair outra vez na direção do zero à medida que as altas expectativas de lucro/perda são descontadas contra os graus crescentes de surpresa potencial. Para cada um dos dois possíveis cursos de ação diagramados acima, os resultados-foco ocorrem nos pontos medidos na escala das expectativas de lucro/perda (o eixo x) que, para o projeto A, têm os valores 4,0 (lucro), 2,5 (perda) e para o projeto B os valores de 5,0 (lucro) e 3,5 (perda).

A questão agora é como o empresário vai decidir entre dois conjuntos de resultados-foco, um para o projeto A e um para o projeto B? Ele irá fazer um desses dois (presumindo que não pode fazer ambos) ou evitará fazer qualquer um deles? Não há nenhuma maneira de calcular mecanicamente a resposta para isso usando apenas a teoria econômica, da mesma maneira em que a teoria econômica não pode prever quando um estudante irá deixar de comprar latas adicionais de Coca-Cola® e começará, em vez disso, a colocar seu dinheiro em livros de estudo. O que determina a utilidade marginal da Coca-Cola® *versus* os livros de estudo é uma questão de "gosto"; tudo que a teoria econômica pode fazer é prever o comportamento racional de um estudante com gostos determinados. Da mesma forma, é uma questão de gosto, quando se trata de um empresário, que decide que a combinação de resultados-foco é suficientemente atraente para fornecer o ímpeto necessário para realmente investir em algum projeto. Shackle representa isso construindo um "mapa de indiferença de jogador" em que o conjunto de perdas-foco que exatamente equilibram os ganhos-foco é representado por como uma curva de indiferença modelada nas curvas de indiferença na microeconomia convencional, que mostra as combinações de preços relativos entre a Coca-Cola® e os livros, o que deixaria o estudante indeciso entre optar pela utilidade marginal de um livro extra *versus* uma lata extra de Coca-Cola®. A Figura 19.3 é esse mapa de indiferença do jogador que mostra curvas de indiferença para ganhos-foco *versus* perdas-foco para dois empresários, o Sr. Gold e o Sr. Green. Presumindo (não realisticamente) que esses dois empresários têm as mesmas curvas de surpresa potencial e, portanto, percebem os mesmos resultados-foco para o projeto A contra o projeto B, podemos ver que o Sr. Gold irá escolher o projeto B porque seus resultados-foco caem no lado "faça isso" de sua curva de indiferença de jogador, enquanto o projeto A cai no lado "não faça isso" de sua curva porque basicamente ele não está interessado em pequenos ganhos com chances de 50/50. O Sr. Green, por outro lado, irá optar pelo projeto B porque sua curva de indiferença se inclina fortemente para baixo para perdas-foco que se aproximam de 4. Ele irá aceitar um jogo com perda (3,5 perda *versus* 3 lucro), contanto que ele possa estar certo de que irá sofrer apenas perdas limitadas.

No entanto, há um problema técnico com "expectativas não distributivas" que podem nos levar de volta, a partir de dramas existenciais da teoria econômica A, para o mundo mais arroz com feijão da teoria-B da ciência social que será nosso interesse primordial ainda por algum tempo. Kenneth Arrow (1951) em uma crítica dessa e de outras marcas de teoria de decisão, levantou a questão daquilo que ocorreria com a surpresa potencial se ela fosse aplicada ao jogo de cara ou coroa. Suponhamos que exista um empreendimento que depende de jogar cara ou coroa. Como o empresário deve saber que a probabilidade de uma moeda que cai mostrar ou cara ou coroa é igual, a surpresa potencial ocasionada se ela der cara é zero e se der coroa também é zero. Mas para a teoria de Shackle é essencial que cada momento de decisão seja único, se os empresários estão realmente presos no "momento solitário" e na verdade não dependem de inferências indutivas de uma série múltipla de "tentativas" de um curso específico de ação ao decidir se vão se envolver naquele curso de ação outra vez. Mas confrontados com uma série de decisões baseadas no jogo de cara ou coroa, o empresário não continuaria a ficar igualmente indiferente (não surpreso) se, na décima vez, a moeda mostrasse cara, tendo já mostrado cara em todas as outras nove ocasiões prévias. Na décima ocasião ele ficaria realmente muito surpreso se a moeda mostrasse cara ainda uma vez, embora da perspectiva de um "momento solitário" cara é exatamente tão provável quanto coroa. Portanto, a curva de surpresa potencial, nesse caso, refletiria uma série de tentativas, tornando-se progressivamente mais inclinada a favor de um resultado (coroa) e contra o outro (cara).

Figura 19.3 O mapa de indiferença do jogador

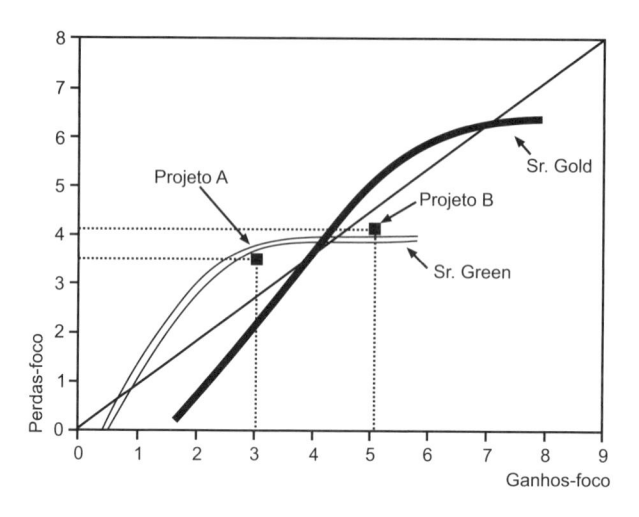

Ou seja, nossas curvas de surpresa potencial refletem experiência prévia e generalizações indutivas a partir dali (isto é, crenças não indexicais sobre o desenho geral do universo) e não crenças da série-A provisórias e de momento a momento. O empresário pode estar operando sob condições de incerteza, navegando usando um mapa da confiabilidade do qual ele não pode estar muito seguro, mas não está navegando totalmente sem um mapa, que é o que a noção de expectativas não distributivas parece sugerir. E o mapa do empresário consiste de seus modelos de série-B da natureza dos relacionamentos causais entre os eventos nos quais ele está interessado. Esses modelos visam à verdade "atemporal": se um empresário crê que os altos índices de inflação são um bom sinal para a compra de ações de ouro, ele acredita que isso será verdadeiro em todos os momentos, não apenas nos momentos de inflação alta. Essa crença é parte de seu mapa cognitivo de realidades econômicas, não parte de suas crenças momentâneas sobre a situação que é vigente em seu "momento solitário". Portanto, a conclusão é que um modelo de teoria-A, de escolha, tal como o de Shackle, é radicalmente incompleto como está, já que não segue o curso do processo pelo qual as crenças da teoria-B de um tipo geral, indiferente ao tempo, são convertidas em crenças da teoria-A sobre a situação que é vigente "agora", à luz de quais crenças a ação é eventualmente realizada. No capítulo 24, a seguir, irei propor algumas ideias que ajudam a preencher essa lacuna nas explicações da pura teoria-A sobre tomadas de decisão. Minha sugestão é que temos "mapas cognitivos" do tempo, que devem ser distinguidos de nossas crenças momentâneas sobre o que a situação é "agora". Esses mapas cognitivos são construções mentais do desenho temporal tipo série-B do mundo "real" (série-B). Eles são baseados em nossa experiência deste mundo. Portanto, devemos agora nos voltar para a descrição do próprio mundo temporal objetivo da série-B, e para os ramos da sociologia do tempo que buscam explicar teoricamente as características dessa realidade objetiva.

20
Cronogeografia

Assim como os escritos de economistas podem ser categorizados por mostrar uma orientação para a série-B (Böhm-Bawerk) ou uma orientação para a série-A (Shackle), o mesmo pode ser dito a respeito dos escritos de sociólogos. Alguns textos sociológicos estão interessados no tempo "subjetivo" (SCHUTZ, 1967; BOURDIEU, 1977; cf. capítulos 27 e 29, a seguir), mas um número muito maior deles está interessado na padronização observável de eventos no tempo "objetivo" da série-B. Essa "sociologia do tempo da série-B" trata de eventos sociais como eles ocorrem no tempo "físico" ou do relógio, mas simplesmente porque o tempo aqui é tratado de uma maneira semelhante ao tempo como espaço do "bloco universo" dos físicos, isso não significa que ele é uma simples medida de duração. O tempo da série-B é tempo causal, o tempo no qual os objetos (inclusive as pessoas) adotam as configurações que fazem surgir eventos causais. Os agentes humanos estão interessados, sobretudo, no mundo como uma rede de causalidade, de cuja configuração particular depende a realização de seus projetos. A causalidade tem muitos aspectos, mas nunca está sem seu componente geométrico. Portanto, não é exatamente um "reducionismo" fisicalista abordar o estudo do tempo social de um ponto de vista de série-B.

Na década de 1930 Sorokin e Berger (1939) deram início à investigação empírica da alocação temporal de atividades durante o ciclo de 24 horas. Desde aquela época, esses estudos de "orçamento do tempo" proliferaram (SZALAI et al., 1972, em uma compilação particularmente abrangente). Estudos do "orçamento do tempo" têm muitas utilidades práticas, não muitas das quais têm muito a ver com a sociologia do tempo propriamente dita. Mas na década de 1970 um grupo de geógrafos sociais começou a explorar em maior detalhe as implicações da padronização regular das atividades sociais no tempo. Assim ocorreu que, em anos recentes, a análise teórica de dados do orçamento do tempo passou a ser uma especialidade dos geógrafos sociais e não dos sociólogos (CARLSTEIN; PARKES & THRIFT, 1978; PARKES & THRIFT, 1980; CARLSTEIN, 1982). Isso é bastante compreensível, considerando a abordagem de série-B que subjaz esse tipo de pesquisa. O "tempo social" como uma dispersão de eventos na quarta dimensão obviamente pertence à geografia de direito, dado que a geografia social consiste em grande parte da explicação pela alocação de atividades nas outras três dimensões (espaciais). Mas o ímpeto por trás do surto do interesse geográfico na quarta dimensão se origina primordialmente da obra altamente inovadora de um renomado geógrafo sueco, Hägerstrand, fundador da "Escola Lund" de geógrafos do tempo. Um dos membros da escola de Hägerstrand é Carlstein, o geógrafo do tempo que provavelmente tem mais coisas a dizer aos antropólogos.

A abordagem geográfica do tempo pode ser resumida como o estudo do orçamento do tempo e tipos semelhantes de dados à luz das restrições do tempo que impingem no comportamento individual. O processo de construção de modelos geográficos do tempo é baseado em uma análise das possibilidades teóricas de "coreografar" as atividades sociais, considerando-se o fato de as atividades terem de ser realizadas em lugares específicos, em momentos específicos, por atores específicos em conjunção com específicos outros.

O modelo básico de Hägerstrand, do qual uma enorme classe de modelos empíricos e analíticos pode ter-se originado, é excepcionalmente simples, e consiste em pouco mais do que a construção de mapas bi ou tridimensionais na qual permite-se a uma dimensão representar o tempo e não o espaço. No entanto, uma vez que começamos a representar o tempo nessa forma geométrica bem demarcada, certos temas e tópicos na sociologia do tempo tornam-se muito mais acessíveis à discussão coerente. Com efeito, Hägerstrand está interessado na representação da sociedade como um processo concreto, fisicamente real, no tempo do tipo do "bloco-universo" do físico. Mas não devemos nos deixar iludir em supor que esse fisicalismo aparente é a consequência natural de uma posição teórica determinista. Hägerstrand não está interessado em demonstrar que aquilo que é de uma maneira (empiricamente) deve ser daquela maneira (racionalmente). Pelo contrário, a geografia do tempo está interessada em descobrir aquilo que é "possível" à luz de modelos estruturais permutáveis da coreografia da vida social no espaço-tempo real.

A padronização espaço-tempo de eventos sociais é restringida por uma variedade de fatores. Seres humanos não podem estar fisicamente em dois lugares ao mesmo tempo, não podem realizar atividades causalmente incompatíveis ao mesmo tempo, não podem se deslocar instantaneamente de um lugar para outro, e assim por diante. Em benefício da concisão, essas restrições podem ser resumidas sob três títulos: (1) restrições de "capacidade" (como aquelas que acabamos de mencionar); (2) restrições de "acoplamento", isto é, a restrição controlando atividades sociais que envolvem mais de uma pessoa, que devem estar presentes ao mesmo tempo ou em comunicação; e (3) restrições de "autoridade", isto é, indivíduos são obrigados a agir só de maneiras que sejam permitidas socialmente.

Hägerstrand trata as restrições de "autoridade" como sendo diferente em natureza das restrições de capacidade "física" e das restrições de "acoplamento". Essa na verdade é uma distinção um tanto enganadora, já que não é fácil decidir quando uma restrição a gastar o tempo com uma atividade determinada é normativo-institucional *versus* física-causal ou ambas ao mesmo tempo. Assim, o motivo pelo qual não posso planejar descontar um cheque em um banco no domingo é a restrição institucional que determina que os bancos, como regra social, estão fechados nos domingos; mas também é fisicamente impossível para mim entrar no banco naquele dia (restrição de capacidade) ou de realizar negócios lá mesmo que eu pudesse entrar, na ausência dos funcionários necessários (uma restrição de acoplamento, na terminologia de Hägerstrand). Acho que é razoável pensar que as "restrições" são todas fundamentalmente físico-causais, no sentido de que o que está em jogo é sempre, em última análise, a possibilidade/impossibilidade de fazer com que eventos causais "reais" ocorram. Assim, tomemos a restrição institucional que impede que eu atravesse o quadrângulo do pátio do Trinity College, Cambridge, em uma linha reta (algo que somente os membros do College podem fazer, já que envolve caminhar sobre a grama). Não é a existência da regra que me impede de usurpar os privilégios espaçotemporais dos membros do College, mas minha consciência do que aconteceria causalmente se eu infringisse a regra – os porteiros da universidade iriam gritar comigo ou talvez até usar força muscular para me tirar dali. O arcabouço de restrições institucionais (normativas, regulatórias) sobre alocação de atividades representa as expectativas socialmente codificadas potencialmente sobre eventos reais e as relações de causa e efeito entre esses eventos. Isso não seria menos aplicável se as expectativas em questão fossem baseadas em informação falsa sobre o funcionamento do mundo. Por exemplo, restrições sobre a ação podem existir porque as pessoas acreditam que certos cursos de ação serão acompanhados por castigos subsequentes no inferno. Fisicamente falando, pode ser uma inverdade que as chamas do inferno irão queimar aquele que realizou alguma ação proibida porque não existem chamas desse tipo, mas ainda ocorre que, se a ação é reprimida em virtude da crença do agente na existência do fogo do inferno, ele está sendo dissuadido de realizá-la por razões "físicas", da mesma maneira que ele se sentiria fisicamente dissuadido de resgatar seus pertences de um edifício em chamas.

Podemos presumir, então, que restrições físicas e institucionais são realmente o mesmo tipo de coisa: isto é, restrições que impedem que concretizemos certos estados de coisas desejados, que são considerados como possibilidades físicas mesmo que não o sejam na realidade. No entanto, o ponto mais importante é que, ao estabelecer essas restrições fundamentais, Hägerstrand não está meramente interessado em fazer generalizações empíricas, como ocorre no caso dos estudos de orçamento do tempo convencionais. Sua abordagem é estrutural, dedutiva, permutativa: ele está interessado em definir as consequências dos vários modelos de restrições físicas e institucionais para as "possibilidades" de realizar eventos em sistemas sociais, definidos como feixes de "caminhos" de espaço/tempo seguidos por indivíduos específicos ("linhas de vida").

O modelo geográfico do tempo de Hägerstrand mostra a população como uma rede de "caminhos" individuais no tempo e no espaço. Os caminhos estão sempre inclinados para cima com relação ao plano, para refletir o fato de que o movimento no espaço consome tempo. Linhas verticais indicam objetos estacionários ou pessoas ou coisas temporariamente imóveis. As relações espaciais estão projetadas no plano horizontal, relações temporais, interações etc. no plano vertical (Figura 20.1).

Usando esse tipo de convenção cartográfica é possível indicar ocasiões sociais que envolvem interações entre muitos caminhos individuais como "feixes" e locações espaciais, tais como casas, escolas ou fábricas, como "estações" entre as quais os caminhos se movimentam e se cruzam. É claro, seria extremamente complicado mapear situações reais do mundo de qualquer grau de complexidade usando esse método. Mas usando modelos mais simples é possível expressar a essência organizacional dos problemas da vida real de uma forma reveladora.

Uma restrição institucional importante é a restrição da "base domiciliar", isto é, o circuito diário está organizado com a premissa de que há uma base domiciliar à qual se retorna todas as noites e onde as funções domésticas essenciais são realizadas (comer, dormir etc.). Dessa base domiciliar um certo segmento de espaço-tempo é acessível, cujo tamanho é uma função dos meios de transporte à disposição dos indivíduos cujos caminhos diários estão sendo modelados. A forma deste segmento de espaço-tempo acessível será lenticular, embora seja conhecida pelo geógrafos do tempo como "prisma diário". Talvez, em vista de sua natureza restritiva, deveria ser realmente chamada de "prisão diária". É esse segmento de espaço-tempo acessível que determina o alcance dos projetos viáveis para indivíduos sociais, e à luz do qual os custos de oportunidade que acompanham configurações geométricas específicas de "estações" socialmente significativas (casa, trabalho, locais de lazer, bibliotecas etc.) podem ser computados.

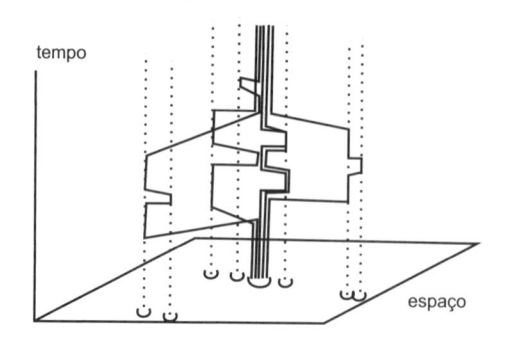

Figura 20.1 O mapa do tempo de Hägerstrand

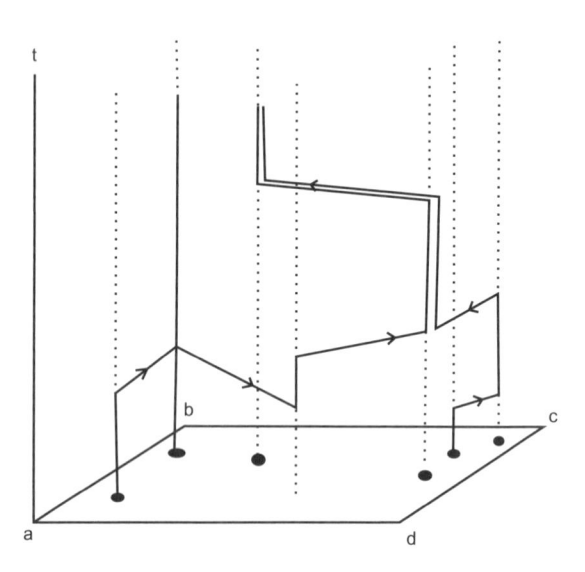

Por exemplo, normalmente não pensamos que as desvantagens das mulheres no mercado de trabalho são um problema de geometria. No entanto, Palm e Pred (1978; cf. PARKES & THRIFT, 1980: 269) nos deram uma discussão esclarecedora desse problema do ponto de vista do tempo geográfico. Mães solteiras, obrigadas tanto a trabalhar fora quanto a cuidar dos filhos, muitas vezes se deparam com dilemas organizacionais que podem ser expressos graficamente como na Figura 20.2 que mostram o prisma diário de "Jane", um dos estudos de caso de Palma e Pred.

O problema de Jane é que ela tem de escolher entre dois tipos possíveis de emprego, W1, com um salário menor e sem ser o tipo de trabalho que lhe permitiria fazer uso de suas qualificações, e W2, um emprego muito melhor, mas localizado do outro lado da cidade da única creche disponível que irá cuidar de seu filho. Os dois empregos, e a creche, estão localizados no prisma diário total de Jane, mas enquanto é geometricamente possível para ela combinar as exigências de tempo de suas próprias responsabilidades como mãe, as horas de funcionamento da creche e as horas exigidas por seu emprego no W1, é geometricamente impossível para ela reconciliar as duas demandas conflitantes de tempo se ela aceitar o emprego melhor em W2. Para Jane, a geometria *de facto* de casa, creche e local de trabalho representa uma série de custos de oportunidade subjetivamente gerados que podem ser objetivamente computados à luz do modelo.

> Podemos ver agora que o ambiente espaço-tempo discrimina contra o indivíduo porque não lhe permite realizar os projetos que intenciona, a partir do problema cotidiano de onde fazer as compras até o problema de uma vida de desenvolver uma carreira. Muitas pesquisas demonstraram que as mulheres parecem aceitar posições de *status* e responsabilidade inferiores que suas habilidades sugeririam estar abertas para elas, sobretudo em virtude de seu papel como mães (TIVERS, 1977). A abordagem do tempo geográfico assinala o ambiente espaço-tempo como um dos maiores culpados para a geração do problema (PARKES & THRIFT, 1980: 270).

É claro, podemos questionar a afirmação de que é o ambiente espaço-tempo e não as definições dos papéis específicos dos gêneros que existem em nossa sociedade, que é o "verdadeiro culpado" nesse caso. Na verdade, nenhum dos dois pode ser considerado como primordialmente responsável, porque eles não são realmente distintos. Certas expectativas espaçotemporais originárias do mundo real e de seu desenho estão construídas na definição social da maternidade, e também de todos os outros papéis. Desempenhar um papel é, entre outras coisas, estar confinado no espaço e no tempo de uma maneira específica. A intenção por trás desse tipo de pesquisa é mudar os papéis mudando o ambiente – fazendo instalações para o cuidado de crianças mais acessíveis para assim melhorar as possibilidades de emprego de mulheres com responsabilidades de cuidar de seus filhos. Isso exige, no entanto, não apenas uma mudança física no ambiente (coordenando emprego e instalações para o cuidado de crianças no espaço e no tempo), mas mudanças conceituais nas prioridades reconhecidas socialmente; orientar os recursos para esse objetivo particular e não para outros objetivos possíveis. E isso, por sua vez, implica uma reavaliação das expectativas legítimas do papel das mulheres na posição de Jane. Portanto, não é realmente uma questão se devemos adotar uma linha que diz "esses problemas são basicamente físicos e podem ser solucionados fazendo mudanças físicas" *versus* "esses problemas são ideológicos e só podem ser solucionados mudando as ideias das pessoas". Sem mudanças nas ideias, as mudanças físicas nunca ocorrerão; mas mudanças em ideias na ausência de mudanças físicas no ambiente espacial-temporal não ajudariam ninguém.

Figura 20.2 O prisma de Jane

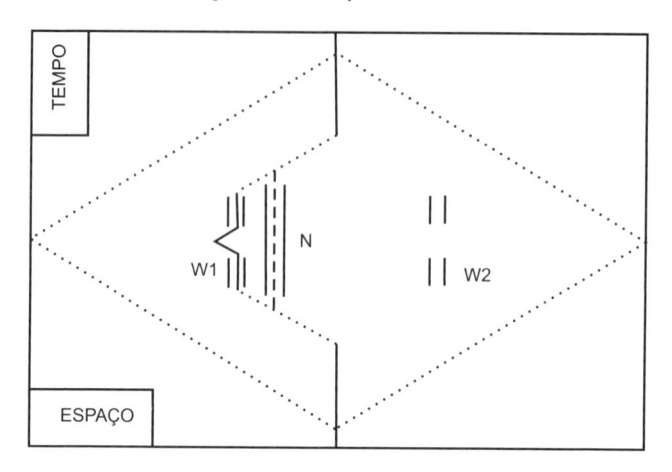

A lição que, a meu ver, podemos extrair disso é que os geógrafos do tempo, enquanto formulam seus problemas em termos claramente fisicalistas, estão implicitamente lidando com ideias sociais, exatamente como estariam fazendo se suas discussões fossem expressas na linguagem conceitual de papéis, expectativas, ideologias etc., na maneira sociológica convencional. Ou seja, qualquer conjunto de ideias socialmente consequente sobre relações entre papéis, acesso legítimo ao trabalho, à terra, à água, à acomodação residencial e a outros recursos pode ser representado na forma de um modelo de suas implicações físicas (espacial-temporais). Há um mapeamento entre formas ideológicas e o desenho geométrico do mundo real. Não é conveniente expressar todos os aspectos da vida social nesse idioma fisicalista, mas, apesar disso, muitas ideias de grande importância podem ser representadas dessa forma. As construções dos geógrafos do tempo são, em outras palavras, uma linguagem analítica para explorar sistemas sociais, não simplesmente uma linguagem descritiva para representar objetos e eventos distribuídos no espaço e no tempo. É uma linguagem na qual é possível construir modelos estruturais permutáveis que representam tanto os relacionamentos espaçotemporais no ambiente que são a preocupação primordial dos geógrafos e também a dimensão implícita das ideias sociais que estão incorporadas nesses relacionamentos.

A característica da teoria geográfica do tempo que desejo examinar um pouco mais detalhadamente é a explicação que ela dá sobre a alocação do tempo nas atividades concorrentes com base em toda uma população. Essa análise suscita duas questões fundamentais para a sociologia (e para a antropologia) do tempo, a saber, (1) o relacionamento entre a "divisão do trabalho" e o tempo; e (2) a questão do "tempo" como um *recurso* que é distribuído socialmente, como outros recursos.

Na "atitude irrefletida da vida cotidiana" (SCHUTZ, 1967) as categorias idade/sexo/*status* que subjazem a divisão social do trabalho são aceitas como "naturais", mas a análise crítica e a pesquisa comparativa revelam que elas estão longe de serem imutáveis. Seria perfeitamente possível organizar as coisas de tal forma que os aviões de passageiros fossem pilotados por meninas de onze anos especialmente treinadas para esse fim, se quiséssemos que isso fosse assim. Mas a própria divisão de trabalho, como uma característica da organização de trabalho e da sociedade, é um fato natural, mesmo que a atribuição de tarefas específicas a categorias específicas de pessoas não o seja. Assim, poderíamos atribuir a tarefa de pilotar aviões de passageiros a meninas, mas elas ainda teriam de ser especialistas, desempenhando essa tarefa em detrimento de outras possíveis (tais como brincar com bonecas). O que não poderíamos fazer seria atribuir a tarefa de pilotar jatos a toda a população em uma base proporcional – isto é, se um membro médio da população utiliza 0,5 da hora de um piloto de avião de passageiros por ano, não poderíamos organizar as coisas de tal forma que todas as pessoas passassem exatamente meia hora pilotando jatos a cada ano.

Com efeito, deixando de lado as considerações biológicas, a divisão do trabalho não é, em essência e de forma alguma, uma questão de "especialização" em aptidões, técnicas, conhecimento etc., mas tem a ver com relacionamentos espaçotemporais. Há uma "divisão do trabalho" mesmo no caso de dois homens carregando uma tora; um homem está temporariamente se especializando em carregar a extremidade frontal de uma tora e o outro homem, a extremidade traseira. A menos que os dois homens e a tora adotem uma certa configuração no tempo e no espaço (os dois homens desempenhando papéis complementares), a tora não será levada de A a B e seus interesses serão prejudicados. A divisão do trabalho fundamental, portanto, é a divisão do trabalho no tempo e no espaço. A distribuição social das complementaridades de papéis na organização do trabalho é uma consequência secundária das restrições inescapáveis que governam o processo de trabalho como uma sequência de eventos conectados causalmente que se desdobra no tempo e no espaço. A divisão do trabalho é consistente com a especialização técnica, mas primordialmente surge pelo fato de ser espaçotemporalmente impossível para um indivíduo desempenhar, dentro de um tempo finito, todas as atividades que possam contribuir para seu bem-estar.

Desde a era de Marx e Durkheim, foi universalmente aceito que a divisão do trabalho na produção, na reprodução e no consumo é o nexo fundamental ao redor do qual os sistemas sociais se desenvolvem. Se, além disso, for concedido que, em essência, a divisão do trabalho é um problema "geométrico", podemos imaginar um ramo da teoria social que se preocupa em explorar o relacionamento entre tempo, espaço e atividades sob vários tipos de restrições demográficas, ecológicas, técnicas e sociais. Esse é o objetivo último da geografia do tempo na tradição de Hägerstrand, e o tratado de Carlstein (1982) mostra muito bem os avanços teóricos e empíricos que podem resultar se os dados forem examinados dessa maneira.

A oferta agregada de tempo é definida como a população total de algum sistema regional multiplicada por 24 horas (ou algum outro período). A demanda do tempo é definida como um conjunto de atividades, distribuídas no tempo e no espaço, que buscam suporte na população durante aquele período. A teoria geográfica do tempo examina o "problema de acondicionamento" espaçotemporal envolvido na alocação de recursos humanos de tempo, a fim de satisfazer a demanda de tempo no sistema (CARLSTEIN, 1982: 302ss.).

A população total multiplicada por um período de tempo é apenas uma medida bruta de recursos de tempo, já que esses modelos têm de levar em conta as definições de papéis socialmente institucionalizadas e as restrições biológicas. Assim, a oferta de tempo é adicionalmente dividida em oferta de tempo por categoria social de atores (homens, mulheres, bebês, crianças, adolescentes, adultos, idosos etc.) ou, se for necessário, por critérios tais como casta, realizações educacionais, habilidades especiais ou qualificações rituais etc. Na Figura 20.3 essas subcategorizações resultam na divisão vertical em seções da oferta de tempo da população.

Voltando-nos para a demanda de tempo, o modelo busca representar o fato de as atividades não só precisarem ser desempenhadas em "algum" momento em um período determinado, mas em momentos que são ditados pelas restrições de capacidade, pelas restrições de acoplamento e por restrições institucionais de muitos tipos. Assim, professores são obrigados a restringir seu ensino às horas em que os alunos estão presentes, e os alunos também a restringir grande parte de seu aprendizado para aquelas mesmas horas. Atividades tais como ensinar/aprender, que exigem a participação regular e simultânea de números relativamente grandes de pessoas e uma moldura espacial restrita, tendem a ser organizadas segundo um cronograma previsível. Outras atividades que exigem menos coordenação, tais como fazer compras ou atividades de lazer, são encaixadas onde ocorrem lacunas. Certas atividades biologicamente necessárias, tais como dormir e comer, também tendem a ser programadas de uma maneira previsível. Essas atividades estão programadas para ocorrer em momentos do dia separados como sendo indisponíveis para objetivos de coordenação social: as pessoas estão previsivelmente ausentes de seus escritórios entre 18 horas e 9 da manhã, e durante a hora de almoço, mas isso serve para aumentar o grau de predicabilidade de que elas estarão lá em outros momentos.

Da mesma maneira que a oferta de tempo da população é dividida verticalmente em faixas que representam várias categorias sociais na própria população, o gráfico da demanda de tempo da população é dividido em faixas horizontais que representam os horários socialmente estabelecidos para atividades específicas. A Figura 20.3b mostra a faixa da demanda de tempo para dormir e a faixa da presença na escola de professores e alunos. Veremos que, enquanto a presença na escola envolve toda a população na faixa etária entre 5 e 16 anos, ela só envolve uma pequena proporção da população em faixas etárias mais velhas.

Finalmente a Figura 20.4 sumariza o quadro da oferta e da demanda como um todo. A demanda de tempo (a) flutua de acordo com as restrições da programação do tempo nos vários pontos no período de tempo (um dia, talvez). A demanda de tempo é ilustrada como sendo igual em volume à oferta de tempo (b), mas está distribuída de forma desigual. A próxima figura (c) mostra a oferta de tempo "impossível" (isto é, as demandas de tempo fora dos limite de oferta de tempo). Essas demandas de tempo não podem ser preenchidas porque o tempo, ao contrário do que ocorre com o dinheiro, não pode ser estocado para uso alternativo quando a demanda é maior. Uma hora deve ser dedicada a alguma atividade quando e como ela ocorre e uma vez que aquela hora passou, ela é irrecuperável. O dinheiro não gasto, por outro lado, pode ser guardado para uso subsequente (salvo os efeitos da inflação). A Figura 20.4 mostra "a oferta de tempo possível" e a "demanda excessiva" no sistema. Modificações racionais do sistema de oferta de tempo/demanda de tempo devem presumivelmente ser orientadas para a substituição de projetos que envolvem excesso de demanda de tempo com projetos alternativos que utilizam os recursos de tempo para os quais a demanda é deficiente, isto é, substituindo o tempo "caro" pelo tempo "barato" medido em termos de custos de oportunidade.

Figura 20.3 A divisão (a) vertical e (b) horizontal da oferta de tempo

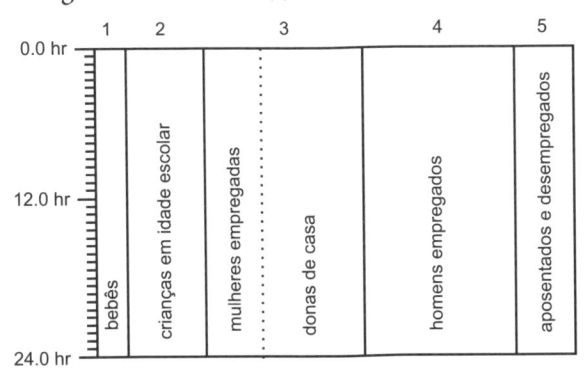

a Divisão vertical da oferta de tempo da população total

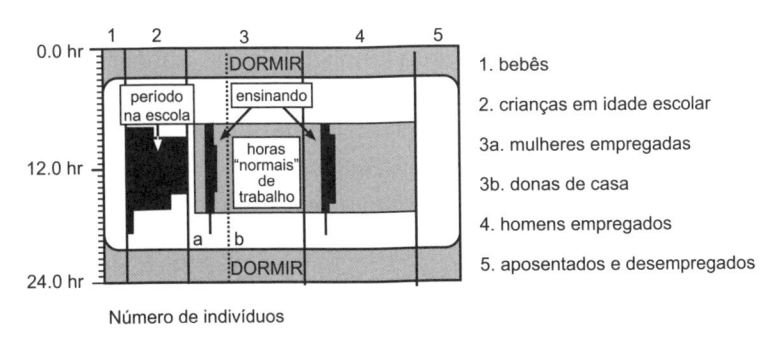

b. Divisão horizontal da oferta de tempo da população total

Figura 20.4 Oferta e demanda de tempo

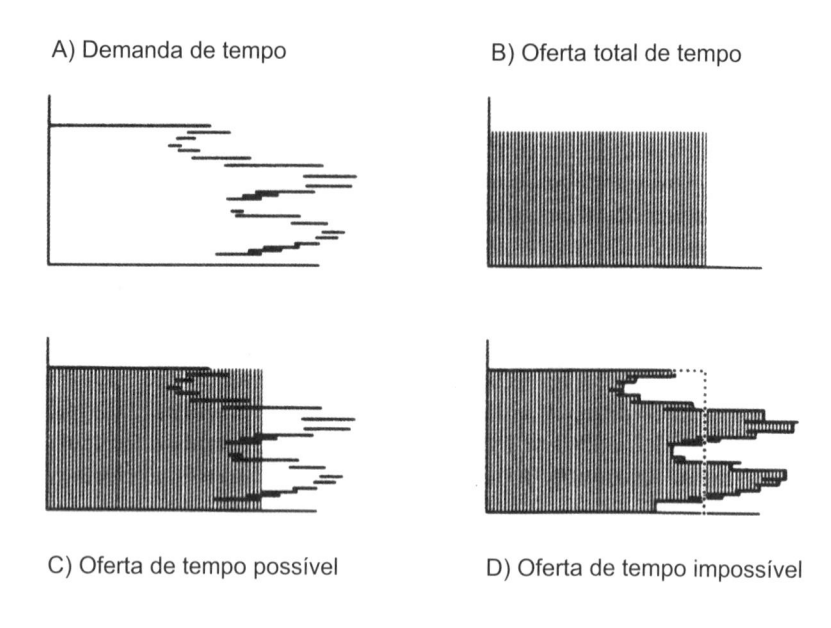

A) Demanda de tempo   B) Oferta total de tempo

C) Oferta de tempo possível   D) Oferta de tempo impossível

Fonte: Parkes e Thrift, 1980: 257.

Exatamente como incorremos em custos de oportunidade coletivos (como "lacunas" no acondicionamento de atividades no espaço-tempo) em qualquer alocação empírica de recursos de tempo para a realização de projetos tomados agregadamente, assim também cada indivíduo da população incorre em custos de oportunidade individuais ao optar por um caminho específico por meio do prisma diário, e não por outros caminhos possíveis.

O custo do tempo de uma atividade é o tempo que essa atividade tira do desempenho de atividades alternativas. Assim, o tempo total à disposição do indivíduo é menos que o tempo total que o indivíduo poderia gastar em atividades que iriam contribuir para seu bem-estar (isto é, o tempo é absolutamente escasso com relação a seus usos potenciais); e segundo, restrições programadas significam que o desempenho da atividade A em T1 faz com que seja inviável o desempenho das atividades alternativas B, C, D que, como A, têm de ser desempenhadas em T1, ou simplesmente não serem desempenhadas. A alocação do tempo, no caso individual, é descobrir soluções para o problema de otimizar o caminho temporal do indivíduo por meio de uma atividade-espaço, de forma a minimizar os custos de oportunidade temporais totais incorridas pelo indivíduo.

Mas, como Carlstein observa corretamente (1982: 323ss.), nunca há um sistema tempo/atividade de uma pessoa. Modelos da escassez e escolha de tempo individual são inerentemente não realistas em virtude das restrições em otimizar um caminho que se origina primordialmente dos efeitos das ações de outros indivíduos no sistema, cujas ações são reciprocamente governadas pelas ações do primeiro indivíduo, e assim por diante até o nível populacional.

Podemos fazer modelos (nas linhas cartográficas do tempo de Hägerstrand) de subsistemas isolados de duas ou três pessoas. Mas ao imaginar essa progressão do caso de uma pessoa para o caso da população como um todo podemos chegar a uma noção de "tempo social" como um sistema de equilíbrio enorme em que a mistura de atividade e os momentos dedicados às atividades adotados por cada indivíduo são ajustados aos indivíduos vizinhos, ocupando células em uma matriz que inclui todos os indivíduos no sistema. Essa matriz seria o equivalente, em termos de alocação do tempo, à conhecida matriz de Leontieff na macroeconomia, que exibe a economia (indústrias e setores específicos etc.) como células em uma matriz entre as quais a finança, os bens e os serviços fluem.

Podemos também abordar esse problema a partir da outra extremidade, começando com as frequências agregadas das atividades originárias das pesquisas sobre orçamento do tempo. O modelo de Hägerstrand foi inicialmente desenvolvido a partir de dados suecos. Esses dados (simplificados) dão a seguinte classificação de atividades e do tempo dedicado a elas em um ciclo de 24 horas:

Atividade	Horas por dia
Dormir	8,5
Cuidados pessoais	1,5
Viagem e lazer	5,5
Preparação de comida, limpeza da casa	1,25
Estudo	0,75
Emprego	4,5
Cuidando das crianças	2,0
TOTAL	24,0

Hägerstrand faz uma distinção entre as atividades listadas acima entre aquelas que são "delegáveis" (as quatro últimas da lista) e aquelas que não são delegáveis, isto é, precisam ser desempenhadas pelos próprios indivíduos (as três primeiras). A demanda de tempo para atividades não delegáveis é inelástica (SZALAI et al., 1972), como ocorre com produtos alimentícios não substituíveis na teoria econômica convencional, enquanto a demanda de tempo individual para atividades delegáveis é relativamente elástica porque o insumo de tempo por qualquer indivíduo determinado em uma atividade delegável pode ser substituída, se necessário, pelo insumo de tempo adicional por parte de alguma outra pessoa naquela atividade.

Ignorando as restrições de planejamento, podemos ver imediatamente que a multiplicação da lista de 24 horas de demandas de tempo pelo número de indivíduos na população não consegue refletir fielmente a alocação de atividades de forma alguma, exceto no caso da mais indelegável de todas as atividades, dormir, que é biologicamente necessária e também determinada pelos ritmos circadianos de 24 horas de origem natural. Mas está longe de ser verdade que a criança média em idade escolar gasta 0,75 hora na escola por dia, ou que o trabalhador médio gasta 4,5 horas em seu local de trabalho, embora essas sejam as cifras médias agregadas da demanda de tempo para essas atividades para a população como um todo. Portanto, a delegação está ocorrendo. A ida à escola é "delegada" às crianças, o emprego é "delegado" aos adultos, especialmente a provedores masculinos, e a preparação de alimentos, o trabalho de casa e o cuidado dos filhos são "delegados" a mulheres casadas.

Considerando que as alocações individuais de tempo a atividades durante o ciclo de 24 horas não estão de acordo de forma alguma com a demanda de tempo agregada da população para atividades durante o ciclo, podemos a seguir examinar a posição para uma família "típica" de seis pessoas, que consiste em um bebê, duas crianças em idade escolar, seus pais, e um avô idoso e aposentado que mora com eles. Uma família de seis membros tem uma oferta de tempo total de 144 horas (= 6 x 24). Podemos ver, sem dificuldade, que a família "média" não é autossuficiente em termos da satisfação de sua demanda de tempo. Assim:

Dormir	8,5 x 6 =	51,0
Comer etc.	1,5 x 6 =	9,0
Viagem etc.	5,5 x 6 =	33,0
Cozinhar	1,5 x 6 =	7,5
Estudo	0,75 x 6 =	4,5
Emprego	4,5 x 6 =	27,0
Cuidado filhos	2,0 x 6 =	12,0
	Total	144,0

A demanda por "emprego" é hoje maior do que aquela que pode ser satisfeita com os recursos da família, já que se todos os três adultos trabalharem um dia de 8 horas cada um, o tempo total no emprego não seria mais do que 24 horas para todos eles juntos, o que é menos do que as 27 horas necessárias. O desequilíbrio é ainda maior se presumirmos que o velho avô não trabalha e que a mãe assume uma grande proporção das 12 horas do cuidado das crianças que é exigido. Nem mesmo os *paterfamilias* nas maiores das dificuldades trabalham um dia de 27 horas.

Multiplicando o número de famílias "típicas" no sistema não irá consertar as coisas, já que todas elas irão mostrar os mesmos desequilíbrios e demandas de tempo não satisfeitas que essa. Uma delegação de atividades mais radical, que abranja toda a população e não apenas a família, precisa ser contemplada. Deve haver complementaridades de atividades institucionalizadas de tal forma que as crianças em idade escolar sejam responsáveis por toda a demanda de tempo para o estudo, que outros estejam livres do cuidado das crianças para se dedicarem ao emprego, enquanto outros uma vez mais eliminam a demanda em excesso por cuidado das crianças e assim por diante, segundo as restrições institucionais que governam a divisão do trabalho por gênero e a divisão do trabalho do ciclo vital.

O equilíbrio que resulta desse confronto entre as forças da demanda de tempo social agregada e dos padrões de atividade individuais no espaço e no tempo é a divisão social do trabalho.

Podemos fazer distinções estruturais importantes entre sociedades com que Durkheim (1960) chamou de "solidariedade mecânica" e aqueles que mostram "solidariedade orgânica" com base no grau de conformidade estrutural entre as alocações de tempo como o nível micro (doméstico) de análise e as alocações de tempo no nível macro (população) de análise. Sob a solidariedade mecânica, ou o conceito mais refinado do "modo de produção doméstico" introduzido por Sahlins (1972), há um alto grau de convergência entre o tempo dedicado às atividades no nível do domicílio autossuficiente e as alocações de tempo da população como um todo. Há muito pouco "comércio" de tempo entre os domicílios. Mas no caso de sociedades tais como a sueca, a fonte para os dados usados acima, o grau de convergência é muito menor, correspondendo ao fato de não mais haver qualquer "unidade básica" como um domicílio autossuficiente em tais sociedades e de as alocações individuais diferirem fortemente uma das outras, mesmo que elas se encontrem mais ou menos nas mesmas categorias de idade e gênero.

21

A economia dos custos de oportunidade temporais

Alguns economistas (principalmente BECKER, 1965; cf. LINDER, 1970; SOULE, 1955) discutiram o "tempo" como uma forma de matéria-prima que é alocada a fins concorrentes com base em princípios "economizadores". Deixem-me que lhes dê a essência da teoria de Becker. Esse autor discute a alocação do tempo com relação à economia do domicílio nas economias capitalistas avançadas. O domicílio é considerado como uma firma microscópica, que recebe insumos na forma de bens, serviços e tempo e produz resultados na forma de eventos de consumo que também exigem tempo. Os domicílios assim combinam bens do mercado e tempo para "produzir" mais produtos básicos, chamados Z, que dão origem a vantagens. Assim, os membros da família "processam" um recurso (p. ex., uma produção de *Hamlet* em um teatro local) contribuindo com seu tempo (chegando ao teatro, vendo a peça e voltando para casa) de forma a transformar esse recurso em outro bem chamado "ver uma peça" que tem vantagens.

O tempo nesse esquema de coisas é um recurso que tem outros usos possíveis além de se tornar um ingrediente de Z, tal como ser dedicado ao emprego pago. O tempo pode ser dedicado ao aumento do insumo de recursos de outros tipos (X) para o domicílio, ou pode ser usado no próprio processo de produção do domicílio, como um ingrediente de Z, que dá origem à função de utilidade (U) na Figura 21.1.

Becker afirma que o problema confrontado pelo domicílio é a maximização de U sujeito a dois tipos aparentemente independentes de restrições. O primeiro deles é a escassez de recursos; os bens usados na "produção" do domicílio não devem exceder em valor à renda familiar, que tem dois componentes, V, a renda que não é obtida por meio do gasto de tempo, e não é sensível a investimentos adicionais de tempo e W (inicial de *wages* = salários) que é tratada como uma variável dependente de Tw, o tempo gasto no trabalho.

Figura 21.1 O modelo de Becker

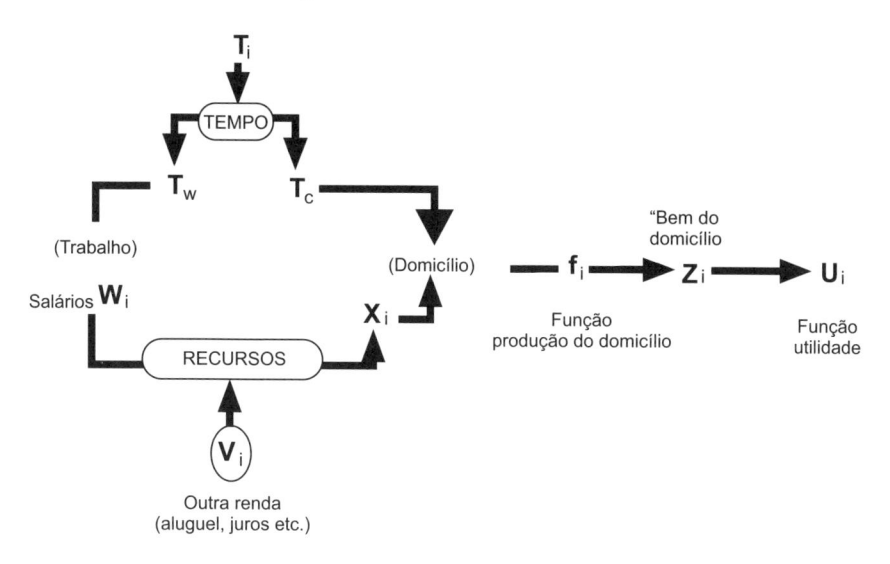

W irá aumentar com investimentos adicionais de tempo. A discussão em Becker e Linder (1970; cf. p. 209 a seguir) se aplica a economias com quase pleno emprego e mercados de trabalho muito retraídos. Nem todas as economias são assim, nem é preciso acrescentar.

O segundo conjunto de restrições são restrições de tempo influenciando a produção de Z no domicílio. O tempo utilizável para a produção de Z é "tempo de consumo", Tc (Tc = tempo total T menos Tw). O argumento de Becker consiste na exploração das consequências do fato de esses dois conjuntos de restrições (recursos e tempo) não serem, na verdade, independentes um do outro na medida em que o tempo pode ser transformado em bens de consumo X por meio de um aumento de tempo no trabalho, mas somente a custo de aumentar marginalmente os "custos de produção" de Z no domicílio, porque o custo-tempo relativo de consumo será aumentado.

O tratamento do tempo de consumo como um custo incorrido ao consumir é uma ideia curiosa, mas não sem cabimento. O fato de o consumo ter custos indiretos, além do custo direto do item consumido para o consumidor, está bem apoiado pelo fato de o domicílio médio americano controlar capital em equipamento subsidiário ao consumo (casa, carro, móveis, aparatos domésticos, câmeras, barcos, artigos esportivos etc.) que excede amplamente em valor o valor médio dos bens de capital à disposição do assalariado em seu local de trabalho, como um acessório ao empreendimento produtivo. A indústria americana pode ser intensiva de capital, mas as "fábricas" produzindo Z ainda são mais intensivas de capital.

Aumentar a renda salarial de um domicílio (W) sem aumentar o custo do tempo de trabalho para obtê-la Tw, isso é um aumento nos salários reais, aumenta o "custo" do tempo de trabalhar e aumenta proporcionalmente o "custo" do tempo do consumo. Assim um aumento nos salários reais faz com que o domicílio passe a ser um produtor menos eficiente de Z do que antes ao reduzir a função produção do domicílio (f) e diminuir o valor resultante de Z. Para manter U no mesmo nível de antes, Tw deve ser aumentado, aumentando W ainda mais, para compensar pelo fato de a conversão de W em U ter se tornado marginalmente menos eficiente. Assim, no caso em que a curva de indiferença convencional trabalho/lazer (encontrada em todos os textos de microeconomia elementar) prediga que aumentar os salários reais irá resultar na substituição de trabalho por lazer, já que níveis equivalentes de satisfação psíquica podem agora ser obtidos trabalhando por menos horas, o modelo Becker faz a previsão contrária, ou seja, que aumentos nos salários reais irão intensificar o desejo do trabalhador de aumentar o tempo de trabalho em detrimento do tempo de lazer. O fato de ele não poder fazer isso, mesmo nos casos em que existe uma demanda insatisfeita por mão de obra adicional na economia, é mais resultado da intervenção governamental ou dos sindicatos do que da própria volição dos assalariados:

> O incentivo para economizar o tempo à medida que seu custo relativo aumenta contribui bastante para explicar certos aspectos amplos de comportamento que surpreenderam e muitas vezes até inquietaram observadores da vida contemporânea. Como as horas trabalhadas diminuíram secularmente na maioria dos países avançados, e (o chamado) lazer presumivelmente aumentou, uma expectativa natural foi que o tempo "livre" se tornaria mais abundante e seria usado mais "prazerosa" e "luxuosamente". No entanto, se algo ocorreu, foi que o tempo passou a ser usado com mais cuidado do que há um século. Se houve um aumento secular na produtividade do tempo de trabalho com relação ao tempo de consumo... haveria um incentivo maior para economizar seu uso, em virtude de seu custo maior (nossa teoria enfaticamente aconselha a não chamarmos esse tempo de "livre"). Não é nenhuma surpresa que hoje se acompanhe e se use esse tempo mais cautelosamente do que no passado (BECKER, 1965: 513).

Embora o tempo de trabalho, presumindo um aumento nos salários reais, se torne progressivamente uma barganha melhor do que o tempo de consumo, o tempo de consumo não pode ser comprimido indefinidamente, já que os salários reais aumentados necessitam mais atividade de consumo e mais tempo para essa atividade, embora esse tempo seja "caro". Em um determinado ponto é necessário trabalhar menos a fim de fazer uso mais eficiente dos bens disponibilizados para o consumo a fim de convertê-los em Z. Mas o tempo de consumo tem de ser usado frugalmente e decisões dolorosas têm de ser feitas.

Segundo Linder (1970) os engarrafamentos de consumo, criados pelo custo-tempo excessivo do consumo, estabelecem limites naturais para o crescimento econômico. Em economias ultra-afluentes os sinais de engarrafamentos de consumo estão claramente presentes: Parkes e Thrift (1980) observam a emergência, particularmente na Califórnia, de uma nova espécie de "Conselheiros de Lazer" cuja especialidade é precisamente o uso eficiente do tempo de lazer (isso é, de consumo) dada a superabundância de recursos para o consumo com relação ao tempo necessário para consumi-los. Talvez o aumento recente no sentimento "verde" anticonsumo tenha se originado de um reconhecimento de que o consumo está se tornando ineficiente como meio de realizar utilidade em virtude dos custos de oportunidade considerados altos de qualquer uso de tempo de consumo determinado *vis-à-vis* seus usos alternativos.

Na "firma" do domicílio haverá uma divisão do trabalho: aqueles cujos custos de oportunidade são menos proibitivos irão se especializar no consumo, deixando para aqueles cujo poder de obter renda é maior, mais tempo para se devotar ao cumprimento daquela função exclusivamente. E as decisões sobre o modelo de consumo serão também ditadas por essas pressões. Os bens serão escolhidos não em virtude de sua conveniência, mas porque são itens cujo consumo representa menos em termos de "ganhos abandonados" (isto é, eles podem ser consumidos rapidamente e com um custo máximo). A fotografia, por exemplo, é uma forma de comportamento de consumo que absorve uma quantidade relativamente grande de dinheiro com relação ao tempo que qualquer pessoa leva para tirar, e subsequentemente ver, uma foto. O xadrez, ao contrário, é uma forma muito ineficiente de consumo no sentido de que absorve muito tempo e custa muito pouco. A Rússia é um país pobre em que muitas pessoas jogam xadrez; a América é um país rico cujos habitantes atravessam a superfície do globo de um lado para outro, com muita pressa e com alto custo financeiro, tirando fotos.

Becker e também Linder, em um livro cujo título *The Harried Leisure Class* (1970) [A estressada classe do lazer] resume, de forma admirável, seu conteúdo, referem-se ao dilema consumo/tempo no contexto de economias prósperas e em expansão. Mas o que dizer de economias que têm baixa produtividade, em que a maioria das pessoas tem muito pouca oportunidade de emprego ou de consumo e, portanto, baixos custos de oportunidade para qualquer tipo de investimento de tempo? Linder dedica algum espaço para essas economias também, chamando-as de economias de "excedentes de tempo", ao contrário das chamadas economias de "fome de tempo" como os Estados Unidos ou a Suécia. A maioria dos antropólogos estará familiarizada com a tabela que mostra os orçamentos de tempo na terra dos aborígenes Arnheim (MOUNTFORD, 1960) que Sahlins usou com excelente efeito em seu "The Original Affluent Society" (1972) [A sociedade afluente original]:

Atividade	Tempo alocado (horas)	
	Mulheres	Homens
Dormindo/deitados	9,0	12,0
Sentados/falando	8,3	5,0
Preparando/consertando instrumentos	-	1,0
Preparando/cozinhando canguru	-	0,3
Preparando/cozinhando alimentos	2,0	-
Cantando/dançando	-	1,3
Caçando	-	4,0

Sahlins citou esse ciclo prazeroso diário dos caçadores-coletores da terra de Arnheim a fim de demonstrar que não era a "necessidade" que induzia a humanidade a avançar além desse estágio na evolução social. Essa tese básica pode ser aceita, embora os dados da terra de Arnheim tenham sido recentemente complementados por estudos mais detalhados que tendem a mostrar ambos os gêneros trabalhando um tanto mais intensamente, especialmente durante certas estações do ano (ALTMAN, 1984). Vale a pena observar também que Carlstein (1982), com base em muitos mais dados do que aqueles disponíveis a Sahlins, sugere que não existe qualquer relacionamento muito claro entre "intensificação" no uso de recursos (terra, capital agrícola, tempo) em regimes ecotecnológicos mais complexos e a quantidade de tempo diretamente dedicada à produção de comida. Por exemplo, na ultraintensiva Indonésia, as mulheres passam duas vezes mais tempo cozinhando alimentos do que cultivando-os (WHITE, 1976; CARLSTEIN, 1982: 381-382). O preenchimento do tempo que acompanha a intensificação da produção adota muitas formas diferentes, das quais a expansão no tempo do trabalho agrícola é apenas um. A estrutura social mais complicada que é necessária para manter um sistema complexo de produção, intercâmbio e consumo, é, ela própria, uma fonte de demandas grandes de tempo (viagens para ir e vir do mercado, o próprio mercado, a negociação para comprar ou vender mão de obra, negociações para garantir proteção política, rotinas domiciliares complexas, deveres rituais, educação etc.).

Há uma distinção razoavelmente clara entre sociedades que não fazem um uso muito intensivo do tempo e que parecem ter custos de oportunidade baixos, por oposição àquelas sociedades que fazem uso intenso do tempo e nas quais as pessoas estão muito conscientes dos custos de oportunidade. Mas a meu ver não é correto referir-se a regimes de custos de oportunidade baixos como sistemas de "excedentes de tempo". O critério de Linder para tempo "excedente" é o tempo em que nada está sendo produzido e nada está sendo consumido. Mas sinto que é melhor seguir Becker e negar que existe alguma coisa que sequer possa ser chamada de tempo "livre". Algo está sempre sendo "produzido", ainda que seja apenas "conversa" ou "sono" ou outros "bens domiciliares" que pertencem a sua categoria Z.

Sentar ao redor da fogueira conversando com outras pessoas é certamente um tipo de atividade que preserva recursos, mas ela envolve, mesmo assim, a mobilização de recursos, ou seja, a lenha, a "companhia" e o tempo. As pessoas nunca estão sem fazer nada, mesmo quando parecem estar. Se as pessoas estão sempre produzindo e consumindo algo e usando o tempo nesse processo, nenhum tempo é livre. Tempo verdadeiramente excedente poderia ser abstraído da linha de vida dos indivíduos, de forma a não deixar qualquer vestígio, como uma cena cortada de um filme por um editor impaciente; mas claramente todo o tempo tem consequências, por menores que sejam.

Há, é claro, períodos de tempo que *gostaríamos* de ter "cortado" de nossas biografias. Dizemos coisas como "Henry passou a tarde matando o tempo" que sugere que a tarde em questão era excedente às necessidades de Henry. Mas o que isso realmente significa é que Henry teve de gastar uma tarde envolvido em um consumo enfadonho, obrigatório, subpago, quando, em outro mundo, ele poderia ter estado envolvido em atividades que fossem mais de seu gosto. Não podemos dar qualquer significado à noção de que a monótona tarde de Henry é "excedente" à luz da quantidade de tempo naquela tarde em oposição a qualquer outra, já que essa quantidade teria permanecido a mesma se Henry tivesse passado a tarde nos braços de sua amante, ou roubando um banco. Não são os fatos "objetivos" que fazem com que o tempo seja excedente ou deficiente; tempo "excedente" é simplesmente tempo que tivemos que gastar fazendo X quando teríamos preferido fazer Y.

Em outras palavras, o excesso/a falta de tempo é uma função dos custos de oportunidade percebidos, e não dos relacionamentos quantitativos objetivos entre recursos "reais" tais como terra, mão de obra, energia, dinheiro em moeda etc. Essas são coisas, e só as coisas são capazes de estar, em qualquer sentido objetivo, em oferta abundante ou reduzida. O tempo e o espaço não são coisas e sim dimensões, medidas. Podemos falar sobre relacionamentos entre coisas (e os eventos do qual as coisas participam) em termos de quantidades espaciais e temporais, mas o próprio espaço e o próprio tempo não são distribuídos em quantidades variáveis de acordo com as circunstâncias, como outros recursos econômicos. Eles são medidos de outros recursos, mas não são recursos em si mesmos. Discordo de Soule (1955, apud PARKES & THRIFT, 1980: 144) quando ele argumenta que o tempo deveria ser considerado como um recurso escasso na economia, "coordenado com a mão de obra, a terra e o capital". Esse autor sugere que a opinião popular está errada ao supor que o assalariado vende seu trabalho a seu empregador; o que ele vende, segundo Soule, é seu tempo. Eu não acho que isso seja verdade. O que o empregador compra (ou melhor dito, aluga) não é o tempo do empregado, ou sequer seu "trabalho", mas ele ou ela, um objeto sólido e massudo, que tem a disposição, sob as circunstâncias corretas, de movimentar trens de interações causais no mundo físico que são para a vantagem do empregador. Na análise de Soule, se um agricultor compra uma vaca, ele compra o tempo da vaca e não o leite, carne ou bezerros que a vaca produz ou que fazem parte dela. Isso é claramente absurdo, mas eu não considero haver qualquer diferença fundamental entre um agricultor que compra os direitos sobre uma vaca e um empregador comprando direitos temporários sobre um empregador-objeto.

É necessário distinguir entre as medidas de custo de oportunidade baseadas no tempo que são usadas para avaliar uma atividade *vis-à-vis* uma atividade alternativa, das "verdadeiras" entidades que podem participar de transações econômicas, que não incluem o tempo "bruto" como um fator de produção.

Não existe nenhum tempo "bruto" porque o tempo está sempre associado a uma atividade, ou seja, com processos causais envolvendo coisas. Quando Becker fala de "tempo" como um insumo na "pequena fábrica" que produz Z, ele não quer dizer tempo vazio, mas tempo preenchido com certa forma de atividade. O tempo propriamente dito não pode ser desviado entre ganho ou consumo, o que é desviado é a interação causal do ser humano *qua* coisa, em uma forma de atividade e não outra, um investimento mensurável em unidades temporais, mas não um investimento do próprio tempo. O tempo sozinho, e sem a participação das coisas, não é um recurso que possa ser economizado ou desviado de um uso para outro, como se ele fosse algum recurso natural etéreo como a luz do sol. Ao não ser uma entidade que se possa economizar, ele não tem valor.

A linguagem que reifica o tempo do tipo de teoria que acabamos de descrever talvez seja um tanto enganadora no sentido de que o tempo não é um recurso físico que possa estar em oferta abundante ou reduzida, ser comprado ou vendido etc. como recursos comuns. Mas apesar disso eu não gostaria de impugnar modelos tais como o de Becker, ou construções geográficas do tempo à moda de Hägerstrand, Carlstein, pelos motivos que esse tipo de teoria trata o tempo como um "recurso" para os objetivos da construção de um modelo. No nível de modelos, podemos legitimamente tratar o tempo como um recurso porque é uma forma conveniente de falar de *custos de oportunidade*. Esse, a meu ver, é realmente o conceito teórico fundamental que deve forjar a conexão muito necessária entre teoria econômica, teoria geográfica do tempo e a antropologia e a sociologia.

Deixem-me retornar às implicações do orçamento de tempo de Terra de Arnheim mostradas acima. O leitor se lembrará de que Sahlins viu ali sinais de "afluência primitiva", isto é, pessoas vivendo de acordo com suas expectativas sem trabalhar de uma maneira indevidamente exagerada – os caçadores-coletores sobrevivem de "renda não ganha" de seus ambientes muitas vezes muito produtivos, algo que não é um problema, contanto que exista uma quantidade grande de "ambiente" para todos. Mas nem todos veem sinais de "afluência" aqui. Just (1980) sugeriu que ao contrário de serem "afluentes" caçadores-coletores como esses estão "desempregados" – afinal, muitos dos desempregados em nossa sociedade fazem muitas das coisas que os habitantes da Terra de Arnheim fazem, isto é, investem muito tempo no consumo de baixo custo, ficando à toa, conversando, jogando futebol etc. Segundo essa teoria os habitantes da Terra de Arnheim têm esse estilo de vida tão prazeroso porque são pobres, não porque são afluentes. Sua economia é improdutiva e com fome de capital. Eles têm tempo excedente porque não têm quaisquer outros recursos com os quais combinar o tempo para então produzir alimentos, cujo consumo iria aumentar mais a demanda total de tempo.

Onde se encontra a verdade, entre afluência e desemprego? Se formos definir afluência, como acho que deveríamos, segundo as linhas sugeridas por Becker e Linder, como custos de oportunidade relativamente baixos medidos em termos de recursos (X) e custos de oportunidade relativamente altos medidos em termos de tempo $(Tw + Tc)$ os habitantes da Terra de Arnheim não são "afluentes". Mesmo se aceitarmos que eles têm acesso a abundantes recursos verdadeiros, na forma de meio ambientes ricos (X), a exploração técnica desses meio ambientes não demanda tempo, portanto o custo de oportunidade do tempo não produtivo é baixo e, além disso, o produto desses meio ambientes vem em uma forma (comida) que não é "custosa de consumir" no sentido de custo de oportunidade, porque cozinhar e comer são atividades obrigatórias sob qualquer que seja o regime econômico. Os habitantes da Terra de Arnheim têm custos de oportunidade temporais baixos seja qual for a perspectiva pela qual examinarmos o problema, e, se incluirmos altos custos de oportunidade temporais na definição de afluência, eles não são afluentes.

Por outro lado, tampouco acho que eles poderiam ser chamados de "desempregados". Um indivíduo só pode ser "desempregado" com relação a uma oportunidade de emprego que, sob alguma definição de "mundos possíveis", aquele indivíduo tem as qualificações necessárias para preencher. No momento, eu, por exemplo, não tenho um emprego em uma siderúrgica, mas isso não faz com que eu seja um "metalúrgico desempregado". Um metalúrgico qualificado e desempregado que está ganhando a vida como empreiteiro de janelas de vidro duplo pode ser razoavelmente considerado como um metalúrgico desempregado, embora nos olhos do Ministério do Trabalho ele não esteja tecnicamente "desempregado". "Desemprego" não é algo que possa ser definido em termos decididos com antecedência, apesar da existência de estatísticas oficiais. Tudo depende de um conjunto socialmente definido de "expectativas racionais" com relação a quem pode legitimamente aspirar a um tipo específico de emprego. Desemprego nessa ou em qualquer outra economia é definido como a diferença entre condições de emprego e uma economia teoricamente "ideal" em que todos têm um emprego ao qual podem aspirar legitimamente e a verdadeira distribuição de empregos na população. Crianças não contam como "desempregadas" em nossa sociedade, não porque não há muitos tipos de trabalho que as crianças não possam fazer, e até costumavam fazer no passado, mas porque decidimos que crianças não "devem" ser obrigadas a trabalhar. Entre as classes mais pobres em muitos países do Terceiro Mundo, crianças que não estejam ocupadas lucrativamente são socialmente consideradas desempregadas, embora as autoridades nesses países não reconheçam a posição *de facto* de "desemprego infantil" quando preparam suas estatísticas oficiais, já que essas já são bastante tenebrosas.

Nesse tipo de critério, os habitantes da Terra de Arnheim obviamente não estão desempregados em seus próprios termos, já que são totalmente capazes de encontrar oportunidades para realizar todas as atividades produtivas que eles próprios consideram como legitimamente pertencentes a eles. Mas estão desempregados segundo a estatística oficial. Os aborígenes na Austrália hoje em grande medida subsistem do seguro-desemprego, que eles passaram a considerar como apenas outro dos recursos exploráveis que lhes estão disponíveis, além de caçar, ou coletar recursos (cf. ENDICOTT, 1979 sobre a atitude equivalente entre os aborígenes da Malásia). Estar "desempregados" é seu emprego.

Parece-me que podemos distinguir quatro possibilidades, em vez de duas, segundo as quais os habitantes da Terra de Arnheim não são nem afluentes, nem desempregados. Para ser afluente, uma sociedade tem de ter altos custos de oportunidade temporais e custos de oportunidade de "recursos" baixos (isto é, altos salários reais etc.). As economias ocidentais "afluentes" estão nessa categoria. A seguir podemos considerar sociedades que têm altos custos de oportunidade temporais e altos custos de oportunidade de recursos. Tais sociedades manifestariam horas de trabalho longas, mas mal recompensadas e altos custos de oportunidade de consumo porque o consumo ocupa tempo de trabalho. Muitos produtores de artesanato tradicional (p ex., tecedores) e operários de fábricas não sindicalizados em países subdesenvolvidos têm precisamente esse regime, assim como o tiveram grandes seções do proletariado urbano do século XIX. Depois deverão ser consideradas as sociedades que mostram custos de oportunidade temporais baixos e altos custos de oportunidade de recursos. Os desempregados de longo prazo no Reino Unido pertencem a essa categoria. Os desempregados no RU têm custos de oportunidade temporais baixos, mas não têm dinheiro, isto é, têm altos custos de oportunidade de recursos. Finalmente temos regimes com custos de oportunidade temporais baixos e baixos custos de oportunidade de recursos: é aqui que os habitantes da Terra de Arnheim se enquadram.

A noção de desemprego, como a noção de afluência, é intrinsecamente conectada com os custos de oportunidade envolvidos em substituir um conjunto de atividades distribuídas no espaço e no tempo por outro conjunto alternativo. Um homem só é um "metalúrgico desempregado" se, e apenas se, ele pudesse, em algum mundo possível considerado viável, se não real, estar empregado em uma siderúrgica. Como esse mundo alternativo é viável, mas não é real, o metalúrgico desempregado incorre os custos de oportunidade que acompanham a não realização desse "mundo possível" alternativo. Mas o conceito-chave aqui é "viabilidade". Não achamos que Om Parkash, um lavador de garrafas em um *dhaba* encardido nas redondezas de Kanpur, incorreu sérios custos de oportunidade ao não se tornar presidente da IBM. Ele também não acha isso. Mas exatamente quão próximos devemos estar de ser presidente da IBM antes que esses custos de oportunidade comecem a surgir? Um alto executivo da IBM a quem oferecem uma gerência em uma companhia concorrente menor tem de considerar esses custos de oportunidade seriamente se ele achar que é viável que, se ele permanecesse na antiga companhia, poderia ter uma situação ainda melhor. Não pode haver qualquer solução "objetiva" para decisões desse tipo sobre carreiras, que são particularmente suscetíveis a análise pelo modelo de decisão da teoria-A de Shackle (cf. capítulo 19, acima) porque elas são caracteristicamente singulares, escolhas de uma vez na vida. Realmente, não existem custos de oportunidade estritamente "objetivos" já que tais custos são determinados pelo relacionamento entre este mundo e outros "mundos possíveis" que não têm uma existência objetiva. Custos de oportunidade são computados com relação àquilo que será chamado, no capítulo seguinte, de "mapa do tempo da série-B" da área relevante, não com relação à própria série-B "objetiva".

22

Custos de oportunidade e a fatalidade da existência humana

Custos de oportunidade surgem pelo fato de as representações, ou modelos conceituais que fazemos do mundo "real" representarem o mundo como *sendo capaz de ser de outra maneira*, diferente daquele que na verdade acreditamos que é. O mundo é como é, mas nós pensamos que ele poderia ser de outra maneira, e ele pode ser diferente do que pensamos. Embora não existam custos de oportunidade "reais" porque o mundo real não está em um relacionamento de ser ou estar alternado consigo mesmo, do ponto de vista de nossas representações cognitivas do mundo, os custos de oportunidade são verdadeiramente muito reais.

O valor de um objeto neste mundo atual é uma função das vantagens e desvantagens que temos ao não substituir esse objeto pelos objetos alternativos que poderiam substituí-lo em um mundo alternativo viável. Da mesma forma o valor de um evento, as vantagens e desvantagens que resultam de ter feito com que aquele evento fosse realizado, são uma função dos substitutos viáveis para aquele evento em mundos possíveis alternativos, isto é, cenários alternativos do tipo "e se". As definições daquilo que constitui um mundo "viável" alternativo ao mundo atual são hermenêuticas, dependendo de ideias socialmente determinadas e não de fatos objetivos. Não temos qualquer acesso físico a mundos alternativos possíveis, já que se conseguíssemos fazê-los fisicamente reais eles já não seriam mundos possíveis alternativos, e sim o próprio mundo real. Apesar disso, nossas avaliações tanto de objetos quanto de eventos no mundo real dependem crucialmente de nossa noção daquilo que constitui as alternativas para esses objetos e eventos, na penumbra de mundos não verdadeiros que rodeiam este mundo. A relação de ser alternativo com relação a atividades é seu custo de oportunidade temporal: atividades que têm altos custos de oportunidade são aquelas que têm alternativas altamente vantajosas, altamente viáveis em termos do mapa *do campo de mundos possíveis* imposto por uma construção da realidade determinada, culturalmente padronizada.

A geografia do tempo estuda a geometria espaçotemporal desses mundos possíveis, no tempo da série-B. Apenas um mundo é fisicamente real, mas usando métodos analíticos da geografia do tempo podemos obter uma visão da avaliação subjetiva da geometria do ambiente espaçotemporal. Essa avaliação subjetiva surge dos custos de oportunidade percebidos que acompanham o fato de a geometria adotar uma configuração e não outra. Assim, o ambiente espaçotemporal de Jane, a mãe solteira (p. 196), é avaliado por ela à luz do(s) mundo(s) visível(eis), mas não real(ais), no(s) qual(ais) seria geometricamente possível para ela ter um emprego muito melhor.

Na medida em que o tempo é *inevitável*, ele o é à luz dos custos de oportunidade percebidos de eventos no tempo que seguem um curso em vez de outro. O que determina, em grande medida, o curso de eventos neste ou em qualquer outro mundo possível é a geometria espaçotemporal do ambiente. Considerações geométricas são preponderantes nas decisões de alocação do tempo; qualquer teoria da sociologia ou da antropologia do tempo deve começar com o fato primário de que a fim de efetivar um estado de coisas deve-se fazer com que as "coisas" assumam uma configuração geométrica apropriada. O tempo é relevante, na condução dos negócios humanos, primordialmente em conexão com a organização e coordenação de pessoas e coisas no mundo real, a fim de encorajar forças causais a produzir algum resultado desejado. Mas embora sejamos obrigados a agir no mundo real e os eventos do mundo real sejam os árbitros últimos da eficácia e atemporalidade de nossas ações, a fonte de projetos de ação e, portanto, a própria ação, são as crenças que temos sobre o mundo, não o próprio mundo. Essas crenças ou representações são os mapas que usamos a fim de navegar no tempo.

O progresso de um indivíduo social pela vida pode ser facilmente conceitualizado como uma série de custos de oportunidade em ascensão. Muito pouca coisa depende, ou parece depender, dos atos que uma criança realiza graças a sua própria agência independente. Na medida em que elas controlam seus próprios destinos, as crianças atuam em um campo de oportunidades abertas. Mas a cada ano que passa, como as ações se tornam mais consequenciais, o mesmo ocorre com os custos de oportunidade. A relação positiva entre o encadeamento de consequências das ações e seu "custo" maior em termos de alternativas abandonadas é intrínseca e inescapável. A partir de cada ato realizado por um agente, segue-se uma restrição adicional sobre ação que resulta do bloqueio de mais uma série de possibilidades que se ramificam, que em um momento determinado estiveram abertas, e agora foram afastadas. E tampouco o agente pode evitar, por inação ou atraso, a redução do espaço para ação que é a contrapartida necessária à própria ação. O afunilamento do campo de possibilidades "abertas" à medida que a idade avança é inexorável. Possibilidades abertas desaparecem por conta própria, e oportunidades breves devem ser agarradas, por mais custosas que elas possam ser em termos de *outras* oportunidades. A idade, como a infância, é sem oportunidades, mas difere da infância no sentido de que é vivida à sombra dos (agora quase infinitos) custos de oportunidade de ações realizadas há muito tempo. Os riscos foram aceitos com o conhecimento de que eles representavam, no melhor dos casos, apostas perdidas, mas aqueles eram os termos mais favoráveis em oferta, aqueles com os custos de oportunidade aparentemente menores. Agora a teia escura de causalidade foi revelada. Custos de oportunidade que em um determinado momento eram meramente hipotéticos agora têm magnitudes confirmadas, porque eles podem ser calibrados contra o registro aceitado das vicissitudes do destino. Mas mesmo assim ainda resta uma dúvida residual. É possível que agora estejamos seguros de como as coisas realmente acabaram sendo, considerando que há muito tempo nós considerávamos que nossas melhores oportunidades estavam em certas direções e agíamos de acordo com isso, e, portanto, abandonávamos certas possibilidades alternativas que eram em um determinado momento abertas para nós. Mas será que teríamos motivos reais para supor que nossas avaliações posteriores daquilo que "teria acontecido" se tivéssemos feito escolhas alternativas entre nossas opções viáveis naquele momento teriam uma base sólida? Se presumirmos que em um determinado momento existiu um mundo em que poderíamos ter "escolhido diferentemente" e sofrido consequências diferentes, aquele mundo teria de ter sido diferente também de outras maneiras, porque, se não fosse por isso, não teríamos escolhido de maneira diferente, mas sim exatamente como o fizemos, a menos que nossas ações fossem aleatoriamente ditadas. No momento em que começamos a avaliar ações e resultados no mundo real contra o padrão imaginário de cenários alternativos que resultariam de possibilidades que em um momento estiveram abertas, mas subsequentemente se fecharam, entramos em uma área de incerteza radical. Realmente não há meio de saber quais teriam sido as consequências de uma ação não realizada. Embora custos de oportunidade tornam-se cada vez maiores e cada vez mais computáveis, eles nunca deixam de ser, em última análise, subjetivos.

Mas a fim de elaborar uma teoria de tempo social que capte não apenas a superfície organizacional, mas a fatalidade da existência humana, é necessário voltar uma vez mais para o problema de cognição do tempo, isto é, para o tempo da série-A. Precisamos de uma teoria de cognição do tempo que seja baseada na noção do cálculo de custos de oportunidade por meio de retrospecção e prospecção, os processos cognitivos por meios dos quais nós nos situamos no tempo e à luz dos quais as ações no tempo são determinadas internamente. Nenhuma teoria desse tipo existe na antropologia nem na psicologia convencional do tempo. Mas os filósofos estiveram muito mais próximos de compreender o tempo dessa maneira, especialmente os filósofos fenomenológicos na tradição de Husserl. Portanto, é para o modelo de Husserl de consciência interna temporal que me voltarei a seguir.

O modelo da consciência interna do tempo de Husserl

Neste capítulo volto-me para o caráter subjetivo do tempo. Tempo subjetivo é ao mesmo tempo o aspecto mais familiar e mais surpreendente da temporalidade. Com cada momento em que estamos acordados sentimos a passagem do tempo, e nossas vidas cotidianas são vividas dentro de um conjunto de "horizontes" temporais que se movem continuamente, como a paisagem vista das janelas de um trem em movimento, embora sempre mantendo sua continuidade subjacente e a uniformidade de sua estrutura. O tempo que experimentamos imediatamente – em oposição ao tempo que "construímos" como parte de um esquema cultural ou de uma teoria científica sobre como o mundo funciona – é o tempo da série-A.

Uma maneira útil de começar uma discussão da sociologia do tempo da série-A é fazendo um esboço da teoria filosófica que exerceu a influência mais óbvia sobre os sociólogos recentes do tempo da série-A, em particular Schutz e Bourdieu. A teoria em questão não teria sido categorizada como "filosofia" por seu criador Husserl, o pioneiro da fenomenologia, e sim como "psicologia" (isto é, psicologia fenomenológica). A ambição de Husserl era construir uma epistemologia e filosofia da ciência "sem pressuposições" (principalmente as pressuposições "realistas ingênuas" do empirismo positivista) e, como um prelúdio para a construção dessa "filosofia fenomenológica", ele levou a cabo uma série muito cuidadosa de investigações sobre processos cognitivos de todos os tipos (percepção, ideação etc.), inclusive uma renomada explicação da "psicologia da consciência temporal interna" (HUSSERL, 1966) da qual irei resumir alguns dos temas principais nessa conjuntura. A explicação de Husserl para a consciência temporal exerceu uma influência significativa nos desenvolvimentos subsequentes na filosofia europeia. Grandes porções das obras de Heidegger, Sartre e Merleau-Ponty podem ser resultado do estímulo fornecido por esse texto específico de Husserl, mas esses desenvolvimentos não podem ser discutidos aqui. A teoria de Husserl merece ser considerada em detalhe porque ela continua sendo a explicação mais cuidadosa e mais complexa do tempo subjetivo disponível, mesmo depois de todos esses anos.

Husserl começa considerando as ideias sobre o tema da consciência temporal de seu professor, o psicólogo introspectivo e protofenomenologista Brentano. Brentano estava interessado no problema da continuidade do "presente" subjetivo/perceptual considerando a ideia convencional de que o presente é um gume de faca entre o futuro e o passado. Esse é o problema que levou William James a formular sua teoria do "presente ilusório" em termos que têm muitos pontos de semelhança com a explicação dada tanto por Brentano quanto por Husserl (JAMES, 1963). Brentano se perguntou como somos capazes de ouvir um tom contínuo de uma nota lá tocada no oboé que dura 5 segundos, como uma duração contínua. No momento em que estamos no quarto segundo do tom, o primeiro segundo já não está presente e já não é mais audível; mas perceptualmente falando, ele ainda é um componente do tom que estamos ouvindo no presente. Brentano supõe que ouvimos apenas o tom presente no agora, mas que enriquecemos essa audição com "associações" que se originam de experiências auditivas anteriores na sequência. Fazemos, disse ele, "uma associação primordial" entre o tom que estamos ouvindo naquele momento e aquilo que somos capazes de reproduzir em uma fantasia daquilo que acabamos de ouvir. Em outras palavras, Brentano tem um modelo baseado na memória de curto prazo: "ouvir um tom contínuo" consiste em formar associações entre o insumo auditório e insumos tocados outra vez a partir da memória de curto prazo. O passado recente é "alimentado para frente" [*fed forward*] (para usar a terminologia da cibernética) e comparado com o insumo presente: se há uma comparação, então há percepção de um "objeto temporal" temporalmente contínuo (um tom que dura).

As ideias de Husserl são cognatas com aquelas de seu predecessor, mas ele introduz algumas distinções adicionais, que são necessárias a fim de vencer a dificuldade criada pelo fato de podermos distinguir claramente entre "lembrar" a experiência de ouvir uma nota lá tocada no oboé, como um evento consumidor de tempo que ocorreu no passado, e o tipo de *feed-forward* do passado recente que está envolvido na geração da impressão de continuidade no presente. A solução de Brentano para o problema da continuidade não funcionará se a "associação primordial" entre o primeiro e o quarto segundo do tom lá exigir que revivamos o primeiro segundo como um "momento presente" fantasiado ao mesmo tempo em que experimentamos o quarto segundo do tom no presente real, porque isso significa que há uma multiplicidade de momentos "agora" (associados uns com os outros, mas distintos) e não apenas aquele único "agora" que se estende até o passado e está aberto na direção do futuro. O efeito é uma fragmentação de "agoras" como molduras individuais de um filme cinematográfico com relacionamentos associativos entre eles. Husserl supera esse problema distinguindo entre "retenções" de experiências e "reproduções" de experiências. "Retenções" (que ele contrasta tanto com percepções quanto com memórias) são aquilo que temos das partes temporalmente removidas a partir da perspectiva do momento "agora"; "reproduções são *replays* de ação de experiências passadas de eventos levadas a cabo a partir do ponto de vista de um 'agora' lembrado ou reconstruído no passado".

Husserl trata "retenção" e seu congênere orientado para o futuro, a "protensão" não como memórias ou antecipações fantasiadas de outros "agoras" associados com o "agora" presente, mas como horizontes de um presente temporariamente estendido. Em outras palavras, ele abandona a ideia de um presente gume de faca, um limite – ele próprio sem duração – entre a duração passada e a duração futura. O "limite" permanece como o "agora"-momento, mas o "agora" e o "presente" podem ser distinguidos. O presente tem sua própria densidade e difusão temporal. Ao ouvir o segundo final do tom de lá de 5 segundos, não me "lembro" (reproduzo) o primeiro segundo; estou consciente apenas de um único tom, que se prolonga no único momento presente que inclui o tom inteiro, mas dentro do qual esse tom está sujeito a uma série contínua de "modificações" causadas por uma série de mudanças da perspectiva temporal à medida que o presente se revela e se transforma.

A distinção de Husserl entre retenção e reprodução faz com que seja possível conceitualizar a maneira pela qual a experiência temporal tem coerência do ponto de vista do presente: a "consciência retentiva" é a visão perspectiva que temos de fases passadas de uma experiência do ponto de vista de um momento "agora" que desliza para frente, e com relação ao qual as fases passadas de nossa experiência do presente são empurradas inexoravelmente para trás. A reprodução de algum evento relembrado, ao contrário, envolve o abandono temporário do atual "agora" como o ponto focal ao redor do qual as perspectivas retentivas coerem, a favor de um "agora" fantasiado no passado que nós adotamos a fim de rebobinar os eventos mentalmente.

As retenções, ao contrário das reproduções, são todas uma parte da atual consciência do presente, mas estão sujeitas a distorção ou diminuição na medida em que são empurradas para trás na direção das extremidades de nossa consciência atual daquilo que nos cerca. Temos também visões "perspectivas" de fases futuras de eventos atuais à medida que eles emergem do futuro imediato. E Husserl sugere, da mesma maneira, que devemos distinguir entre o que é visto como continuações dos eventos presentes e futuros que reproduzimos do ponto de vista de um futuro presente fantasiado. Às visões perspectivas que temos do futuro imediato Husserl chama de "protensões". Retenções e protensões são formas da categoria husserliana básica de "intenções" pela qual ele quer dizer, não as "inclinações para fazer algo" como no inglês padrão, mas todas as relações conectando *noesis* (processos de cognição) e *noema* (aquilo que é percebido). Relações intencionais entre *noesis* e *noema* surgem no processo de perceber algo, de lembrar algo, de acreditar em algo, de imaginar algo e assim por diante; na filosofia moderna, as intencionalidades são muitas vezes chamadas de "atitudes proposicionais" (HINTIKKA, 1969).

A fim de expor suas ideias, Husserl faz uso de um diagrama do qual a Figura 23.1 é uma versão. A linha horizontal A → B → C → D corresponde à sucessão de momentos agora estendidos entre o passado e o futuro. Suponhamos que estamos em B: nossas crenças perceptuais são simbólico-indexicalmente verdadeiras (ou seja, atualizadas) em B. A paisagem temporal em B consiste da experiência perceptual do agora-presente da situação em B mais retenções de A, (como A' – afundando-se no passado). A' é uma "modificação" do A original, aquilo com que A se parece a partir de B, isto é, atenuado ou diminuído, mas ainda presente. Talvez possamos pensar na "modificação" de A na medida em que ele afunda no passado (A → A' → A'' → A'''...) como uma *perda gradual de verossimilitude* que afeta as avaliações perceptuais que foram tidas em A à medida que essas são substituídas pelas avaliações perceptuais tidas em B, C, D etc. Nossas crenças perceptuais simbólico-indexicais não se tornam inaplicáveis simplesmente em virtude da passagem do tempo, mas apenas gradativamente porque o mundo não muda todo de uma vez em todos os aspectos. Já não podemos, em B, dizer que a situação em A ocorre "agora" em virtude da mudança do índice temporal; mas muitas das características de A têm contrapartidas em B. O desvanecimento do pano de fundo do passado imediato como retenções sucessivamente mais fracas (A' → A'' → A'''...) corresponde à divergência crescente em conteúdos entre crenças passíveis de serem mantidas como simbólico-indexicalmente verdadeiras em A e pontos cada vez mais distantes na sucessão de momentos "agora" (A'/B, A''/C, A'''/D etc.) Mas crenças simbólico-indexicais defasadas ainda são relevantes porque é apenas à luz dessas divergências entre crenças defasadas e atuais que podemos captar a direção que os eventos a nosso redor estão tomando, e, portanto, nos permitindo formar protensões na direção de fases futuras da situação atual.

Figura 23.1 O modelo de consciência interna do tempo de Husserl

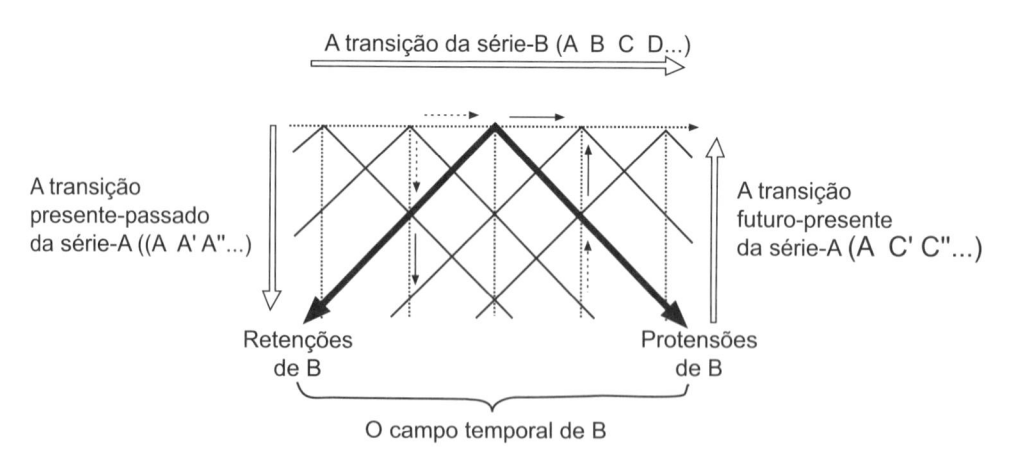

Retenções, portanto, podem ser interpretadas como o pano de fundo de crenças defasadas contra as quais crenças mais atualizadas são projetadas e tendências e mudanças significativas são calibradas. À medida que as crenças tornam-se mais seriamente defasadas, sua relevância é reduzida e elas se perdem de vista. Assim nós percebemos o presente não como um "agora" de gume de faca, mas sim como um campo temporalmente estendido dentro do qual emergem tendências dos padrões que nós discernimos nas atualizações sucessivas de crenças perceptuais relacionadas com o passado imediato, o passado mais imediato seguinte, e o seguinte, e assim por diante. Essa tendência é projetada no futuro na forma de protensões, isto é, de antecipações do padrão de atualização de crenças perceptuais atuais que serão necessárias no futuro imediato, no futuro mais imediato seguinte, no próximo de uma maneira simétrica com o passado, mas em uma ordem temporal inversa.

Husserl não descreve as coisas dessa forma (isto é, em termos de crenças perceptuais, uma expressão que tomei emprestado de Mellor) falando apenas de retenções como "modificações" das percepções. Podemos concordar com ele, pensando sobre essas modificações como se fossem análogas a diminuições e atenuações perspectivais porque essa é uma metáfora visual poderosa, embora seja preciso ter em mente que a perspectiva temporal e a visual têm origens totalmente diferentes.

Voltemos, então, para a própria explicação de Husserl para seu modelo. Em B, A é mantido como A^I (A^I é A visto por meio de certa densidade de tempo) e C é protendido como C', o candidato favorito como sucessor de B. O tempo passa, e C^I se realiza como C (presumivelmente não exatamente como antecipado, mas mais ou menos). B agora está mantido na consciência como B^I, relacionado com o (atual) C como A^I foi para B quando B era atual. Mas como é que A se relaciona com C? Do ponto de vista de C, A já não é mantido como A^I porque isso seria colocar A^I e B^I no mesmo nível, e não consegue refletir o fato de que quando B (atualmente B^I) era atual, A era mesmo então apenas uma retenção (A^I). Consequentemente, do ponto de vista de C, A tem de ser mantido como uma retenção de A' que é, ele próprio, uma retenção de A: isso é como A^{II}. Isso talvez possa ser expresso mais claramente com o uso de parênteses. Assim: $A \rightarrow (A)B \rightarrow ((A)B)C \rightarrow (((A)B)C)D \rightarrow$ etc. em que os parênteses únicos significam "retenção", parênteses duplos "retenção de uma retenção", parênteses triplos "retenção de uma retenção de uma retenção" e assim por diante.

Husserl diz que como A desce para A^I em B, A^{II} em C e A^{III} em D e assim por diante, A torna-se uma retenção, depois uma retenção de uma retenção, depois uma retenção de uma retenção de uma retenção e assim por diante até alcançar o estágio de atenuação final e de se esconder por trás do horizonte temporal. O efeito desse argumento é abolir a distinção sólida e rápida, ainda aparente no argumento de Brentano, entre o presente dinâmico e o passado fixo e imutável. Passado, presente e futuro são todos a mesma coisa, e todos igualmente dinâmicos no modelo de

Husserl (incorporando uma importante verdade cognitiva) porque qualquer modificação, em qualquer parte do sistema, estabelece modificações correlativas em todas as partes do sistema. Assim a modificação no presente que converte C em C' automaticamente implica modificações correspondentes em todas as partes (B' → B'', A'' → A''', D' → D etc.). "O passado inteiro se afunda em uma massa, levando todos seus conteúdos organizados com ele" (FINDLAY, 1975: 11). Mas o passado não simplesmente "afunda" à medida que o presente avança; ele muda sua significância, é avaliado de maneiras diferentes e estabelece padrões diferentes de protensões, de acordo com a maneira pela qual o presente evolve. Esse passado dinâmico e o futuro que continuamente altera em sua complexão não podem ser acomodados no tempo da série-B, porque do ponto de vista estrito da série-B, tanto o passado quanto o futuro são inalteráveis. Mas ao fornecer seu modelo de retenções, protensões, modificações etc. Husserl não está descrevendo um processo físico arcano que ocorre a eventos à medida que eles se avultem no futuro, se atualizem no presente e afundem no passado, mas está descrevendo o espectro mutante de intencionalidades que conecta o sujeito que vivencia e o mundo focado no presente que ele vivencia. "Modificação" não é uma mudança no próprio A, e sim uma mudança em nossa visão de A como resultado de acréscimos de experiência. É só na consciência que o passado é modificável, não na realidade e não de acordo com a lógica do tempo "real": no entanto, o fato de a modificação ocorrer é inegável.

Husserl resume sua visão da consciência interna temporal na seguinte passagem:

> Cada "agora" real da consciência está sujeito à lei de modificação. Ele se transforma na retenção de uma retenção e o faz continuamente. De acordo com isso, portanto, surge um *continuum* regular de retenções tais que todo o último ponto é a retenção de todo ponto anterior. Cada retenção já é um *continuum*. Um tom começa e continua gradativamente: sua fase-agora se torna uma fase-foi, e nossa consciência impressional flui por sobre ele, sempre em uma nova consciência retencional. Descendo a corrente, cada retenção anterior é substituída por outra nova. Cada retenção posterior não é meramente uma modificação contínua que resulta de uma impressão original: ela é também uma modificação contínua de todas as modificações anteriores do mesmo ponto de partida (1928: 3990, apud FINDLAY, 1975: 10).

Se compreendi Husserl corretamente, acho que podemos tratar o eixo horizontal do diagrama como representando a sequência de eventos ou situações datadas da série-B (A → B → C → D...) e o eixo vertical como as "mudanças" da série-A nos eventos à medida que eles adquirem e perdem características de tempos verbais da futuridade/presentidade/passado (A → A' → A'' → A'''...). Da perspectiva da série-B, eventos não mudam; eles *são* mudanças: mas da perspectiva da série-A eventos realmente sofrem um tipo de mudança, exatamente como nossa visão de uma paisagem muda à medida que nos vamos deslocando nela e a observamos de ângulos diferentes.

Da mesma maneira eventos futuros não mudam realmente como resultado de irem se tornando, de nosso ponto de vista, menos indefinidos, mais iminentes e poderem ser antecipados com graus crescentes de precisão à medida que se aproximam. Mas temos uma forte compulsão para vê-los nessa luz. O modelo de Husserl trata isso por meio de um *continuum* de modificações protensionais contínuas. Protensões são continuações do presente à luz do tipo de todo temporal ao qual o presente parece pertencer: "Estar ciente de um todo incompletamente em desenvolvimento e, à medida que ele desenvolve, é ainda estar sempre ciente dele como um todo: o que ainda não está escrito em alguma coisa, está escrito como algo que ainda deve ser escrito naquela coisa" (FINDLAY, 1975: 9).

As protensões não são antecipações de outros momentos-em-ser presentes, mas projeções da evolução subsequente dele. Como tal, as protenções podem ser desapontadas ou decisivamente satisfeitas à medida que o presente evolve. Faz uma grande diferença para a avaliação de um evento ou situação se ele foi protentido de uma maneira extremamente diferente ou nada diferente da maneira em que ele realmente ocorre. Assim, se C^{l} (futuro) protentido de B for muito diferente de C como ele realmente ocorre, isso fará uma diferença para a maneira em que C^{l} (passado) é mantido subsequentemente em D. A maneira como um evento foi antecipado (ou não antecipado) como um evento futuro faz uma diferença para a maneira pela qual aquele evento é integrado no passado.

24
O ciclo temporal-perceptual

O próximo passo na construção de uma explicação geral da cognição do tempo deve ser colocar o modelo protensional-retencional de Husserl no contexto de uma teoria psicológica de percepção apropriada. Não é difícil fazer isso. O modelo de Husserl já está a meio caminho de ser uma teoria psicológica do tipo necessário e ela pode realmente ter influenciado indiretamente a construção da teoria de percepção generalizada que estou a ponto de esboçar, que se origina da obra do conhecido psicólogo cognitivo Ulric Neisser (1976). Embora tenha havido muita atividade no campo da psicologia cognitiva desde 1976, quando Neisser publicou sua explicação do "ciclo perceptual" na qual a explicação que se segue da percepção do tempo está baseada, estou razoavelmente confiante de que o modelo de Neisser ainda tem um grau considerável de apoio consensual entre psicólogos cognitivos em termos amplos, ainda que não em todos os detalhes. É por certo perfeitamente suficiente para os objetivos da presente discussão e ela tem a vantagem de um alto grau de compatibilidade formal com o conceito husserliano de tempo subjetivo, que acabamos de introduzir.

Psicólogos cognitivos como Neisser enfatizam o lado "ativo" da percepção. Perceber é comparar um insumo perceptual com um esquema armazenado. Essa ideia é fácil de transmitir no caso dos canais perceptuais subusados (como o tato) do que no caso de nossos sentidos mais usados (como a vista). Se nossos olhos estão vendados, e nos dão um pequeno objeto pedindo que o identifiquemos, o mero registro passivo seria normalmente insuficiente para desempenhar essa tarefa. Para descobrir que o pequeno objeto era, digamos, um descascador de batata, seria necessário algum grau de manipulação ativa, e sem isso seria fácil confundi-lo com um descaroçador de maçãs, ou mesmo com uma pequena faca de cozinha comum. Essa interrogação "ativa" do objeto percebido, a fim de compará-lo com um esquema, Neisser chama de "amostragem". O resultado da amostragem ativa e o sucesso – total ou parcial – ou o fracasso das tentativas de comparar a informação com um esquema armazenado dá lugar a outra característica ativa da cognição, ou seja, a modificação do estoque de esquemas à luz da experiência subsequente. Essa visão ativa da percepção contrasta com a noção passiva de percepção como o registro de insumo para o qual a pessoa que percebe é totalmente irresponsável. Resumindo sua visão, Neisser escreve:

> A percepção é realmente um processo construtivo, mas o que é construído não é uma imagem mental que aparece na consciência, onde é admirada por um homem interno. A cada momento o perceptor está construindo antecipações de certos tipos de informação que permitem que ele o aceite à medida que se torna disponível. Muitas vezes ele deve explorar ativamente o conjunto ótico (ou auditivo, ou do tato) movimentando os olhos, a cabeça ou o corpo. Essas explorações são direcionadas pelos esquemas antecipatórios, que são planos para ações perceptuais... O resultado das explorações – a informação captada – modifica o esquema original (antecipatório). Assim modificado ele guia novas explorações e fica pronto para mais informação (NEISSER, 1976: 2001).

Segundo Neisser, a percepção é um processo cíclico que tem três fases distinguíveis: (1) insumo de informação do mundo externo, com base em movimentos exploratórios ou "amostragem"; (2) a aplicação de um esquema apropriado, a partir do estoque de esquemas disponíveis ao perceptor, para interpretar essa informação; e (3) a iniciação (com base no resultado da fase (2)) de novos movimentos exploratórios ou "antecipações" perceptuais. Essa característica de "triplicidade" convida a uma comparação imediata com a distinção tripla de Husserl entre intencionalidades orientadas para o passado (retenções), para o presente (percepções) e para o futuro (protensões). Parece razoável observar que há um paralelismo entre esquemas e retenções, movimentos exploratórios e protensões e entre construtos do ambiente presente e "percepções". Ou seja, a percepção do presente fugidio é uma fase em um processo mais abrangente, por meio do qual retenções do passado são alimentadas para adiante como antecipações do futuro.

Superficialmente, o modelo protensional-retencional de Husserl e o conceito do ciclo perceptual de Neisser parecem ser destinados a lidar com questões intelectuais desconectadas e distintas. O modelo de Husserl é um modelo de percepção do tempo ou "consciência interna do tempo" – se não da própria série-A; enquanto o modelo de Neisser é um modelo de percepção, que o autor não introduz como tendo qualquer coisa intrinsecamente a ver com a psicologia do tempo. No entanto, se as "protensões" de Husserl coincidem com as "antecipações" de Neisser, as retenções de Husserl coincidem com os "esquemas" de Neisser, e se o arcabouço geral husserliano de cognição como "intencionalidade" coincide essencialmente com a noção de percepção como uma atividade do psicólogo e não como um registro passivo do mundo externo, então há razão suficiente para suspeitar que os dois modelos são substancialmente idênticos.

Essa convergência formal tem uma implicação importante e óbvia, ou seja, que a percepção é intrinsecamente percepção do tempo e, reciprocamente, a percepção do tempo, ou consciência interna do tempo, é apenas a própria percepção e não um tipo especial de percepção empreendida por sentidos com objetivos especiais de percepção do tempo. Ou seja, o tempo não é algo que encontramos como uma característica da realidade contingente, como se ele estivesse fora de nós, esperando para ser percebido como mesas e cadeiras e o resto dos conteúdos perceptíveis do universo. Em vez disso, o tempo subjetivo surge como uma característica inescapável do próprio processo perceptual, que entra na percepção de qualquer coisa, seja ela o que for. O tempo como uma dimensão abstrata não tem nenhuma forma perceptível, e nesse sentido não existe nada chamado percepção do tempo. Há apenas percepção do mundo em geral, em todos seus aspectos que, se ele muda ou não, é percebido por meio de um processo cognitivo que consiste do "ciclo perceptual" endógeno, ou das "modificações retencionais" de Husserl, isto é, por meio de um processo cognitivo que consiste de mudanças ou diferenças cumulativas que ocorrem com o passar do tempo.

O tempo da série-A, o tipo de tempo que está modelado no diagrama da série-A de Husserl, não é, em última análise, um tipo de "tempo" de forma alguma, e sim um processo particular que ocorre no tempo e que é intrinsecamente temporal, ou seja, percepção ou, mais geralmente, cognição, a atividade exploratória ativa da mente que ocorre o tempo todo e por meio da qual o tempo nos afeta subjetivamente.

As fases do ciclo perceptual de Neisser podem ser mais ou menos identificadas com três "faculdades" da mente tradicionalmente reconhecidas: a faculdade da memória (do passado imediato), a faculdade da percepção (do presente imediato) e a faculdade da imaginação ou previsão (do futuro imediato). Mas no modelo do ciclo perceptual essas três faculdades são reveladas não como independentes, mas como fases ou momentos de um único processo cíclico. A diferença é que, enquanto no caso das antigas psicologias de faculdades a "percepção" era restrita ao registro passivo de insumos, no modelo cíclico a percepção adquiriu um sentido novo e expandido que abarca as operações da memória (a fonte dos esquemas com os quais insumos são contrastados e à luz dos quais eles são interpretados) e também a previsão (que dirige os movimentos exploratórios que produzem insumos perceptuais).

O ciclo perceptual de Neisser é um descendente dos modelos psicológicos "cibernéticos" de Miller, Pribram e Galanter (1960) na teoria do comportamento. A modificação dos esquemas corresponde à noção cibernética de retroalimentação (isto é, a atualização de um esquema é a operação de retroalimentação da exploração perceptual sobre o repertório de esquemas perceptuais mantidos pelo organismo) enquanto a operação de "antecipação" corresponde à noção cibernética de alimentação para adiante (exploração perceptual é dirigida pela alimentação para adiante de esquemas previamente estabelecidos). Podemos propor, portanto, que a noção da série-A do "passado" como algo que sofre modificação continuamente, como no modelo de

Husserl, é o resultado cognitivo temporal do processo cibernético de retroalimentação que continuamente renova o estoque de esquemas que constitui a representação interna da realidade mantida pelo sujeito. Reciprocamente, a noção da série-A do "futuro" corresponde ao processo de alimentação para adiante pela qual o conteúdo das representações internas (esquemas) passa a ser a base para a antecipação, exploração e envolvimento com o mundo. O passado e o futuro não têm qualquer base ontológica absoluta, mas são aspectos do funcionamento cognitivo do organismo, obrigado a lutar com um mundo (ou seja, o verdadeiro mundo ontologicamente estendido no tempo da série-B) que transcende a área acessível da subjetividade, formando representações internas dela, que são continuamente modificadas e atualizadas.

Se compararmos a ideia central de Husserl de "modificação" com a ideia análoga empregada por Neisser (retroalimentação cibernética), então estamos em uma posição para oferecer uma crítica construtiva do modelo de Husserl como é no momento. Porque é claro que não há nada no modelo de Husserl que corresponda à ideia de "alimentação para adiante" e, no entanto, o modelo inteiro depende dela. Se examinarmos uma vez mais o diagrama de Husserl (Figura 23.1) vemos uma rede de protensões sondando o futuro. Mas quais são as origens da situação estipulada assim protendida como o futuro iminente de um presente determinado? Situações protendidas não podem ter nenhuma outra base além de serem versões extrapoladas (modificadas) do passado. Em outras palavras, "protensões" são intencionalidades direcionadas para versões de alimentação para adiante do passado, mas esse tipo de alimentação das retenções como protensões não está explicitamente representada no modelo de Husserl, fazendo surgir a ilusão de que as protensões estão indo na direção de algum "futuro" real ontológico e não na direção de um futuro meramente "estipulado" que se origina das retenções, modificadas e alimentadas para adiante, do passado. O diagrama de Husserl pode ser reformulado para incorporar a alimentação para adiante, e com isso passa a ser essencialmente idêntico ao modelo de ciclo perceptual de Neisser (Figura 24.1).

Tendo estabelecido a ideia de que a percepção do tempo é coextensiva com a percepção *per se*, e mais geralmente, que a cognição do tempo é coextensiva com a cognição como um processo, o próximo passo no argumento deve ser articular o relacionamento entre o "tempo" processual/perceptual/cognitivo da série-A e o tempo da série-B, isto é, o tempo ontologicamente real, que não é um aspecto de funcionamento cognitivo e sim uma característica do desenho do mundo objetivamente real. Aqui é útil introduzir uma analogia com a percepção/cognição espacial. Há uma semelhança óbvia entre espaço "subjetivo" (isto é, o espaço quando visto de um conjunto de coordenadas egocêntricas com objetos exibidos em perspectiva, diminuindo e desaparecendo na distância) e o tempo da série-A, que depende da "perspectiva" do momento "agora" momentâneo. Mas, como foi observado acima (capítulo 17), simplesmente porque objetos sólidos retangulares "parecem" com trapezoides irregulares quando vistos em perspectiva, isso não significa que acreditamos que eles possuem quaisquer atributos em si mesmos que dependam de nosso ponto de vista perspectivo específico quando os vemos de nossas próprias coordenadas espaciais. Eles são como são (isto é, retangulares), não importa como podem parecer, momentaneamente, para nós. Seus atributos espaciais "reais" são aqueles que seriam registrados não em uma visão perspectiva, mas em um conjunto de planos de um desenhista, no qual os ângulos retos seriam consistentemente representados como ângulos retos, e assim por diante. Da mesma forma, para representar a "verdade" espacial sobre uma paisagem é necessário um mapa ou seu equivalente, não um esboço topográfico, por mais que esse seja executado realisticamente, ou uma fotografia, tirada de um ponto de vantagem específico na paisagem a ser representada. A distinção entre o "plano" de um objeto, ou o "mapa" de um lugar, e uma "visão" ou "imagem" de um objeto ou de um lugar ditado por um conjunto específico de coordenadas de "perspectiva" corresponde à distinção lógica entre "elocuções", proposições, verdades etc. "não indexicais" e "indexicais". Isto é, se considerarmos um desenho de um objeto em perspectiva como um tipo de "elocução" (que ele realmente é) então é uma elocução que só é "verdadeira" se for articulada em certas coordenadas espaciais, isto é, aquelas que ditam precisamente as diminuições, as reduções e mudanças nas relações angulares mostradas naquela visão perspectiva e não em todas as outras possíveis. Mas um plano ou um mapa não é indexicamente verdadeiro se ele for de alguma forma verdadeiro, isto é, se ele tem condições de verdade que são as mesmas, seja qual for a perspectiva da qual o objeto representado é visto, por um observador que considera esse plano, ou esse mapa, como uma "representação verdadeira" do objeto.

Figura 24.1 O modelo de Husserl como um ciclo perceptual

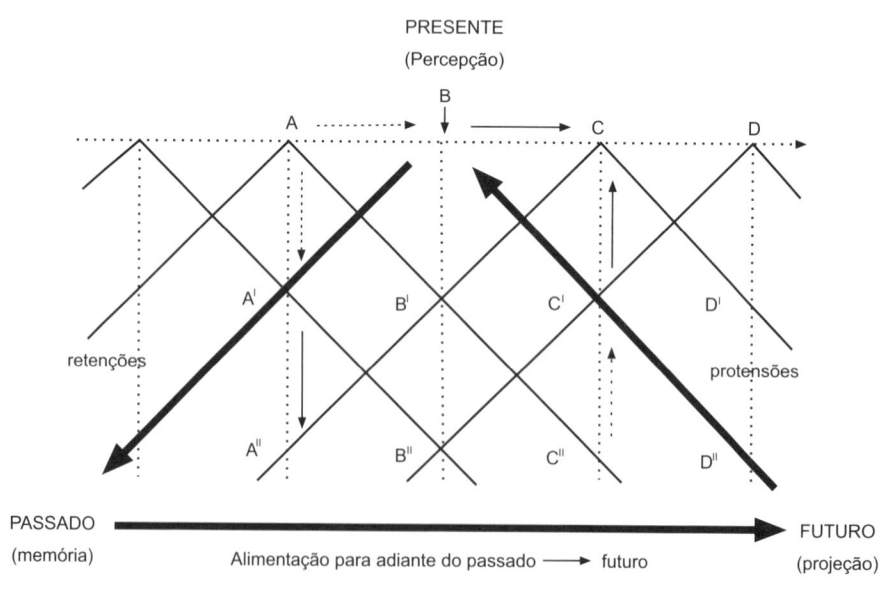

218

As proposições ou crenças "flexionadas" são análogas a vistas perspectivas por terem condições de verdade indexicais. Assim, dizer "Vou para Birmingham hoje" é verdade se dito nos dias em que a viagem para Birmigham ocorre, e não em nenhum outro dia, enquanto a afirmação não flexionada "Alfredo vai para Birmingham dia 14 de maio de 1999" se é verdadeira agora, não foi menos verdadeira em 1066, e será igualmente verdadeira em 2001. A distinção entre elocuções, crenças, representações etc. indexicais, "flexionadas", ou "perspectivais" *versus* não flexionadas, não indexicais, ou crenças, representações etc. de "mapa" já foi apresentada na discussão (capítulos 17 e 18) da defesa que Mellor faz da realidade do tempo da série-B. No decorrer da discussão, mencionamos o fato de indivíduos sensíveis terem dois tipos de "crenças" sobre o mundo, que Mellor descreve em termos de um fluxo transiente de crenças "flexionadas" perceptuais e indexicais que se originam do processo de percepção, por um lado, e um estoque de crenças não indexicais e não flexionadas por outro. O problema, como observa Mellor, é agir sempre de uma maneira "temporalmente adequada" com base nas crenças indexicalmente verdadeiras sobre aquilo que é a coisa certa a ser feita *agora* diante das dificuldades duplas de que (1) as crenças flexionadas estão continuamente se tornando falsas, de forma automática, porque já não ocupamos as únicas coordenadas que garantiam sua verdade fugidia e (2) que crenças não flexionadas, mesmo se verdadeiras, não são por definição do tipo que se aplica a coordenadas particulares e, portanto, não pode fornecer o estímulo para uma ação no momento apropriado. Há uma única solução para essas dificuldades que é estabelecer um sistema para converter crenças indexicalmente verdadeiras de verdade fugidia em crenças não indexicais que são potencialmente aplicáveis a todas as coordenadas e, reciprocamente, converter crenças não indexicais em um conjunto de crenças indexicalmente verdadeiras e equivalentes que correspondam em conteúdo a qualquer crença não indexical determinada, interpretada para conjuntos específicos de coordenadas indexicais.

Separadamente, publiquei um artigo (GELL, 1985b) tratando dessa questão com relação ao problema da navegação no espaço. Quando fazemos uso de um mapa (que é um conjunto de crenças espaciais não indexicais) permitimos que o mapa gere uma série de imagens mentais que correspondem, não ao próprio mapa, mas a certas visões perspectivais do mundo, cenas no nível da rua, por assim dizer, imagens que, se correspondem de alguma maneira àquilo que podemos realmente ver de nossas imediações atuais, nos permitem identificar nossa posição atual no espaço cartográfico. Os mapas precisam ser transformados em imagens para que se tornem úteis, porque o mundo nunca nos parece como ele aparece em um mapa. Mas, por outro lado, não importa quão exaustivo seja um conjunto de imagens indexicais que possamos ter armazenado, mostrando nossas imediações espaciais de todas as perspectivas possíveis, nenhuma dessas imagens tem qualquer utilidade do ponto de vista da navegação a menos que elas possam ser localizadas em um mapa.

O processo de navegação espacial consiste em transformar mapas (inclusive "mapas mentais", isto é, crenças espaciais não indexicais) em imagens e, reciprocamente, localizar imagens (crenças espaciais indexicais) em mapas.

Os mesmos tipos de consideração se aplicam a eventos no tempo da série-B que aquelas que se aplicam a lugares no espaço cartográfico. Voltando-nos para a Figura 24.2 podemos estabelecer as seguintes distinções. A série temporal B, para continuar com a analogia de navegação, pode ser identificada como o "território" – o desenho real de eventos no tempo – do qual nós, como indivíduos sensíveis, temos de formar representações, que tomam a forma de mapas. O território temporal da série-B é, no entanto, inacessível. Não temos nenhuma capacidade de conhecer eventos à medida que eles são projetados no tempo da série-B, mas somos obrigados a construir representações desse projeto a fim de "navegar" no tempo, isto é, a fim de saber como agir de uma forma temporalmente apropriada, a fim de minimizar nossos custos de oportunidade (cf. capítulo 22, acima). A representação interna que nós construímos do território temporal da série-B, consiste em um "mapa do tempo" da série-B ou um conjunto de inscrições de crenças temporais não indexicais. Mas essa representação interna ou mapa cognitivo do tempo da série-B não corresponde ao tempo perceptual. O tempo perceptual, o tempo que, ao contrário do tempo do território temporal da série-B, é acessível à consciência, é um fluxo contínuo de imagens da série-A, passando por uma sequência de modificações protensionais/perceptuais/retencionais descrita por Husserl. A Figura 24.2 mostra o ciclo temporal-perceptual como uma série de dois caminhos de conversões pelas quais a informação perceptual que entra é mapeada no mapa temporal interno, localizando naquele mapa as coordenadas que geram a imagem (ou esquema) que melhor corresponde ao insumo perceptual e, reciprocamente, faz-se com que o mapa gere antecipações ou protensões do futuro próximo que são alimentadas para adiante para orientar a exploração perceptual e, se necessário, a ação, com respeito ao território temporal real. Assim, no enclave da série-A – o círculo iluminado de nossa intuição –, imagens indexicais, geradas a partir de mapas cognitivos não indexicais, são comparadas com a informação que chega a partir da exploração perceptual e da manipulação física do ambiente, levando à formação de crenças perceptuais ("reparos indexicais"). Esses reparos indexicais simbólicos são então retroalimentados no corpo das crenças "cartográficas" internalizadas, que podem ser atualizadas se necessário.

O ciclo perceptual que subjaz a cognição em geral, e a cognição do tempo em particular, é então representada da seguinte forma:

1) Insumos para a percepção, causalmente condicionados pela interação entre a forma do território temporal da série-B e os movimentos perceptuais-exploratórios endogenamente produzidos daquele que percebe são comparados com as "imagens" alimentadas para adiante que se originam das crenças cartográficas

da série-B subjacentes. O resultado desse processo de comparação são crenças perceptuais simbólicas-indexicais especificando a situação das coisas "atuais".

2) A imagem que é "confirmada" como "verdadeira no presente" é então enviada de volta para o mapa cognitivo subjacente, e as coordenadas que geram aquela imagem específica são identificadas (isto é, "se a imagem A é verdadeira no presente, então, eu, como a pessoa que percebe, estou nas coordenadas x, y no mapa") Essas coordenadas podem ser as esperadas, e nesse caso o mapa é válido, ou podem ser inesperadas, e nesse caso o mapa pode ser modificado, crenças antigas sobre o mapa podem ser descartadas e substituídas por outras novas (retroalimentação).

3) Com base nas coordenadas determinadas mais recentemente, o ciclo recomeça por meio da geração de mais uma série de imagens do mapa dos insumos perceptuais do "futuro" próximo, que será comparado com o verdadeiro insumo resultante dos movimentos exploratórios apropriados etc.

Em termos gerais, a cognição temporal pode, portanto, ser conceitualizada como um relacionamento triangular entre percepção (insumo) memória (esquema, lembrança) e antecipação (previsão, projeção). A percepção pertence ao presente, a memória ao passado, a antecipação ao futuro. O ciclo básico vai da percepção (presente) para a memória (passado), para a antecipação (futuro), e assim por diante, em uma rodada sem fim. É a atividade contínua em que nós mesmos nos envolvemos, gerando imagens, comparando-as com o insumo perceptual e localizando-as em coordenadas em nossos mapas internalizados do mundo, que nos persuadem de que o futuro, o presente e o passado estão passando rapidamente por nós com um dinamismo incontrolável próprio. A atualização contínua de nossa crença perceptual dá lugar a nossa sensação interna de "tempo" como um processo dinâmico e não como uma simples característica dimensional do mundo real em que habitamos. Na passagem do tempo, no entanto, nós só encontramos o fluxo de nossos próprios poderes espirituais, que reificamos e projetamos no cosmos, que simplesmente é e não sabe nada do passado, do presente e do futuro.

As imagens perceptuais são mapeadas no corpo das inscrições-crenças da série-B que formam a base dos mapas mentais do tempo. Essas representações internas de tempo da série-B, além de fornecerem as coordenadas nas quais as imagens perceptuais são mapeadas, também geram modelos na forma de antecipações de nosso futuro imediato, que estão envolvidas no processo ativo da própria percepção. É somente na medida em que a informação que entra pode ser considerada como sendo correspondente a algo já *estipulado* (isto é, gerado do corpo de inscrições-crença) que as identificações perceptuais são possíveis, e surgem as crenças perceptuais. Portanto, nós temos dois tipos de imagem: aquelas que estão no passado imediato e são identificadas com as coordenadas no mapa e aquelas que são do futuro imediato e são geradas a partir desse mapa. A consciência interna do tempo consiste no fluxo pelo qual as imagens do futuro imediato (protensões nos termos de Husserl) são confirmadas (por meio de um processo de "amostragem" da informação perceptual que entra) como imagens do passado imediato (retenções) que são acrescentadas ao corpo das crenças perceptuais.

O modelo geral apresentado na Figura 24.2 mostra o modelo husserliano da consciência interna do tempo *encapsulada* e seu contexto da série-B, e não independentemente como apresentado originalmente (cf. Figura 23.1). A série-A, o mundo de imagens, o mundo de consciência subjetiva do tempo é um enclave dentro do mundo "real" da série-B, o mundo que é logicamente anterior, mas perceptualmente inacessível. A série-A é o mundo temporal que vivenciamos diretamente. Mas não é o "território" temporal, o próprio mundo real, estendidos no tempo quadridimensional da série-B do qual nós formamos as representações, também série-B em caráter, que são nossos mapas mentais do tempo. No território temporal da série-B existem apenas os eventos que ocorrem e, além disso, devem ocorrer por necessidade lógica (e não causal), já que se a proposição expressa no idioma de datas da série-B, que o evento *e* acontece na data D, for verdadeira agora, ela sempre foi verdadeira e sempre será verdadeira, e não poderia ser outra coisa a não ser verdadeira em seja qual for o momento. O território temporal é o desenho de eventos no universo quadridimensional: aquilo que torna as coisas que acreditamos sobre eventos no tempo atemporalmente verdadeiras ou falsas, mas ao qual não temos acesso diretamente. Não temos qualquer acesso direto ao território temporal porque toda nossa vida mental, todas nossas experiências, crenças, expectativas etc., são elas próprias eventos datáveis, confinados a suas molduras temporais localizadas, como todos os outros eventos datáveis. Embora algumas dessas crenças temporais possam, logicamente falando, ser verdadeiras em todos os momentos, o acreditar dessas crenças (chegar até elas, confirmá-las, mudá-las, ou seja o que for) são eventos no tempo. Nunca saberemos se nossas crenças temporais no modo logicamente "atemporal" são ou não "atemporalmente verdadeiras". O que *podemos* saber, por outro lado, é que as imagens formadas a partir da informação perceptual são *compatíveis* com as imagens geradas de nossos mapas do território temporal da série-B. O enclave da série-A está como o recheio de um sanduíche entre o território temporal "real" da série-B e as representações da série-B que nós mantemos na forma de simulacros ou "modelos" do mundo real. Nesses modelos internos da série-B nós baseamos nossos esquemas interpretativos para interpretar insumos perceptuais, e as "projeções" antecipatórias que subjazem nossas atividades no mundo real.

Figura 24.2 Um modelo geral da cognição do tempo

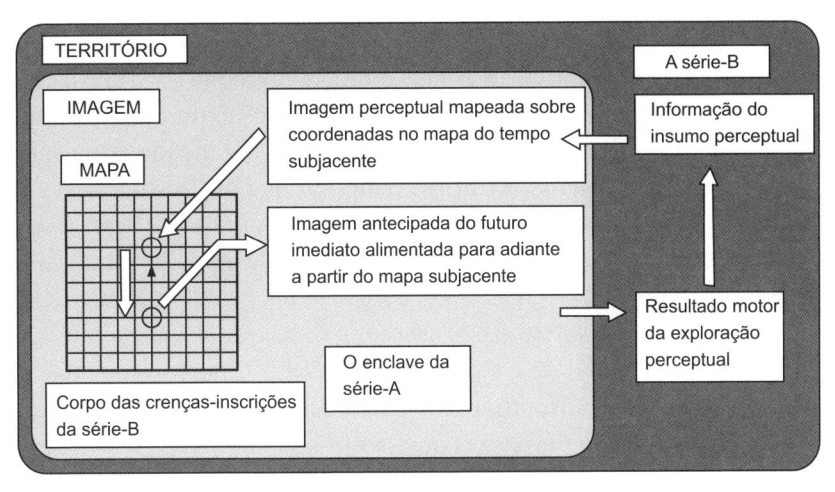

Mas a esta altura devemos introduzir o tema da multiplicidade dos "mundos possíveis". Há uma assimetria fundamental entre o território temporal "real" da série-B, e as representações que nós mantemos desse território na forma de mapas mentais do tempo. O "mapa" temporal preserva a lógica temporal da série-B do mundo "real", mas não o relacionamento entre o mundo real e o sujeito. Temos *acesso total* como sujeitos à multiplicidade quadridimensional que esses mapas representam. Não há qualquer experiência, que um ser humano é capaz de ter, que corresponda a uma visão da multiplicidade "real" quadridimensional espaçotemporal compreendida *sub specie aeternitatis*. Essa é a essência do tempo como um humano, em vez de ser meramente um fenômeno físico. Todos nossos interesses vitais, na saúde, riqueza, prole, salvação, dependem da disposição de eventos "reais" no tempo "real", mas não temos qualquer capacidade de exigir que esses eventos ocorram no tempo real porque, fisicamente falando, cada um de nós é apenas outra mancha de eventos, não pertencendo a qualquer outra categoria diferente dos eventos nos quais estamos tão interessados. Nossa felicidade depende de controlarmos o tempo e de transcendê-lo, mas o tempo somos nós: como diz Borges (1970), "o tempo é o rio que me leva para longe, mas eu sou aquele rio; o tempo é o tigre que me devora, mas eu sou aquele tigre". Nosso acesso ao tempo está restrito ao fluxo da série-A, por meio do qual nós interagimos com o tempo "real" via a mediação de mapas temporais que nos fornecem um substituto para o tempo real. Essas reconstruções do tempo da série-B não são a coisa verdadeira (o mapa é diferente do território), mas somos obrigados a depender delas.

Como os mapas do tempo não são a coisa real, eles são capazes de incluir eventos e situações que estão em relacionamentos de alternatividade uns com os outros, enquanto o território temporal é como é, sempre foi e sempre será. Essa é a diferença básica entre "tempo humano", isto é, o tempo como ele é conhecido por nós e o tempo "real". O mundo temporal ao qual temos acesso se encontra diretamente no lado mais próximo da linha divisória entre o território temporal e o enclave da série-A; o tempo "humano" em oposição ao tempo "físico" é um mundo encapsulado de imagens e mapas, construtos, crenças etc. Essa temporalidade encapsulada tem uma textura lógica diferente do território temporal que ela busca refletir, mais ou menos fielmente. Em particular, o tempo humano é *modalizado* (descritível, isto é apenas de acordo com uma lógica que admite valores de verdade alternativos "possíveis" para as proposições) enquanto não parece haver qualquer motivo, para mim pelo menos, para admitir à categoria de eventos e situações "reais" na multiplicidade da série-B eventos e situações que só existem possível ou "potencialmente".

Distingo claramente, portanto, entre a área do tempo humano (isto é, cognitivo) e a área do tempo físico: mesmo quando os seres humanos constroem mapas temporais da série-B (modelos internos do território temporal, à luz do qual eles interpretam sua experiência e formulam seus planos de ação), esses modelos são construídos de acordo com um padrão lógico que não é de forma alguma o mesmo que o modelo lógico conjeturável dos relacionamentos entre eventos e situações no substrato físico. O território temporal é um sistema fechado, único, determinista. Nossas representações internas desse território, na forma de mapas, são múltiplas, indeterminadas, e com texturas abertas em termos lógicos. E são assim em virtude da natureza imperfeita do conhecimento, da inacessibilidade das regiões espaçotemporalmente remotas da multiplicidade quadridimensional e pelo fato de muitas interpretações poderem ser dadas à informação que temos a nossa disposição. Os modelos internos que guiam a percepção e o comportamento são numerosos, variáveis, modificáveis e provisórios: o mundo real não é nenhuma dessas coisas. O mundo real é permeado por relacionamentos causais, e, na medida em que somos engastados como seres físicos nessa matriz física, somos nós mesmos parte dessa textura causal. Mas nosso relacionamento, como sujeitos, com os modelos mentais que nós mesmos mantemos não é um relacionamento de causalidade em nenhum sentido simples. O que temos com relação a nossas representações internas não são conexões causais e sim "atitudes proposicionais" (crença, descrença, crença condicional etc.) Acreditar uma crença não é fazer qualquer coisa causal com aquela crença ou fazer com que aquela crença faça qualquer coisa causal conosco; é simplesmente ter uma certa atitude com relação àquela crença, isto é, afirmar que ela própria é verdadeira e que tem consequências verdadeiras. Tudo começa e termina no mundo "real", mas esse não é "nosso" mundo. "Nosso" mundo é o jogo mutante de imagens e mapas que localizam e geram essas imagens.

25

A modalização e a contrafactualidade dos mapas do tempo

Um mapa do tempo não é uma representação única de um complemento estabelecido de situações que são realizadas em índices temporais e espaciais específicos. Ele representa não um mundo único, mas uma rede de mundos possíveis, ligados por uma treliça de interconexões que se ramifica e se funde – o "Jardim dos caminhos que se bifurcam" do qual Borges escreveu de forma tão evocativa. A lógica subjacente da cognição temporal é a lógica dessa rede de mundos possíveis, e o processo de cognição temporal consiste em mapear os caminhos que levam de um mundo possível a outro. Um ramo da lógica modal (a lógica temporal) trata das propriedades formais das redes de mundos possíveis temporalmente indexadas. Se quisermos ter uma ideia dos universais cognitivos temporais é para esse ramo da investigação lógica que devemos nos voltar.

O primeiro ponto que devemos levantar ao introduzir a lógica temporal como uma base possível para universais cognitivos temporais é que, do ponto de vista da lógica padrão, ela é redundante.

Desde a publicação da coleção sobre *Rationality* (1971) [Racionalidade] de B. Wilson, os antropólogos se acostumaram com a ideia de que as regras da lógica comum são necessárias para qualquer sistema de comunicação operado por seres humanos com o objetivo de intercambiar mensagens inteligíveis uns com os outros e que não são produtos especiais da cultura ocidental. Os seres humanos não estão necessariamente cientes dessas regras, mas eles as aplicam por razões práticas o tempo todo. Na medida em que os seres humanos pensam de modo lógico, isso é como eles devem logicamente pensar:

> ᶦp implica pᶦ ᶦnão (p e não p)ᶦ ᶦp e (p implica q) implica qᶦ [axiomas na lógica padrão] expressam mais do que axiomas em um sistema particular de regras ou de regras em um jogo particular. Eles expressam, ao contrário, as exigências para que algo sequer seja um sistema de raciocínio lógico (HOLLIS, apud WILSON, 1971: 232).

Mas simplesmente por causa disso não há nenhum motivo para supor que a "lógica temporal" é parte das bases das quais todo o pensamento inteligível deve depender, à maneira de Hollis. Aqui está um silogismo típico na lógica padrão:

Todos os P's são Q's

V é um P,

portanto, V é um Q.

E aqui está um pouco de raciocínio temporal:

Todas as pessoas nascidas dia 12 de junho são Gêmeos

Alfred Gell nasceu dia 12 de junho

Alfred Gell é Gêmeos.

Simplesmente porque o tema ostensivo de um exemplo de raciocínio lógico é um fato temporal não significa minimamente que a "lógica temporal", como estamos a ponto de conhecer, está de alguma maneira envolvida. A lógica comum é indiferente ao tempo; operadores temporais não aparecem como parte do aparato lógico (todos, alguns, afirmação, negação, verdadeiro, falso etc.) e os índices temporais só aparecem como parte dos P's e Q's sem rosto que servem como "variáveis" no sistema. De um modo geral, não se permite que as considerações temporais se intrometam no sistema padrão de cálculo proposicional e, se a adequação indubitável desse sistema para representar a verdade e a inferência formalmente serve de alguma referência, a implicação seria que o tempo não tem qualquer "lógica" específica que o isolaria como um universal cognitivo; isto é, os homens podem pensar como quiserem sobre o tempo e deixar as categorias fundamentais da lógica inalteradas, já que essas são, por definição, indiferentes ao tempo, o que significaria que nós ficaríamos frustrados se buscássemos uma base "lógica" para o tempo como um universal cognitivo.

Há, no entanto, uma saída possível. Se for possível provar que a lógica temporal não é estruturalmente diferente da lógica destemporalizada, então a validade e universalidade de lógica destemporalizada seriam elas próprias justificativas para aceitar uma "leitura" temporal da lógica como uma representação adequada da maneira como somos obrigados a pensar sobre relações temporais. E isso, a meu ver, é essencialmente o que lógicos modernos, seguindo as investigações pioneiras de Prior (1966, 1968), conseguiram ao demonstrar as afinidades estruturais entre a lógica temporal e certos sistemas geralmente aceitos de lógica modal que foram originalmente desenvolvidos totalmente sem considerações temporais em vista.

A lógica modal é um ramo da lógica que amplia o cálculo proposicional incluindo operadores para necessidade ($\square$) e possibilidade ($\blacklozenge$), assim como o leque normal de variáveis proposicionais (p, q) e operadores para conjunção ($\bullet$), disjunção (v), implicação ($\rightarrow$), equivalência ($\leftrightarrow$), negação ($\sim$) mais os quantificadores existenciais e universais (todos, nenhum). A lógica temporal pode ser compreendida em seus termos mais simples como aquilo que acontece com a lógica modal quando interpretações temporais (chamadas de "megáricas") são dadas aos operadores modais □ e ◆. Isso é feito conectando "possível" ao quantificador existencial (alguns, pelo menos um) e "necessário" ao quantificador universal (todos) e pensando sobre a verdade necessária como aquela que é verdadeira em todos os momentos e verdades contingentes como aquelas que são verdadeiras pelo menos uma vez. Compare essas duas interpretações dos operadores modais:

□ p significa que p ocorre em todos os mundos possíveis

◆ p significa que p ocorre em pelo menos um mundo possível

□ p significa que p ocorre em todos os momentos (datas)

◆ p significa que p ocorre pelo menos em um momento (data)

Embora o segundo grupo de interpretações, as megáricas, sejam sem dúvida inferiores às primeiras (modais), apesar disso elas conectam "necessidade" *versus* "possibilidade" para todos *versus* "alguns" da mesma maneira geral. Acrescente a isso a ideia aristotélica de que qualquer evento é possível antes de sua ocorrência, real quando ocorre e necessário a partir de então, e a base está lançada para um tratamento de modalidades em que possibilidade/necessidade é uma função de situações datadas (mundos temporais) vistos como *mundos possíveis encadeados*. Se dermos mais um passo, o de restringir "mundos possíveis" a estados de mundo imaginados desse mundo real (o mundo em que acreditamos, o mundo mostrado em nossos mapas cognitivos) em vez de mundos possíveis ilimitados, das ficções dos lógicos, em que não se acredita necessariamente, ou não são acreditáveis necessariamente, então podemos conceber uma lógica modal/temporal operando em um contexto de mundos possíveis suficientemente como o mundo como realmente acreditamos que ele é, para servir como um simulacro realista do mecanismo lógico empregado realmente por indivíduos quando incluem sua experiência sob categorias universais lógico-temporais.

Mas como é que a lógica temporal realmente funciona? A estratégia da lógica temporal é remodelar os axiomas de vários sistemas de lógica modal usando operadores megáricos. Uma exposição muito simplificada da lógica temporal dessa maneira é a *Chronological Logic* (1968) [Lógica Cronológica] de Rescher, que é o análogo lógico-temporal do sistema lógico-modal S5 formulado por Lewis, que é hoje considerada a formulação mais adequada da lógica da verdade e da necessidade (RESCHER & URQUHART, 1971; HINTIKKA, 1969); para uma introdução brilhante e envolvente à S.5, veja Bradley e Bradley (1971). Rescher introduz a ideia de "realização cronológica" como uma maneira mais exata de afirmar se "p" ocorre em um determinado momento ou em conjunto de momentos. Assim, R significa "é compreendido" e Rtp significa "é compreendido no momento t que p" onde t representa uma data em um sistema cronológico (isto é, não uma expressão de tempo simbólico-indexical e dêitica como "hoje", "amanhã", "daqui a três dias" etc.) Os axiomas de Rescher para a lógica cronológica são os seguintes:

Axioma T1 Rt (~) p → ~Rt (p)(negação)

Axioma T2 [Rt (p) ● Rt (q] → Rt (p ● q) (conjunção)

Axioma T3 (para todos os ts) Tt (p) → (necessidade)

Axioma T4.1 [(para todos ts) Rt (p) → Rt (p) (possibilidade)

Axioma T5.1 (i) Rt ¹[Rt (p)] → Rt (p)

Axioma T5.1 (ii) Rt ¹[Rt (p)] → Rtⁱ + t (p)

(RESCHER, 1968).

Não precisamos acompanhar o funcionamento desse sistema de lógica temporal em qualquer detalhe. Os dois primeiros axiomas se relacionam diretamente com as noções da lógica comum sobre conjunção e negação (isto é, são idênticas em conteúdo aos axiomas lógicos considerados por Hollis e outros como essenciais para qualquer sistema inteligível de raciocínio). O terceiro axioma é a definição lógico-temporal de necessidade. Os dois últimos axiomas (T5.1 (i) e (ii) que são alternativos, são apenas relevantes se o quarto axioma for mantido, e é nesse quarto axioma que nossa atenção precisa ser focalizada. O axioma 4.1 de Rescher corresponde ao axioma definidor crucial do sistema lógico modal S.5 de Lewis, o codificador original da lógica modal.

O que estou a ponto de argumentar é que esse axioma é poderoso demais para o tipo de lógica temporal que subjaz a cognição comum. Esse axioma distingue a lógica prescritiva, metafísica, temporal, do tipo de lógica temporal que descritivamente pode ser considerada como aquela que caracteriza nossos processos de pensamento naturais. Ela representa a lógica do território temporal como ela *deve* ser (logicamente falando), mas ela não representa o tipo de lógica que governa nossos mapas do tempo cognitivos. É o axioma lógico que seria válido se nossos mapas do tempo mentais nos mostrassem um mundo que fosse perfeitamente conhecido, perfeitamente acessível a nós, mas nossos mapas mentais não nos mostram um mundo assim, só uma pluralidade de mundos mutuamente alternativos, alguns dos quais podemos encontrar, alguns dos quais nunca encontraremos, mas não sabemos quais.

O axioma modal ao qual T4.1 corresponde é o Axioma A10 do sistema modal S.5 de Lewis que é $\Box p \rightarrow \Box \blacklozenge p$. O que A10 diz é que se p é possível, é necessário que p seja possível. Dadas as interpretações megáricas de $\Box$ e $\blacklozenge$, isso é o mesmo que dizer: se p ocorre pelo menos uma vez, então todas as vezes irá ocorrer que p ocorre pelo menos uma vez. Vamos ver como isso corresponde ao axioma T4.1 de Rescher. Esse afirma que a concretização de p em t, sendo concretizado todas as vezes, é mesma que a concretização de p em t. Ou, mais imprecisamente, mas espero compreensivelmente, se algum evento vai ser concretizado em t, seria verdadeiro dizer qualquer momento que aquele evento iria ser concretizado em t.

Essa maneira de formular a lógica temporal coloca uma concha externa de necessidade ao redor do corpo macio da possibilidade. No sistema de Rescher situações que são possíveis, ou seja, concretizadas em algum momento, são admitidas unicamente sob a tutela da necessidade: o axioma T4.1 garante que todas as afirmações que se referem a um evento em algum mundo temporal possível são equivalentes a uma afirmação mais abrangente que se refere àquele evento em todos os mundos temporais possíveis.

O efeito de um axioma como T4.1 é garantir a hegemonia da lógica cronológica, de tal forma que ela se torna estritamente equivalente à lógica modal não temporal, em particular à S.5, o sistema mais poderoso de lógica modal. Mas a consequência desse ganho em poder lógico é que a lógica temporal perde o tipo de verossimilhança cognitiva que estamos buscando. Cada mundo temporal nesse sistema é uma imagem-espelho de cada outro mundo temporal, no sentido de que seja o que for que seja verdadeiro ou falso em qualquer um deles é verdadeiro ou falso em todos os outros, a única diferença sendo uma mudança nas coordenadas temporais. Há, no entanto, uma axiomatização alternativa da lógica modal, o sistema S.4 de Lewis em que A 10 é apagada e substituída pelo axioma mais fraco A 9, que é $\blacklozenge$p $\rightarrow$ $\blacklozenge\blacklozenge$p ("se é possível que p, então é possível que p seja possível"). Isto é, em S.4 não argumentamos, como fazemos em S.5 a partir da existência de uma certa possibilidade para a necessidade daquela possibilidade (isso é $\blacklozenge$p $\rightarrow$ $\square\blacklozenge$p). Com operadores megáricos isso vem a ser "se ocorre em algum momento (em algum mundo temporal) que p, então ocorre (em algum mundo temporal) que p ocorre em algum momento" (mas não em todos os mundos temporais, apenas em *alguns* deles).

A ideia lógica modal de necessidade está baseada na ideia de que aquilo que é necessário é necessário em todos os mundo possíveis ($\square$p $\rightarrow$ $\square\square$p) e que o que é possível é necessariamente possível em algum mundo ou em alguns mundos ($\blacklozenge$p $\rightarrow$ $\square\blacklozenge$p) Essa formalização é o sistema preferido para contextos lógicos do sistema *alético* (LYONS, 1977), contextos em que as doutrinas metafísicas últimas sobre verdade e necessidade estão sob consideração. Isso porque uma possibilidade que nunca, com efeito, vai ser realizada não é do ponto de vista de uma teoria de verdade última, de forma alguma uma "possibilidade". Não é sequer um poderia ter sido, porque nunca, em qualquer estágio, ela realmente ocorreria. Mas S.5 não é o sistema de escolha em contextos *epistêmicos*, isto é, contextos nos quais não a verdade última e sim as características *de facto* dos sistemas de conhecimento e crença humanos, são o foco de interesse. Porque aqui somos obrigados a pensar sobre as possibilidades como se elas genuinamente existissem em alguns momentos, com relação a certos mundos possíveis (mundos que nós acreditamos ser possíveis, de qualquer forma, mesmo que não o sejam na realidade), mas não como se existissem com relação a outros mundos possíveis, em outros momentos, em outras circunstâncias (mundos em que aquela possibilidade específica foi afastada e perdeu a viabilidade que em um determinado momento poderia ter tido).

S.5 é o sistema modal de verdade "atemporal": S.4 dá lugar a uma estrutura de trajeto de mundos possíveis encadeados. Em S.4 é permissível expressar a ideia de que se tomarmos um caminho pela possibilidade A, então a possibilidade S surge; enquanto se tomarmos o caminho pela possibilidade B, então a possibilidade R surge, e não vice-versa, embora possamos também pensar que a possibilidade S e a possibilidade R ambas contribuem para a possibilidade de Z. Em S.5 isso não pode funcionar, porque o que é possível em qualquer mundo é necessariamente possível, isto é, igualmente uma possibilidade, à luz de todos os mundos no sistema, e portanto é "acessível modalmente" de todos os mundos possíveis. A Figura 25.1 contrasta a relação de acessibilidade modal entre os mundos em S.5 e S.4.

Estamos agora em uma posição que nos permite acompanhar certos argumentos que foram propostos por Lucas (1973) e que fornecem uma discussão da lógica temporal (e da lógica de tempos verbais) que pode facilmente ser interpretada cognitivamente. Lucas apresenta sua explicação da lógica de tempos verbais no contexto das seguintes definições de necessidade e possibilidade, que refletem a ideia de trilhas temporais entre mundos possíveis encadeados. Um mundo é alcançável (acessível modalmente) a partir de outro mundo se o segundo mundo for "viável" com relação ao primeiro.

$\square$p = "p é verdadeiro em todos os mundos que são viáveis com relação a um mundo determinado".

$\square$~p = "p não é verdadeiro em nenhum mundo que seja viável com relação a um mundo determinado".

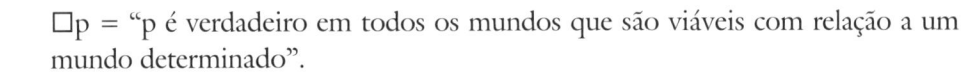

◆p = "p é verdadeiro em pelo menos um mundo que é viável com relação a um mundo determinado".

◆~p = "p não é verdadeiro em pelo menos um mundo que é viável com relação a um mundo determinado".

$\square$ e ◆ são interdefiníveis   ($\square$p = ~◆~p, ◆p = ~$\square$~p).

A lógica modal flexionada (*tense*), construída usando essas definições, irá mostrar quais mundos estão modalmente "abertos" (contingentes viáveis, nem necessários nem impossíveis) e quais estão modalmente "fechados" (que podem ocorrer em todos os mundos possíveis ou que não podem ocorrer em nenhum deles). Na lógica temporal com axiomas S.5 o relacionamento entre mundos possíveis relativo é uma relação de equivalência; se ◆p então $\square$◆p "se p é possível, então para todo os mundos possíveis, p é possível". Mas na lógica modal flexionada com axiomas S.4 em que ◆p só implica ◆◆ para o sistema como um todo, então não há qualquer contradição entre p ser uma possibilidade com relação ao mundo A e não ser uma possibilidade com relação ao mundo B. A relação entre mundos em S.4 não é uma relação de equivalência, e sim uma relação transitiva, assimétrica. Isso nos permite captar a ideia de possibilidades estarem abertas em alguns momentos e afastadas em outros, e concorda bem com a ideia de mapas temporais cognitivos como uma rede relacional entre mundos/situações que interagem mutuamente, focalizados no sujeito sociológico e articulados em termos de seus projetos e de suas crenças sobre como o mundo funciona ou pode possivelmente funcionar.

No entanto, Lucas continua dizendo que S.4 tem o defeito de que, ao representar mundos temporais como uma rede de mundos possíveis relativos assimetricamente relacionados, S.4 não garante um encadeamento linear de mundos, mas apenas uma rede orientada (como na Figura 25.1) e que isso entra em conflito com nossa noção padrão de tempo como sendo linear (que não se ramifica, que não se funde). Se, sob as regras de S.4, construirmos um diagrama em rede de mundos possíveis relativos, as relações entre nodos (mundos) na rede são transitivas e não simétricas, de tal forma que as flechas têm de apontar em uma direção.

Suponha que interpretemos as flechas sólidas na Figura 25.2 como se significassem "é um mundo de W O futuro viável" e as flechas tracejadas como "é um mundo de W O passado viável", em que W O é um mundo zero ou índice. Lendo a figura 25.2 segundo as flechas sólidas nos dá um quadro plausível de um futuro "aberto" que se ramifica, em que a verdade de ($◆p ● ◆q$) em W O, pode dar lugar a um caminho levando a um mundo em que ($p ● q$) é verdadeiro (W O 1.2), um mundo em que ($p● \sim q$) é verdadeiro (W O. 1.1.) e um mundo em que $\sim(p ● q)$ é verdadeiro (W O. 2.2.). Esse tipo de futuro que se ramifica, em que algumas das possibilidades que estão em aberto em um "presente" determinado serão abolidas se os eventos tomam um certo curso no futuro, é a maneira natural de pensar sobre o futuro adotado por agentes sensíveis, que tomam decisões.

Não é, no entanto, uma maneira natural de pensar sobre possibilidades para lógicos ou filósofos, que estão inclinados a acreditar que uma possibilidade que não vai ser realizada não é uma possibilidade, seja esse fato conhecido ou conhecível por qualquer ser sensível. Para usar um exemplo clássico, se há uma concha no fundo do mar que não vai nunca ser vista por qualquer pessoa (e deve haver muitas conchas assim), logicamente falando não é uma possibilidade que essa concha seja vista, embora seja bastante viável em termos da tecnologia moderna de mergulho que alguém vá e dê uma olhada naquela concha. Isso se segue diretamente de A10 (se não é contingentemente o caso que p, não é necessariamente contingentemente o caso que p, onde "p" é a visão da concha por alguém). O futuro S.4, logicamente não atraente pelo ponto de vista alético, é muito mais atraente do ponto de vista epistêmico, já que ele nos permite levar em consideração a persistente visibilidade de conchas que nunca realmente vão ser vistas. Ele espelha o processo cognitivo pelo qual projetamos, com base nas possibilidades que parecem estar abertas para nós no presente, uma multiplicidade de futuros incompatíveis, entre os quais devemos escolher.

Mas o que ocorre quando lemos a Figura 25.2 de acordo com as flechas tracejadas? Podemos contemplar um leque incompatível de passados que se ramifica? Poderia haver um passado em que (p ● q) ocorreria, e outro passado em que (p● ~q) ocorreria, e ainda outro em que ~(p ● q) ocorreria? Lucas aceita a verissimilitude do futuro que se ramifica, mas diz que um passado S.4 contradiria uma premissa básica de que o passado deve ser linear e único.

Figura 25.1   Relações de acessibilidade modal nos sistemas modais S.5, S.4 e S.4.3

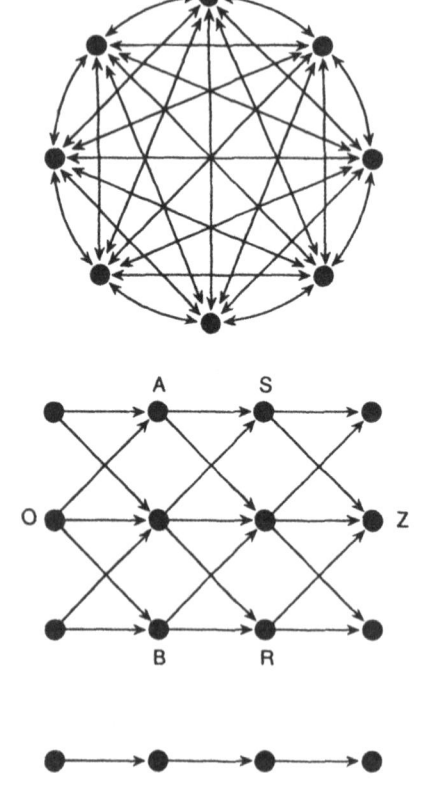

Em S.5 as relações entre mundos possíveis são reflexivas, transitivas e simétricas. Mundos possíveis formam uma classe de equivalência sem estrutura relacional significativa (LUCAS, p. 266).

Em S.4 as relações entre mundos possíveis são reflexivas, assimétricas e transitivas. A transitividade da estrutura relacional de S.4 reflete a relação antes/depois entre mundos, mas o passado, o presente e o futuro não são únicos.

Em S.4.3 o único arranjo permissível é o linear.

Aqui, a meu ver, Lucas está adotando uma posição filosófica específica que, sem dúvida, é altamente defensável, mas que não necessita desempenhar qualquer pape em nossa especificação de universais cognitivos temporais. O que ele está realmente buscando é uma concepção de *tempo verbal* – e não de tempo – metafisicamente justificável, isto é, uma discriminação ontológica básica entre situações passadas, presentes e futuras que é o objetivo filosófico primordial dos teóricos A. Não estou convencido de que esse objetivo particular possa ser obtido, já que, como deixei claro, penso sobre tempos verbais (a transição passado-presente-futuro da série-A) como um epifenômeno de nosso ponto de vista organicista sobre o mundo, não como uma característica verdadeira do território temporal da série-B. Mas o que estou tentando fazer aqui é especificar o tipo de atributos lógicos mínimos *dos mapas do tempo da série-B*, as representações internalizadas do território temporal que orienta nossa cognição e atividade práticas. Não estou tentando descrever a própria lógica da série-B, mas apenas a lógica de nossas representações internas dela. Consequentemente, aquilo que é, do ponto de vista de Lucas, uma desvantagem da lógica temporal S.4 – a incapacidade de representar a diferença entre o passado linear e o futuro que se ramifica – é, de meu ponto de vista, uma vantagem, já que é parte da essência da ideia de um "mapa" – inclusive de um mapa do tempo – o fato de ele permanecer imune às coordenadas do seu usuário. O modelo temporal de Lucas com seu passado linear e seu futuro que se ramifica tem a indexação como seu componente interno e, consequentemente, falta-lhe essa propriedade.

Figura 25.2 O futuro e/ou o passado que se ramificam

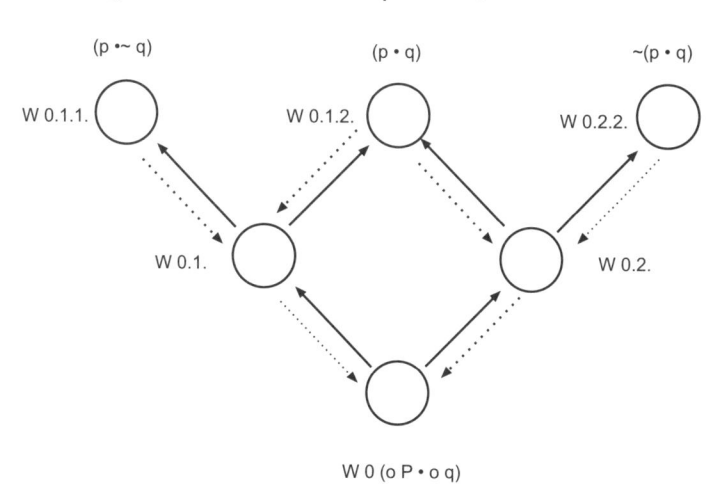

Examinemos os argumentos de Lucas sobre esse ponto, no entanto. Podemos ter, diz ele, a ideia de que começando de pontos de origem diferentes (digamos W 0.1.1 ou W 0.2.2.) podemos ter como resultado linhas separadas de desenvolvimento das quais ambas culminam em W 0, mas isso não pode alterar o fato de apenas uma dessas linhas de desenvolvimento poder realmente ocorrer. Precisamos, portanto, um meio de manter os mundos possíveis encadeados de S.4 dentro dos limites lineares, de tal forma que só os mundos possíveis passados que são viáveis com relação a um mundo determinado, são os mundos que realmente levaram até o mundo em questão. Dummett e Lemmon (1959) acrescentaram mais um axioma a S.4, que, traduzido em termos lógico-temporais, garante que mundos possíveis relativos só estão encadeados linearmente, e não em configurações ramificadas ou em treliças. Esse axioma é equivalente ao axioma modal:

$$\blacklozenge p \bullet \blacklozenge q \Rightarrow \blacklozenge (\blacklozenge p \bullet \blacklozenge q) \text{ v } \blacklozenge (p \bullet \blacklozenge q) \text{ v } \blacklozenge (p \bullet q).$$

A adição desse axioma a S.4 faz com que a sequência que se ramifica entre W 0 e W 0.1.1 (p• ~q) e W 0.2.2. ~(p • q) seja inviável, porque garante que se (♦p • ♦q) ocorre, qualquer mundo em que p ocorra ou seja possível é um mundo em que q ocorre ou possivelmente ocorre, e vice versa. Ou, trocando "possivelmente" por "em algum mundo passado", se p e q ocorrem no passado de W 0, ou se apenas p foi verdadeiro em algum mundo passado de W 0, q foi verdadeiro em algum mundo que foi possível com relação ao mundo em que p foi verdadeiro, e realmente se tornou verdadeiro mais tarde, ou alternativamente, se q foi verdadeiro em algum mundo passado de W 0, e não p, p foi verdadeiro em algum mundo possível relativo àquele mundo, e igualmente se tornou verdadeiro mais tarde. Podemos escrever esse axioma da seguinte maneira:

p Passado • q Passado → (p • q)Passado v (Passado p • q)Passado v (p • q Passado) Passado.

O sistema S.4 mais o axioma de Dummett-Lemmon garantindo o encadeamento linear de mundos possíveis é conhecido como o sistema S.4.3 e é intermediário entre S.4 e S.5. Lucas tem a opinião de que ele é a axiomatização correta para o passado, mas não vê nenhum motivo para introduzi-lo para o futuro, já que o futuro S.4 faz sentido como uma pluralidade de futuros agora-viáveis, incompatíveis, que ocorrerão ou não, segundo as ações nas quais decidirmos nos envolver e seus resultados. Lucas faz uma comparação com uma árvore genealógica de um homem. O passado, diz ele, é como os antepassados daquele homem (ele tem um pai, seu pai teve um pai etc.), enquanto o futuro é como os descendentes de um homem (ele tem muitos filhos, seus filhos têm muitos filhos, e assim por diante). O ponto em que o passado termina e o futuro começa é o presente, que é precedido por uma série única de passados e é seguido por uma árvore que se ramifica de futuros alternativos.

Mas por que o passado deve ser único? E se o passado é único, o futuro também não o deveria ser? A analogia com a "genealogia" não deve nos iludir: esse mundo pode apenas ter um único encadeamento de pais-mundos antecedentes, mas não vai ter uma série divergente de filhos-mundos, apenas um único encadeamento, embora, no momento (o filho-mundo ainda tem de nascer), a identidade do filho-mundo seja indeterminada e existam inúmeras possibilidades. Pais-mundos e filhos-mundos na analogia de Lucas com a árvore genealógica têm *status* diferentes, pais-mundos sendo únicos, determinados, sem rivais e os filhos-mundos sendo múltiplos, meramente potenciais, irrealizados. Mas se tomarmos a analogia literalmente, ela implicaria que um mundo antecedente poderia realmente fazer surgir muitos mundos subsequentes, o que não pode ser verdade.

Enquanto isso, os argumentos de Lucas para a singularidade do passado são aléticos. Seu argumento principal acaba sendo nada mais que a afirmação de que o axioma de Dummett-Lemmon é necessário para o passado porque as situações do passado ou já ocorreram ou não ocorreram e não há espaço no passado para eventos que em um determinado momento poderiam ter ocorrido (em algum tempo passado, anterior ao momento apropriado para sua realização), mas na verdade não ocorreram. Isso me parece ser um argumento alético totalmente válido sobre o passado, mas não vejo motivo para achar que ele não seja aleticamente válido também para o futuro. Eventos futuros, que nos parecem possíveis, mas que não vão realmente ocorrer, não são possibilidades "reais" no sentido alético; eles seriam excluídos, como necessariamente ocorrências que não serão parte do compêndio de mundos possíveis. Mas epistemicamente as coisas são diferentes: certamente podemos contemplar como possibilidades epistêmicas uma pluralidade de futuros possíveis, mas, epistemicamente, podemos também contemplar uma pluralidade de passados possíveis, e uma pluralidade de possíveis presentes também. Podemos ter certeza de que o passado consiste em uma série única de mundos antecedentes, mas não sabemos quais são esses mundos, não mais do que sabemos que mundos vão ser concretizados no futuro. Tampouco realmente sabemos quais, de um número de mundos presentes "possíveis", o mundo presente verdadeiramente é.

Em vez de acompanhar a tática de Lucas de associar S.4.3. ao passado e S.4 ao futuro, sugiro o seguinte. A lógica do território temporal da série-B, e a moldura *alética* de referência geralmente é S.5. Puramente do ponto de vista da verdade e da necessidade, o universo consiste na totalidade de situações que realmente vão ser concretizadas em coordenadas espaçotemporais determinadas. A verdade e a falsidade, nesse sistema de referência, são atemporais, como a lógica comum insiste. Mas não temos acesso ao território temporal da série-B. Tudo o que temos são imagens, imagens que são formadas comparando insumos perceptuais com os modelos de imagem originários dos mapas cognitivos subjacentes da série-B. Os mapas têm de ser considerados em um contexto epistêmico e não em um contexto alético, porque o mapa e o território são logicamente bastante distintos. Mapas são apenas representações. Esses mapas subjacentes indicam todas as possibilidades consideradas viáveis segundo um sistema específico de crença temporal. Como a ramificação e a fusão das relações modais de acessibilidade entre mundos possíveis no arcabouço epistêmico dos mapas cognitivos subjacentes são irrestritas, a lógica de mapas do tempo é S.4. Entre o território temporal S.5 e o mapa cognitivo subjacente S.4 está o enclave da série-A. Nossa experiência subjetiva do tempo está restrita a esse enclave, dentro do qual sintetizamos o fluxo de imagens aos quais prendemos as etiquetas indexicais, passado, presente e futuro.

Suponhamos que o equivalente temporal de um mapa espacial seja algo como a treliça de mundos possíveis, conectada por relações modais de acessibilidade, como ilustrado na Figura 25.3. Esse "mapa" indica a extensão de nosso conhecimento (crença) sobre como os mundos temporais estão colocados com relação um ao outro; "pelo que sabemos" uma pluralidade de mundos antecedentes pode dar lugar a um mundo sucessor, e qualquer mundo antecedente pode ter mais do que um mundo sucessor. Mas nem todos os mundos são acessíveis a todos os mundos no sistema. Mundos sucessores não podem dar lugar a mundos antecedentes, só vice e versa, e alguns mundos sucessores estão inacessíveis a partir de alguns mundos antecedentes (se eles se encontram fora do "envelope máximo" de possíveis trilhas entremundos entre dois mundos indicado na Figura 25.2 para mundo O – a origem – e mundo G – a meta).

Suponhamos também que o mundo cartográfico O gere uma imagem (como as imagens geradas por mapas espaciais) que se compara com o insumo perceptual de tal forma que temos um *ajuste indexical* "agora estamos no mundo O" e estamos imaginando meios de conseguir que, pouco a pouco, chegaremos ao mundo G, isto é, nossos insumos futuros irão se comparar com as imagens geradas pelo mundo G em nossos mapas do tempo. Em termos da lógica do mapa do tempo subjacente, há inúmeras maneiras de ir de O até G, embora também existam muitos caminhos a partir de O que levam a outros destinos além de G.

Portanto, precisamos deliberar. Considerando que selecionamos G como nossa meta, e não algum outro mundo, devemos escolher o método mais provável de chegar lá. Se isso fosse um mapa espacial, estaríamos considerando itinerários alternativos entre, digamos, Cambridge e Londres (pela M11 ou pela A10 ou pela A1). Ao fazer essa escolha de itinerários ensaiaremos mentalmente imagens de cada um deles (a M11 é rápida, mas monótona, a A10 é mais bonita, mas muitas vezes congestionada). Uma série de imagens demonstraria qual itinerário seria mais atraente e aquele itinerário seria selecionado. O ponto a observar, no entanto, é que cada itinerário é considerado separadamente, como uma série de imagens que correspondem àquele itinerário específico. O mapa que mostra todos os itinerários "possíveis" entre Cambridge e Londres está convertido em imagens (ou sequências de imagens) de viagens específicas entre essas localidades. Quando ponderamos sobre o mapa, o linearizamos. Em termos do mapa o caminho pela M11 e o caminho pela A10 simplesmente coexistem como possibilidades em aberto, ao lado de todos os outros itinerários entre Cambridge e Londres. Objetivamente, à luz de critérios determinados para uma viagem rápida entre Cambridge e Londres, há um itinerário ideal, mas porque temos apenas um mapa, e não a própria viagem, não sabemos qual deles é o ideal. A fim de selecioná-lo, projetamos sobre o mapa cada itinerário de cada vez, invocando uma sequência de imagens específicas a ele. Cada itinerário passa a ser uma entidade separada, e aquela que mais coincide com os critérios para aquilo que consideramos ideal é a escolhida.

O mesmo tipo de linearização se aplica aos mapas do tempo. O momento "agora" é identificado com um mundo específico no mapa do tempo subjacente que é selecionado – possivelmente de forma errônea – no mundo cujas imagens correspondem à situação "agora" que prevalece. Desse mundo origem se estendem caminhos para o futuro na direção de mundos meta desejados ou temidos e também caminhos para o passado, na direção de mundos antecedentes possíveis.

Quando contemplamos cursos de ação futuros, comparamos encadeamentos lineares específicos de mundos possíveis, e tomamos nossa decisão escolhendo uma sequência particular como sendo a ideal, isto é, aquela que tem o custo de oportunidade mais baixo em termos da soma de nossos (muitas vezes conflitantes) desejos e nossas avaliações quanto à probabilidade de sua realização. Nossas considerações são determinadas pelo fato de haver, na verdade – embora nossos mapas nos mostrem muitos futuros possíveis –, um único futuro, e que o melhor que temos a fazer é garantir que aquele futuro é aquele que queremos que seja. A atividade cognitiva de "projetar", portanto, consiste em *linearizar* os mapas do tempo, desenhando caminhos específicos.

Mas algo ainda está faltando em nosso retrato como ele está no momento. Quando contemplamos a rede de mundos possíveis entre a origem (O) e os mundos meta (G), nem todos esses mundos são considerados igualmente prováveis, embora todos possam ser considerados possíveis. Precisamos introduzir um conceito de *distância modal* entre mundos possíveis, de tal forma que o itinerário preferido entre O e G seja aquele que tem os menores custos de oportunidade, enquanto ao mesmo tempo está de acordo com nossas avaliações da probabilidade intrínseca de eventos, dos quais só umas poucas estão sob nosso controle direto. A realização de alguns mundos em nossos mapas do tempo nos "surpreenderia" para usar o termo de Shackle. Estamos muitas vezes preparados para nos arriscar, ou seja, a considerar caminhos pelo tempo que são contingentes com a realização de mundos surpreendentes, mas não, normalmente, se os mesmos objetivos puderem ser obtidos por um caminho que nos leva apenas a mundos que não são nada surpreendentes. Uma rede S.4 indiferenciada de mundos possíveis encadeados não representa essa característica de nossos mapas do tempo cognitivos. A fim de suprir essa necessidade, um elemento adicional de maquinaria lógica é necessário.

Podemos esclarecer essa questão inscrevendo o equivalente das linhas de latitude e longitude em nosso mapa do tempo hipotético (organizando os mundos possíveis em fileiras e colunas, como na Figura 25.3). As colunas consistem nos possíveis mundos *sincrônicos*. As fileiras consistem nos mundos possíveis que têm a máxima *semelhança* uns com os outros.

Cada coluna de mundos possíveis tem um índice temporal, correspondente a uma data no tempo da série-B, que numerei a partir de O, no mundo de origem, para trás e para frente. Essa indexação de mundos por datas não deve apresentar qualquer problema. O conjunto de mundos mostrados no mapa como uma coluna consiste de um conjunto de mundos possíveis alternativos sincrônicos. O mundo nessa coluna que gera imagens que correspondem ao insumo perceptual é indexado como o mundo "real" (agora). Se subirmos ou descermos na coluna, acima e abaixo do mundo indexado como "real" estão os mundos contrafactuais mais próximos do mundo "real". Eles são os mundos, por assim dizer, que ocorrem se estamos apenas levemente errados ao fazer nossa determinação com relação à identidade do mundo "real". Mais acima e mais abaixo na coluna, estão mundos progressivamente mais dissimilares, que diferem do mundo indexado como real em aspectos mais graves. Esses são mundos mais surpreendentes.

Figura 25.3 Mapa temporal cognitivo

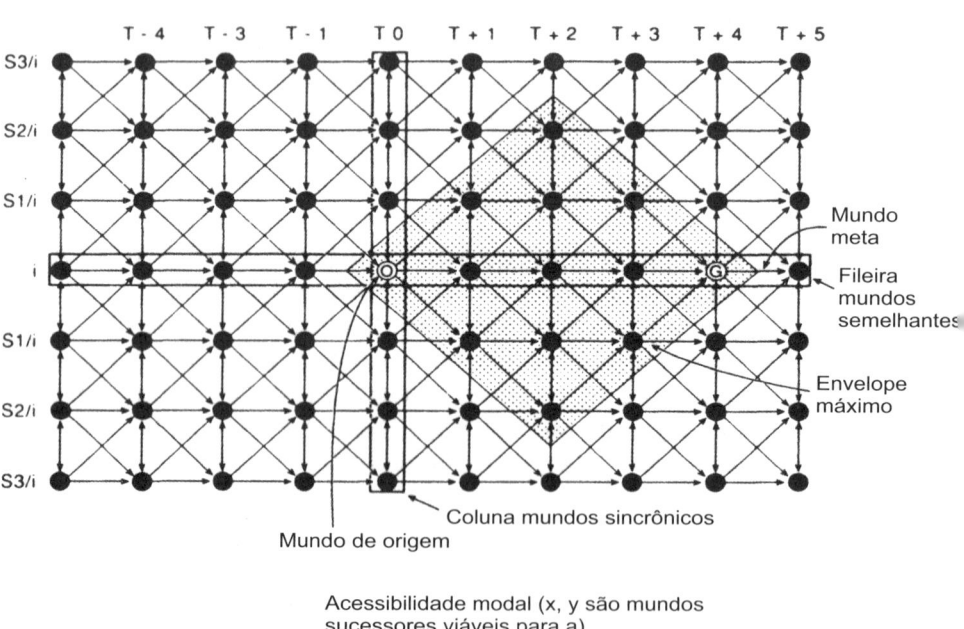

238

Ao tratar o mundo "real" como o membro focal de um conjunto de mundos progressivamente mais dissimilares, estou explorando uma teoria proposta pelo filósofo David Lewis, em seu extraordinário livro *Counterfactuals* (1973) [Contrafactuais]. O problema de Lewis (seu problema inicial, pelo menos) foi explicar por que condicionais contrafactuais tais como:

Se Henry tivesse ido à festa, ele teria conversado com Gina

são verdadeiras, mesmo que Henry não tenha ido à festa. A resposta de Lewis é que tais condicionais contrafactuais são verdadeiras se o mundo contrafactual em que Henry e Gina vão a uma festa e conversam um com o outro é modalmente "mais próximo" do mundo real do que um mundo alternativo possível (contrafactual) em que Henry e Gina foram ambos à festa, mas não conversaram um com o outro. "Se Henry tivesse ido à festa, ele não teria conversado com a Gina" é assim uma falsa inferência contrafactual.

Lewis discute graus de contrafactualidade em termos de uma série de "esferas" cujo centro é um mundo indexado como (1) que é o mundo "real". O mundo (1) está rodeado por uma esfera que contém o conjunto de mundos que mais se parecem com (1) – aqueles que são contrafactuais de maneiras que, no cômputo geral, não são muito importantes (S1). Fora dessa esfera está uma segunda esfera contendo mundos que são mais seriamente dessemelhantes (S2) e ainda mais externamente uma esfera com mundos ainda mais dessemelhantes (S3), e assim por diante. Não preciso discutir a teoria de contrafactuais de Lewis em detalhe, mas há dois pontos que desejo extrair de seu tratamento do tema.

O primeiro é a ideia de que o mundo indexado como "real" está no centro de um conjunto de mundos que são, em vários graus, "parecidos" com o mundo real. O mundo como verdadeiramente acreditamos que ele é está associado com uma penumbra de mundos rivais mais ou menos críveis, alguns dos quais não ficaríamos muito surpresos em descobrir que não são de forma alguma contrafactuais (embora, neste momento, acreditemos que o sejam), outros que nos causariam uma grande surpresa se mostrassem sê-lo. Sistemas de crença culturais diferentes distribuem mundos de maneira diferente para as esferas de Lewis: Os dobuans (FORTUNE, 1935) em um determinado momento acreditavam que este mundo real era um mundo em que os inhames passeavam de noite (esfera i, ou se eles estivessem um pouco duvidosos de seu próprio sistema cultural, esfera S1); nós, por outro lado, consideraríamos inhames ambulatórios como uma possibilidade muito remota (S1000). Considerando a atribuição esférica que os dobuans davam ao mundo em que os inhames passeavam à noite seria razoável que eles tentassem atrair os inhames de seus vizinhos para suas hortas por meio de técnicas mágicas apropriadas e, de modo inverso, temer as consequências das contramedidas possivelmente mais eficazes de seus vizinhos. Ou eles acreditavam que os inhames realmente passeavam, ou pelo menos que isso era uma séria possibilidade, contra a qual eles se garantiam como na aposta de Pascal.

O sistema de esferas de Lewis nos dá um dispositivo excelente para representar a relatividade que existe entre o real e o possível, aquele em que se acredita, aquele em que se acredita pela metade, e aquele que mal é considerado possível. Incorporei as esferas de Lewis na Figura 25.3 mostrando a forma geral de um mapa do tempo, como um sistema de fileiras (latitude, por assim dizer) acima e abaixo de i, a fileira de mundos indexados como tendo uma classificação máxima em termos de credibilidade. Acima e abaixo de i, o equador, estão os mundos extremamente possíveis S1, acima e abaixo deles os mundos S2, menos críveis e assim por diante. Se tomarmos uma coluna de mundos sincrônicos (digamos a coluna a partir de TO), o que estaremos examinando é uma visão de seção transversal de um sistema de esferas lewisianas.

Sou obrigado a representar as esferas dessa forma porque tenho apenas uma dimensão a minha disposição enquanto Lewis tinha duas. Preciso da outra dimensão para representar a longitude, isto é, o tempo. Aqui surge o segundo ponto que quero extrair de Lewis sobre contrafactuais. O leitor pode ter sentido que eu estava me dando ao luxo de fazer algum truque mágico ao tentar ter o tempo como longitude e "semelhança" como latitude em um mapa de tempo no sentido de que longitude e latitude são tipos totalmente comparáveis de coordenadas, enquanto é possível achar que índice temporal e "semelhança" são bastante diferentes. Mas não é esse o caso. Talvez isso possa ser ilustrado cunhando uma nova expressão, nas linhas de "contrafactual", isto é, "contratemporal". Mundos estão em oposição no eixo longitudinal com base em sua "contrafactualidade" mútua (são mundos sincrônicos de conteúdo factual distinto). Eles são contrafactuais, mas não contratemporais. Mundos no mesmo eixo latitudinal, ao contrário, são contratemporais (distinguidos pelos seus índices temporais), mas não são contrafactuais (isto é, eles são continuações temporais do mesmo tipo de mundos, mundos factualmente constituídos da mesma maneira). O próprio Lewis propõe, e aprova, esse passo específico:

> Frases contingentes têm valores de verdade diferentes em mundos diferentes; muitas frases da mesma forma têm valores de verdade diferentes em momentos diferentes de tempo. Com efeito, a maioria de nossas frases depende para seus valores de verdade de um monte de coordenadas: mundo, tempo, lugar e muitos outros mais. Para evitar a distração, tentei (com sucesso imperfeito) manter as outras dimensões de variação longe da vista, limitando-me a exemplos em que essas dimensões podem ser mantidas fixas. Vamos agora, para uma mudança, isolar a dependência do tempo, tacitamente mantendo o mundo e as outras coordenadas fixas. Momentos de tempo agora desempenham o mesmo papel que os mundos possíveis até aqui. Frases são verdadeiras neles; as proposições são conjuntos deles e sistemas de esferas são conjuntos deles (LEWIS, 1973: 104).

Depois Lewis constrói um sistema de lógica temporal usando seus operadores contrafactuais como operadores temporais-lógicos (as "frases" de Lewis podem ser consideradas como equivalentes de minhas "imagens de mapas"). Essa passagem, a meu ver, justifica minha decisão de tratar a sucessão temporal de mundos-estados de um mundo determinado (latitude) como uma relação modal contraste/acessibilidade, semelhante ao contraste/acessibilidade modal entre mundos contrafactuais atribuídos a diferentes esferas (longitude).

Voltemos ao problema que provocou esse desvio para a teoria de contrafactuais que foi, o leitor irá se lembrar, o problema de como mapas cognitivos temporais fornecem os critérios para selecionar trilhas "ideais" entre mundos-origem e mundos-meta, considerando que tudo que o mapa mostrou, inicialmente, foi uma multiplicidade de caminhos alternativos; "possibilidades abertas" para ir de O até G. Agora que sobreimpusemos uma "grade" sobre a rede de mundos possíveis, podemos considerar critérios de "uma menor distância" para otimizar os caminhos entre mundos-origem e mundos-meta. O caminho ideal entre O e G é aquele que leva ao mundo *menos* contratemporal compatível com G, por meio dos mundos intervenientes menos contrafactuais. Mas o critério da "menor distância" não é suficiente por si só, porque o alcance de G por meio dos mundos intervenientes mais modalmente acessíveis pode ter custos de oportunidade que nós preferiríamos evitar. Em outras palavras, nós nunca temos apenas um objetivo prioritário que tem de ser atingido, seja como for, mas mais comumente temos um grande número de objetivos conflitantes em mente simultaneamente, e esperamos realizar esses objetivos de tal maneira que o alcance de qualquer um dos objetivos não elimine o alcance de muitos dos outros. Consequentemente, "a navegação no tempo" não é um negócio automático de selecionar o caminho mais curto entre O e G, e sim de encontrar um caminho mais ou menos tortuoso dentro do envelope de mundos não contrafactuais e quase contrafactuais que sejam compatíveis com o alcance de metas múltiplas e concorrentes com os custos de oportunidade globais mais baixos.

PARTE III
TEMPO E PRÁTICA

26

A atitude natural e a teoria da prática

Deixemos que os capítulos 23 a 25 sejam uma explicação da cognição do tempo no abstrato. Mas há muitos motivos para acreditar que um modelo cognitivo mecânico-cibernético do tipo que acabamos de esboçar deixa de refletir muitos dos aspectos mais importantes da experiência do tempo dos sujeitos humanos no mundo cultural e historicamente enraizado. Como é possível continuar a partir do tempo do "modelo cognitivo" descontextualizado para o tempo concreto e engastado do sujeito e agente antropológico, enredado nos ritmos temporais da vida coletiva e operando, não de acordo com os princípios da "razão" desincorporada, mas sim de acordo com as rotinas irrefletidas das práticas sociais estabelecidas? Os perigos de supraintelectualizar a concepção do tempo antropológica são bem claros. Realmente, o modelo apresentado está aberto a uma objeção fundamental precisamente por representar a cognição humana como uma espécie de investigação científica. A cognição é mostrada como uma busca sistemática pela verdade do mundo (a verdade do território temporal da série-B) realizada por meio da coleta de "dados" da percepção, da codificação dos dados à luz da avaliação (a aplicação de esquemas interpretativos) e a formação de "hipóteses perceptuais" que motivam novos "movimentos exploratórios" ou investidas de coleta de dados. Será que a convergência suspeita entre o modelo "científico" da cognição e a atividade genérica dos cientistas (a construção de modelos hipotético-dedutivos) não sugere que o que está sendo produzido, embora supostamente uma representação dos processos cognitivos de "mentes" em geral, seja nada mais do que uma transcrição das atividades intelectuais do construtor científico de modelos? De tal forma que esses modelos intelectualistas, embora com a intenção de descrever a experiência humana no mundo, podem apenas conseguir descrever seus próprios processos de construção a distância. O perigo inerente à entrada em uma casa de espelhos desse tipo é bastante aparente. Mas como escapar desse objetivismo enganoso que ameaça, sob um exame mais minucioso, tornar-se um sistema fechado?

Há duas saídas possíveis. As duas envolvem um retorno a Husserl, mas de maneiras diferentes. A primeira é propor um tipo mais radical de análise "subjetiva" do tempo do que qualquer uma tentada até o momento, pelo menos neste livro. Esse passo, que pode ser chamado de subjetivismo transcendental, foi proposto filosoficamente pelo próprio Husserl, mas foi levado mais adiante por seus sucessores na filosofia, principalmente Heidegger e Sartre. Lidarei (e apenas sucintamente, por motivos que logo surgirão) com Heidegger.

Qualquer sociólogo ou antropólogo interessado, ao abrir pela primeira vez o livro *Being and Time* (1962) [O ser e o tempo] de Heidegger poderia ser perdoado se imaginasse que uma obra dedicada à exploração do "ser-no-mundo" (*Dasein*) deve conter, entre suas muitas páginas, umas tantas que seriam diretamente relevantes aos tipos de problemas descritivos e interpretativos que interessam aos sociólogos. Mas isso não ocorre, nem foi parte das intenções de Heidegger que ocorresse. O livro de Heidegger é prescrição metafísica e não descrição psicológica, e tudo que constitui experiência humana normal é condenado desde o início como "inautêntico". *Being and Time* é sobre transcender as categorias da compreensão comum inautêntica e cotidiana do mundo para vivenciar um "momento de visão" autêntico (*Augenblick*). Essa visão (que é uma revelação do "Ser", uma categoria que os tradutores de Heidegger acham que é realmente uma paráfrase para Deus) deve ser obtida permitindo que os horizontes da individualidade (*selfhood, Dasein*) obtenham reconhecimento final, despidos de toda a contaminação por preocupações e ilusões mundanas, como a realidade última e abrangente. Além disso, Heidegger acha que a armadura do autêntico *Dasein* é o tempo subjetivo (o tempo da série-A) – "*Das Dasein... ist die Zeit selbst*". O tempo autêntico não é o tempo público (aquele que pode ser medido pelo relógio) e sim o tempo integral da individualidade que, ao contrário de tempo do relógio, é finito (terminando com a morte) e também sem sequência, porque o passado é puxado para o presente e é repetido, e o futuro é presente porque o presente é sempre uma "preparação" (realizada por meio de repetições do passado). Pelo menos, isso ocorre quando o tempo é compreendido autenticamente, ou, como creio ser legítimo dizer, religiosa ou espiritualmente, já que o "passado repetido", o "futuro para o qual nos preparamos" e o "presente que tudo abrange" me parecem corresponder exatamente ao arcabouço temporal de rituais ou sacrifícios (tais como a comunhão cristã) como são compreendidos pelos teólogos. Quanto ao resto, há apenas o tempo inautêntico, sobre o qual Heidegger não diz nada especial e o qual ele está perfeitamente disposto a descrever em termos que não levantariam quaisquer objeções entre os filósofos mais racionalistas. Heidegger não nega o tempo comum, cotidiano, isto é, o "tempo social" como um antropólogo ou um sociólogo poderiam defini-lo; ao contrário, ele sistematicamente o desvaloriza, e o vê como o produto da condição "arruinada" ou "perdida" da humanidade comum – "A perdição do *Dasein* é o motivo pelo qual existe o tempo publicamente" (1962: 464). A humanidade "se refugia na realidade" a fim de adiar o momento de reconhecimento autêntico do tempo, que é o momento em que a finitude do tempo (a morte) também tem de ser aceita. Mas esse escape é na verdade escravidão a um tempo estranho e inautêntico. É estar "no" tempo, em vez de, por assim dizer, "ser tempo" ao reconhecer, no momento visionário, em primeiro lugar, que o tempo é abrangente, e em segundo que o tempo é o eu.

A subjetividade transcendental de Heidegger é um desenvolvimento compatível – embora idiossincrático – com a filosofia de Husserl que era igualmente transcendental em intenção, embora menos antirracional e anticientífica em sua execução. Dizer que ela não tem qualquer influência nas questões sociais ou psicológicas é tratá-la com máximo respeito, e não o contrário. Alternativamente, podemos interpretá-la como a expressão filosófica de uma ideologia romântica e reacionária, compatível com o compromisso bem documentado de Heidegger com o fascismo. Mas, de qualquer forma, não vale a pena prolongar a discussão de um ponto de vista que é tão enfaticamente desdenhoso das concepções comuns do tempo tidas pela maioria das pessoas envolvidas no negócio comum de viver, que é o tema primordialmente em discussão aqui. E tampouco haveria necessidade de discutir Husserl se Husserl fosse apenas um filósofo transcendental. Mas Husserl, além de elaborar uma metafísica filosófica, também criou a pré-filosofia, uma psicologia fenomenológica que examina a massa unificada de pressuposições que compreendem a "atitude natural" para com a vida, e é dessa análise pré-filosófica que Husserl faz do pensamento "natural" e não a da fenomenologia transcendental propriamente dita, que se origina sua significância nas ciências sociais (SCHUTZ, 1967: 115). A pré-filosofia de Husserl é a fonte da corrente "fenomenológica" no pensamento sociocientífico do pós-guerra (p. ex., SCHUTZ, 1967; BERGER & LUCKMANN, 1966; GARFINKEL, 1967 etc.) O pensamento sociocientífico inspirado na fenomenologia não está interessado em valorizar a compreensão "autêntica" (Heidegger) ou "a compreensão na esfera reduzida da época fenomenológica" (Husserl) por sobre o tipo de compreensão manifestada na atitude natural. Realmente, a humanidade na "atitude natural" é o objeto, não apenas da curiosidade, mas também da solicitude, na fenomenologia pré-filosófica, e não se busca a autenticidade em qualquer outro lugar, certamente não em algum "momento de visão".

Concedida a necessidade de nos afastarmos do abismo da subjetividade transcendental, a sociologia e a antropologia fenomenológicas ainda têm um dilema no sentido de que a alternativa óbvia parece ser o tipo de objetivismo, cientifismo e realismo ingênuo que a própria fenomenologia foi destinada, inicialmente, a combater. Isso, de qualquer forma, é tomado como ponto de partida por Bourdieu (1977) de todos os antropólogos, aquele que deve mais a Husserl, especialmente em suas investigações detalhadas da natureza do tempo social. Para Bourdieu, o dilema nas ciências sociais é romper com o "objetivismo" (primordialmente o estruturalismo, a economia neoclássica, o determinismo tecnoecológico, e assim por diante) por um lado e simultaneamente com o "subjetivismo" (que significa primordialmente o tipo de teoria social existencialista ela própria originária da fenomenologia transcendental, desenvolvida por Sartre e secundariamente todas as teorias que "concedem ao livre-arbítrio [do agente] o... poder de constituir o significado da situação" (p. 73) – e o poder de formar projetos com a intenção de alterá-lo para a própria vantagem do agente).

Bourdieu argumenta que o conceito de "práticas" originário de Marx fornece o meio para remover o "falso dilema" do mecanismo-com-objetivismo e do finalismo-com-subjetivismo. "A atitude natural" de Husserl se desloca para o centro do palco, não apenas como um conjunto contingente de "tipificações" da atitude mundana para com a vida, mas como um produto historicamente constituído que produz o homem historicamente.

Assim Bourdieu, como Sartre, combina Husserl com Marx, mas trata-se de um Husserl diferente, e sem dúvida de um Marx diferente também. Enquanto a ideia temática dos textos de Sartre é a liberdade, nos produtos de Bourdieu a ênfase é colocada sobre as práticas, isto é, as restrições muito específicas sobre a definição de "o possível" que são impostas pela historicidade, como uma limitação intrínseca à liberdade. A preocupação de Bourdieu é com a densidade inercial das sociedades, não com as fantasias milenárias da inteligência. A ideia de que a história, as tradições a socialização e a educação são absolutas quando nos referimos aos seres humanos, e não coisas que possam ser "colocadas em parêntese" ou transcendidas por meio de atos de escolha ditados por metas puramente ideais, é uma ideia característica do ponto de vista sociológico, mas que só esporadicamente é representada na filosofia.

O marxismo crítico de Bourdieu é exclusivamente sociológico, e não revolucionário. A ideia principal se origina de Marx e é que o homem produz a si mesmo, ou para expressar a mesma coisa de uma maneira que evite a implicação de que essa produção ocorre instantaneamente, o homem é produzido pela história que ele produz. "História" nesse contexto claramente não é o registro do passado, entendido como uma série de eventos datáveis no tempo da série-B, e sim o resíduo do passado incorporado nos homens existentes, nas estruturas de relacionamento social existentes e nas constelações existentes de ideias que interpretam a realidade.

É essencial observar a profunda afinidade entre o conceito do tempo da série--A, e o conceito de tempo implícito na dialética histórica marxista da produção do homem pela história e da produção da história pelo homem. Essa "história" não é o "passado" da série-B, imutável e inacessível, mas um passado que é dinamicamente interconectado com o presente e que muda à medida que o presente muda. Ele não é uma simples adição de novos eventos (mudanças) à linha de frente temporal demarcada pelo "agora"; em vez disso, a mudança iniciada no momento-agora ocorre com profundidade. Toda a história muda à medida que o presente muda, em virtude das interações contínuas dos resíduos históricos na situação atual, que está centrada no "agora", mas que abarca o passado e também o futuro.

A concepção dinâmica de historicidade é um dos legados mais importantes que Bourdieu herdou da filosofia de Husserl porque é aqui, precisamente, que surge a afinidade eletiva entre a versão husserliana da filosofia do tempo da teoria A e a teoria sociológica marxista. Temos apenas de rever a explicação dada sobre a consciência interna do tempo do modelo de Husserl no capítulo 23 para discernir uma convergência extraordinária entre os conteúdos da consciência com o campo temporal do ego, esboçada pelo filósofo fenomenológico, e o modelo de interações dinâmicas entre os elementos mediadores no campo social (estruturas historicamente produzidas que estruturam a história) imaginada pelos sociólogos marxistas críticos, principalmente Bourdieu. A versão marxista crítica do historicismo é a psicologia fenomenológica husserliana em escala maior.

O modelo de Husserl nos mostra a forma de *um presente dinâmico que abrange o passado e o futuro*. O passado e o futuro mudam e interagem por meio de uma rede de protensões e retenções, à medida que o presente processa, estabelecendo "o *continuum* de continua" a reduplicação indefinida do *continuum* do tempo já imaginado por McTaggart como uma consequência necessária do conceito do tempo da série-A. Por mais insatisfatória que seja do ponto de vista da lógica comum (cf. a crítica de Mellor no capítulo 17, acima) essa maneira de olhar as coisas realmente reflete o fato de haver, subjetivamente falando, para cada momento de tempo (T1,T2... Tn) uma única perspectiva sobre o tempo inteiro no horizonte temporal do sujeito, enquanto a série-B nos dá apenas uma perspectiva sobre o tempo, que inclui todos seus momentos, passado, presente e o porvir.

É só pela multiplicação do número de *continua* do "tempo" para refletir o acúmulo de sucessivos momentos "agora" que a série-A pode ser realizada; da mesma maneira, só a invocação de um conceito dinâmico de "história" em que cada conjuntura é identificada com uma única configuração de forças históricas pode resolver o enigma implícito na ideia de que o homem, o produto histórico, produz a si mesmo (por meio da história). Porque a lógica comum sugere que, se o homem é produzido pela história, ele não pode ser aquele que produz a história. Salsichas são produzidas por máquinas de fazer salsichas, mas máquinas de fazer salsichas não são produzidas por salsichas. A única agência que poderia ser imaginada como produtora da "história" seria a história de períodos precedentes. A história do século XVIII produziu a história do século XIX, e assim por diante. Mas nesse caso estamos de volta ao determinismo histórico simples, à própria armadilha que o marxismo crítico está preocupado em evitar. Mas se, como sugerido, imaginamos que a "história", em uma conjuntura determinada, não é um simples encadeamento de antecedentes causais, mas sim uma configuração singular de resíduos do passado no presente (= retenções) e elementos emergentes do futuro no presente (= protensões) em jogo dentro de "horizontes" históricos que são estabelecidos pela dificuldade atual, então estão realizadas as condições para uma concepção diferente da historicidade humana; uma historicidade em que os relacionamentos não são causais e sim dialéticos, isto é, subjetivamente mediados pelo próprio homem, e não impostos de fora e sim gerados internamente. A "história" nesse sentido é multiplexa, dinâmica e perspectivista: exatamente como os "eventos" no modelo husserliano de consciência interna do tempo *sofrem* "mudanças" ao mesmo tempo em que *são* mudanças eles próprios (uma noção que é sem sentido exceto em um universo centrado no sujeito), o mesmo ocorre com os elementos que constituem a historicidade humana; tornando-se uma série de interações mediadas pelo homem, sob a influência de certos tipos de consciência historicamente produzidos.

Em outras palavras, o conceito do tempo da série-A não é apenas compatível com a concepção da história marxista crítica, ele é na verdade logicamente necessitado por ela: do ponto de vista da série-B o postulado marxista da relatividade do presente para a história e da história para o presente, é inteiramente inadmissível. Da perspectiva da série-B, "o que ocorreu na história" não é dependente daquilo "que está ocorrendo agora". E se "aquilo que irá ocorrer no futuro" é dependente daquilo "que ocorre agora" em um sentido causal, ele não é *logicamente* dependente do presente; eventos futuros poderiam ser diferentes daquilo que na verdade serão, sem interferência na articulação lógica do tempo da série-B. Do ponto de vista da série-A, tudo isso é transformado radicalmente; o passado de um presente determinado é o passado daquele presente e de nenhum outro presente, e o mesmo se aplica ao futuro daquele presente. Assim, se a retenção de A a partir de B é A^1, A está retido como A^1 a partir de nenhum outro momento-agora; como um "evento passado" (B") específico, ele é específico a B como presente. Em C, B é um "evento passado" (B^1) diferente, e assim por diante. Da mesma forma, se considerarmos a análise marxista crítica de elementos da ideologia, podemos construir uma análise idêntica. Por exemplo, a autoridade da chefatura, que existe em certas sociedades como um resíduo histórico, formativo na produção de um certo modelo de relacionamentos sociais no presente, e ainda assim que (*qua* "influência formativa") não é aquilo que é captado, reinterpretado e colocado em uso agora na construção de novos modos de relacionamentos de poder que apontam na direção de um futuro emergente porque o contexto temporal em que as "influências formativas" estavam em jogo não é o contexto de tempo que existe agora. O "passado de chefatura" que produziu o presente não é o "passado de chefatura" que o presente está produzindo e que irá produzir o futuro. Entre os dois existe uma lacuna, uma lacuna que é preenchida por homens como uma fonte agentiva de história; *Le pli dans l'être*, como diz Merleau-Ponty.

Deixemos que esses comentários sejam suficientes como uma explicação da afinidade fundamental entre o marxismo crítico e as abordagens do tempo da teoria A: não é nenhum exagero, com efeito, simplesmente afirmar que, como a série-A está para a série-B, assim também a concepção marxista da história está para a concepção ortodoxa. Além disso, podemos retornar à Figura 23.1 e ver lá uma representação exata da base lógica essencial da historiografia e da sociologia marxistas críticas.

Mais adiante, farei um esboço preciso do modelo protensional/retencional da consciência interna do tempo de Husserl, nas explicações de Bourdieu sobre a maneira em que os camponeses kybele da Argélia estão inseridos em seu próprio fluxo temporal característico. Mas antes de nos voltarmos para as análises etnográficas extraordinariamente interessantes de Bourdieu, mais precisa ser dito sobre a teoria da prática em geral, e a crítica da sociologia que ela incorpora.

Em *Outline of a Theory of Practice* [Esboço de uma teoria da prática], Bourdieu coloca o modelo teórico A da temporalidade no contexto de uma teoria geral de comportamento social que é uma contrapartida marxista crítica da psicologia social desenvolvida por G.H. Mead, o filósofo pragmatista e conhecido teórico-A (cf. capítulo 16, acima) em *Mind, Self and Society* (1924) [Mente, *self* e sociedade] e descrita por seu inventor como "behaviorismo social". Goff (1980) comentou sobre a convergência entre a psicologia social pragmatista de Mead e o conceito de ideologia de Marx, e se é possível mostrar que Mead reinventou Marx, talvez não deva ser nada surpreendente se em tempos recentes os marxistas reinventarem Mead. A "teoria da prática" apresenta Husserl e Marx no contexto de uma teoria behaviorista da origem da ação social. Essa parece uma posição paradoxal no sentido de que, filosoficamente, a fenomenologia e o behaviorismo representam pontos de vista muito opostos e conhecidos sociólogos "fenomenológicos" (p. ex., Schutz, Berger e Luckmann etc.) são oponentes explícitos do behaviorismo, se a abrangência do "behaviorismo" estiver restrita a explicações mecânicas e reducionistas do comportamento com base em histórias de recompensa e castigo.

Mas apesar da incompatibilidade admitida da filosofia fenomenológica (isto é, do subjetivismo transcendental) e do behaviorismo, não há uma incompatibilidade assim entre a fenomenologia pré-filosófica e a variedade muito menos reducionista de behaviorismo de Mead (como Schutz, que admirava Mead enormemente, reconheceu). Bourdieu traz essa convergência para a realidade.

O leitor se lembrará de que Mead distinguia dois aspectos do *self* social: o "Eu" (o núcleo espontâneo da individualidade) encapsulado dentro do "mim" – a soma internalizada das reações dos outros sociais com relação ao agente, ou, para dizer a mesma coisa com palavras que lembram os termos usados na discussão anterior, a "história" internalizada do agente – os resíduos do homem de ontem e as prefigurações do homem de amanhã que constituem o homem de hoje. O "mim" de Mead é a incorporação subjetiva das realidades objetivas do contexto social e consiste em uma série complexa de reações habituais que garantem os interesses do indivíduo (controle sobre eventos) por meio de *adaptações* às circunstâncias externas (Mead foi influenciado pela teoria darwiniana). Psicologicamente falando, a explicação da ação social de Mead, como "hábitos" socialmente adaptados e socialmente adaptativos, pode ser identificada como uma teoria "*periferalista*", para empregar o termo usado na história da psicologia para denotar teorias que tratam o comportamento (e o pensamento) como "reações do organismo como um todo" – em oposição às teorias que enfatizam o papel autônomo da cognição para a geração da conduta (teorias "centralistas"). Mead e Bourdieu são ambos proponentes do periferalismo. Se compararmos periferalismo com behaviorismo, como me parece que devemos fazer, então tanto Mead quanto Bourdieu são behavioristas. Mead declaradamente, Bourdieu mais secretamente.

O "mim" descrito em *Mind, Self and Society* é equivalente ao conceito do *habitus*, o conceito central da "teoria da prática" de Bourdieu:

> um sistema de disposições duráveis, transponíveis, estruturas estruturadas predispostas a agir como estruturas em estruturação... "regular" sem ser... o produto da obediência às regras, adaptadas a suas metas sem pressupor um propósito consciente [de atingir] fins... coletivamente orquestrados sem ser o produto da ação orquestradora de um maestro...
>
> [O] princípio generativo duravelmente instalado de improvisações regulamentadas... História transformada em Natureza (1977: 72, 78).

O conceito de *habitus* de Bourdieu – a alusão à principal noção behaviorista de "hábito" (em francês, *habitude*) é uma intenção óbvia – fornece a base para o escape do "falso dilema de mecanismo e finalismo". Ao oferecer sua crítica da sociologia Bourdieu opõe, como observamos anteriormente, teorias "objetivistas" que adotam uma visão de observador da sociedade – Lévi-Strauss uma vez comparou sua abordagem intelectual com aquela de um entomologista estudando as coisas que acontecem em um formigueiro – e teorias "subjetivistas" do tipo das de Sartre, que são baseadas na notação de que os seres humanos "escolhem" ser o que são porque ser humano é ser livre, em algum sentido absoluto. Seu primeiro passo é rejeitar o objetivismo estruturalista, com a justificativa de que essa abordagem comete a "falácia da regra" que surge quando generalizações descritivas *ex post facto* são convertidas em explicações causais do comportamento sendo explicado, como na seguinte sequência:

1) Observo certo comportamento.

2) Invento uma regra que se enquadra com esse comportamento – isto é, *se* a regra R existisse, e *se* as pessoas a obedecessem, o comportamento observado seria o resultado disso.

3) Presumo que a regra que "se enquadra" com o comportamento "orienta" esse comportamento: isto é, que os agentes envolvidos têm uma intenção consciente ou inconsciente de seguir a regra como foi formulada.

4) Concluo que o comportamento observado é causalmente explicado pela existência da regra.

Dessa maneira, generalizações descritivas, construídas a partir do ponto de vista de um observador, são projetadas sobre os sujeitos do discurso antropológico que passam a ser meros marionetes manipulados por um titereiro estruturalista.

Por outro lado, as teorias de "decisão" são rejeitadas, de uma maneira não tão severa, como versões de humanismo ingênuo que não conseguiram aceitar o caráter de conduta social profundamente "convencional" e formado historicamente. A saída desse impasse é romper tanto com o "mecanismo" quanto com o "finalismo", reconhecendo a autonomia da "prática" com relação tanto às "regras" quanto aos "projetos" por meio da invocação do *habitus*.

A básica percepção de Bourdieu é que os agentes sociais não se comportam como marionetes presos a cordas, como eles tendem a fazer em modelos estruturais convencionais, mas tampouco são espíritos livres. Eles são, diz ele, mais como músicos de *jazz*, que entram em uma sessão equipados com um corpo de técnicas práticas para tocar seus instrumentos e um formato já acordado para improvisar coletivamente sobre um tema, mas que produzem música que não pode ser antecipada *a priori*, nem por eles mesmos, e que é difamada se for analisada *post festum*, como a "realização" de uma estrutura musical que existia antes que as notas fossem executadas e independentemente dessa execução.

Dessa maneira, Bourdieu se desassocia dos aspectos mecanicistas da construção de modelo estruturalista, mas retém os aspectos mais valiosos da teoria estruturalista, isto é, a capacidade de se concentrar em sistemas como sistemas, não meramente como coleções de elementos heterogêneos. As "estruturas estruturadas predispostas a atuar como estruturas que estruturam" são sistemáticas, mas não são modelos estruturais transcendentes ou leis inconscientes. Ao contrário, elas são precipitadas de história imanente nas propensões disposicionais dos agentes sociais ativos.

Uma vez mais, embora os indivíduos sejam reconhecidos como indivíduos na teoria de Bourdieu (um legado subjetivista), Bourdieu enfatiza a harmonização coletiva do *habitus* de cada agente individual que forma parte de uma coletividade: o *habitus* de indivíduos separados coincide porque eles participam do mesmo processo histórico. As estruturas cognitivas e motivacionais dos indivíduos coincidem com as exigências objetivas do "sistema" em virtude do relacionamento dialético (circular) entre a produção histórica do *habitus* coletivo e a reprodução de um conjunto determinado de condições históricas via a ação coletiva.

É interessante e característico que, ao buscar uma imagem para transmitir a harmonização coletiva de *habitus*, Bourdieu ilumina uma parábola venerável da filosofia do tempo, tanto porque a harmonização do *habitus* é essencialmente um fenômeno rítmico ou musical (isto é, temporal) – como a metáfora da improvisação do *jazz* implica – e porque a sociedade é completamente temporal, já que é um processo histórico e não um tecido sincrônico de regras. Assim, no curso de uma discussão fascinante, Bourdieu invoca Leibniz, comparando a homogeneização objetiva do grupo ou classe *habitus* às pancadas sincrônicas de dois relógios, o que pode ser atribuído a (1) comunicação mútua entre os relógios, (2) as ações de um operário que mantém os dois relógios marcando a mesma hora, ou (3) o fato de eles terem sido feitos com "tal arte e precisão que podemos estar seguros de sua concordância subsequente... *seguindo apenas [suas] próprias leis, apesar disso cada um concorda com o outro*" (LEIBNIZ. "Monadology", apud BOURDIEU, 1977: 80). Agentes sociais são como (3) – mônadas leibnizianas ou relógios muito bem-feitos – já ajustados às respostas um do outro por uma "lei imanente" (*Lex insita*) estabelecida "pela criação primeira".

Talvez a mera virtuosidade da apresentação de Bourdieu desse ponto deva merecer uma pausa. O conceito da *lex insita* é excepcionalmente atraente, mas será real? Será que somos (ou os kabyle são) realmente como os "mônadas sem janelas" de Leibniz – coordenados, isto é, inteiramente sem comunicação social, sem o intercâmbio de informação, a construção racional de projetos de ação, o seguimento de regras de comportamento incorporadas em representações coletivas, e assim por diante? Será impossível apontar exemplos reais dessas coisas? Mesmo concedendo que o "universo de informação" é socialmente restrito, de tal forma que agentes estão livres para projetar apenas uma variedade limitada de futuros possíveis (aqueles que eles podem imaginar com base em um passado coletivo e biográfico específico) e livres para comunicar apenas uma variedade limitada de mensagens (que estão de acordo com pressuposições aceitas coletivamente) ainda assim parece haver espaço bastante para o exercício da razão, persuasão racional, a construção e avaliação de projetos de ação rivais e o seguimento consciente de regras de comportamento com justificativas racionais e não habituais.

Sobretudo, parece difícil manter de forma consistente a teoria "comportamental" de conhecimento que é essencial para a posição defendida por Bourdieu. A teoria comportamental de conhecimento identifica "saber" com "fazer". "O rato sabe que há comida na parte esquerda do labirinto" é redutível, segundo a teoria comportamental de conhecimento, à disposição comportamental do rato de correr até a parte esquerda do labirinto e desprezar a parte direita. À luz da teoria da prática, todo o conhecimento é desse tipo, isto é, um conjunto de disposições para reagir a situações estereotipadas de uma maneira estereotipada que foi previamente "inculcada" no repertório comportamental do agente. Aceito que há "conhecimento" que pode apenas ser expresso no desempenho de alguma atividade (isto é, "conhecimento de como" (RYLE, 1949); saber como andar de bicicleta é um exemplo desse tipo de conhecimento – mas há também o tipo de conhecimento que é proposicional na forma (conhecimento que). Esse tipo de conhecimento é uma possessão do sujeito (como a possessão de uma soma de dinheiro), não uma "disposição" (como a disposição de gastar dinheiro com bebida e não com livros). Bourdieu trata o conhecimento cultural como um conjunto de propensões disposicionais de agentes socializados; mas esse ponto de vista parece-me indevidamente parcial.

27

A teoria da prática e a regulação do tempo para intercâmbios

Voltemo-nos, no entanto, para o tratamento dado à temporalidade na teoria da prática de Bourdieu. O tema do tempo (em sua versão teórica A) ocorre quase na primeira página do livro de Bourdieu e desempenha um papel importante no argumento a partir de então. Ao rejeitar o objetivismo, Bourdieu levanta a questão da instituição favorita do estruturalista, o intercâmbio adiado. Se A dá a B um presente cerimonial no dia 1, que é retribuído no dia 100 por um contrapresente, não significa nada para A ou para B que aos olhos da eternidade (e da teoria de intercâmbio) os dois presentes "cancelem um ao outro exatamente". Pelo contrário, o atraso, o período durante o qual o presente de A permanece sem ser retribuído, levando a uma modificação qualitativa contínua do relacionamento entre A e B, é de total importância. Dependendo de quando é feita a contra-apresentação, ela será uma apresentação diferente: se o atraso é pequeno, isso significa um desinteresse da parte de B de tacitamente cooperar com o desejo de A de obter as vantagens que resultam para o credor em uma relação credor/devedor – Trair nossa pressa de estar livre de uma obrigação em que incorremos... é denunciar o presente inicial retrospectivamente, como se fosse motivado pela intenção de nos obrigar" (BOURDIEU, 1977: 5-6). Se o atraso é longo demais, isso pode significar indiferença, inspirando ressentimento de um tipo diferente. As boas avaliações que na verdade determinam a reciprocidade no intercâmbio são traduzidas por um modelo da série-B, em um tempo nivelado, não perspectivo, tal como:

$$
\begin{array}{ccc}
\text{D1} & A \dashrightarrow B \\
 & * \quad\quad * \\
 & * \quad\quad * \\
 & * \quad\quad * \\
\text{D100} & A \dashleftarrow B
\end{array}
$$

que mostra a simetria objetiva entre as transações envolvidas, mas esconde precisamente o que é que faz de um presente um "presente". "Para que o sistema funcione", escreve Bourdieu, "os agentes não devem estar totalmente inconscientes da verdade de seus intercâmbios que é explicitada no modelo do antropólogo, enquanto ao mesmo tempo eles devem se recusar a conhecê-la e sobretudo a reconhecê-la" (BOURDIEU, 1977: 6). Em vez de fazer um modelo da série-B de suas transações, que iria expor a banalidade da mera reciprocidade, as partes envolvidas decidem dar ou não dar, retribuir ou deixar de retribuir, segundo os sentimentos ditados pela consciência retencional de presentes passados que vai desaparecendo (A $\rightarrow$ A^{I} $\rightarrow$ A^{II}) e protensões de presentes iminentes (B^{II} $\rightarrow$ B^{I} $\rightarrow$ B). Embora Bourdieu não se refira explicitamente ao modelo husserliano nessa conexão, é claro que só a perspectiva da série-A pode captar as sutilezas qualitativas do atraso, do suspense etc. que são tão essenciais para a natureza lúdica do intercâmbio cerimonial.

Bourdieu nega que o tempo de modelos "científicos" seja capaz de iluminar a dialética da prática: "a ciência tem um tempo que não é o da prática":

> a prática... é aniquilada quando o esquema [isto é, o *habitus*] é identificado com o modelo: a necessidade retrospectiva torna-se necessidade prospectiva... coisas que ocorreram e já não podem ocorrer passam a ser o futuro irresistível dos atos que as fazem ocorrer. Isso significa propor, com Diodoro, que se é verdadeiro dizer de uma coisa que ela irá ser, então deve um dia ser verdadeiro dizer que ela é... Toda a experiência da prática contradiz esses paradoxos... No momento em que a possibilidade é admitida de que a "lei mecânica" do "ciclo de reciprocidade" pode não se aplicar, toda a lógica da prática é transformada... a incerteza, que encontra sua base objetiva na lógica probabilística das leis sociais, é suficiente não só para modificar a experiência da prática... mas também a própria prática... (p. 9).

A reintrodução que Bourdieu faz da espessura do tempo no conceito antropológico abstrato de reciprocidade é um ponto aceito e valorizado. Mas é interessante observar que sua discussão, embora esclarecedora, não é muito específica e se refere a tipos relativamente informais de doação de presentes, e não aos intercâmbios cerimoniais "competitivos" do tipo melhor documentado na Melanésia, isto é, o Kula, o Moka, o Tee etc. (MALINOWSKI, 1922; LEACH & LEACH, 1983; STRATHERN, 1971; MEGGITT, 1976). Como procurarei demonstrar mais adiante, a regulação do tempo de presentes e contrapresentes no último tipo de sistema muitas vezes não pode ser explicada, exceto à luz de estratégias abertamente "calculadas" que não podem ser atribuídas a agentes que "escondem de si próprios e dos outros a verdade de sua prática". Mas antes de nos voltarmos para esses assuntos, é necessário permanecer por um momento em outro ponto, ou seja, a alegação geral de Bourdieu de que modelos "estruturais" (como aquele que acabo de dar) são enganosos primeiro porque são atemporais e segundo porque são deterministas, mostrando apenas um resultado inevitável, enquanto nas situações reais (especialmente intercâmbios) existem muitos resultados possíveis.

A referência a Diodoro requer alguma explicação. Os filósofos gregos desenvolveram uma série de paradoxos temporais ao redor do fato de a verdade e a falsidade lógica de afirmações serem características "atemporais" daquela afirmação e, no entanto, as próprias afirmações podem fazer referência a eventos datáveis. O mais famoso desses paradoxos é o paradoxo da batalha naval, discutido por Aristóteles e essencialmente idêntico à ideia de Diodoro. Aristóteles argumenta que as afirmações sobre o futuro não podem ser verdadeiras ou falsas (mas devem ser indeterminadas) porque se eu pudesse verdadeiramente dizer, hoje, que haveria uma batalha naval amanhã, então não haveria nada que os almirantes pudessem fazer para evitar a batalha. Eles poderiam mudar de ideia, mas a batalha iria ocorrer de qualquer maneira, simplesmente porque eu tinha dito verdadeiramente que ela ocorreria. Mas claramente é parte do poder dos almirantes evitar a batalha se assim o quiserem, portanto deve ser que minhas afirmações sobre o futuro não são verdadeiras ou falsas.

Bourdieu está afirmando que o emprego de modelos da série-B é equivalente a uma espécie de fatalismo que surge quando presumimos que se uma proposição é "atemporalmente" verdadeira, isto é uma causa suficiente para a ocorrência dos eventos que ela relata. Implicitamente aceitando o raciocínio (falacioso) de Aristóteles, ele supõe que a construção de modelos leva ao fatalismo, em virtude do seguinte silogismo:

A → B ... B → A ocorreu no passado...

A proposição (modelo) "A → B ... B → A" é verdadeira de forma não flexionada...

Portanto, A → B ... B → A ocorre inevitavelmente (e irá continuar a ocorrer inevitavelmente)

Na verdade, isso não é, de forma alguma, uma consequência. Se os construtores de modelo realmente raciocinaram dessa maneira, eles estariam, é claro, errados, mas não há nada na natureza da construção de modelos *per se* que os obrigue a fazer isso. A verdade lógica de uma afirmação verdadeira sobre eventos ocorrendo em um tempo específico é independente do tempo; isto é, se é verdadeiro dizer que "uma batalha naval ocorre na data D", sempre foi e sempre será verdadeiro articular essa proposição com relação a eventos dessa data específica. Mas isso não tem nada a ver com (1) a necessitação causal desses eventos ou (2) o processo causal pelo qual vimos a ser informados desses eventos, de tal forma a termos justificativas razoáveis para articular essa proposição e não nenhuma outra. Suponhamos que um dos almirantes se recusa a se envolver no último momento e parte em seu navio, evitando assim a batalha que tinha parecido iminente. Como resultado, o fato de a proposição "uma batalha naval ocorre na data D" ter o *status* de ser atemporalmente falsa, tendo sido sempre e subsequentemente tendo sempre aquele valor de verdade, absolutamente nada diminui a responsabilidade pessoal do almirante para a não ocorrência da batalha. Também atemporalmente verdadeira é a inferência contrafactual válida "se o almirante não tivesse partido, teria havido uma batalha naval" que coloca a responsabilidade decisivamente sobre ele, o almirante, e não em algum destino inevitável.

Mais geralmente, não é justificável pensar que a construção de modelos da série-B implica determinismo universal, embora Lévi-Strauss, é bem verdade, tivesse enturvado bastante a questão ao estabelecer uma forte distinção entre os modelos chamados de "mecânicos" e "estatísticos" (LÉVI-STRAUSS, 1963). Modelos estatísticos são indeterminísticos, no entanto não menos "mecânicos" do que qualquer outro tipo de modelo. Os modelos são propostos não porque seus proponentes acreditam que as sequências de eventos que eles retratam devam ocorrer "inevitavelmente" ou porque eles acreditam que, seja o que for que ocorra, ocorrerá por necessidade forçosa e não poderia ocorrer de outra maneira. Eles são propostos como leituras mais ou menos plausíveis de eventos que podem possivelmente ter ocorrido ou podem possivelmente ocorrer. É perfeitamente viável incorporar a um modelo da série-B o fato de os agentes cujo comportamento está sendo modelado estarem operando sob condições de incerteza – o modelo de preferência de liquidez de Keynes é um exemplo de um modelo assim, se esse exemplo fosse necessário.

De um modo mais amplo, podemos dizer que não é a prerrogativa dos modelos da série-A refletir o aspecto "indeterminado" da vida real, em oposição à vida como é retratada em modelos. Basicamente, acho que aqui Bourdieu está confundindo a questão da *modalização* do tempo (isto é, a distinção entre tempo não modal que é um encadeamento linear (não ramificado) de situações ou "mundos" *versus* a forma "modal" do tempo que é uma rede de mundos possíveis, alguns dos quais são realizados, outros não) – com a distinção lógica entre o tempo da série-A e o tempo da série-B. A noção de "mundos possíveis" coexistentes e concorrentes em relacionamentos de alternatividade uns com os outros é compatível com o tempo da série-B e também com o tempo da série-A, isto é, a modalização é uma característica intrínseca dos mapas do tempo de série-B descritos anteriormente (capítulo 25). Assim forma de um modelo da série-B "modalizado" da transação de intercâmbio discutida antes seria o seguinte:

D1   A ------→ B
                *   *
                *   *
                *   *
D100   A ←------ B
                     OU
                A ← // — B

Em D100 há um relacionamento modal de "alternatividade de mundos" entre o mundo em que o presente de A foi retribuído e o mundo em que não o foi. Se desejarmos afirmar que os agentes realmente constroem representações internas de seu campo temporal como um sistema modelar no tempo da série-B, não é necessário presumir que eles mantêm apenas uma dessas representações, cujo resultado é considerado como fatalisticamente inevitável. Eles podem construir um número indefinidamente amplo de tais representações em relacionamentos de alternatividade uns com os outros, e suas esperanças e medos se baseiam na realização de um e não de outro desses "mundos possíveis".

Em vez de interpor uma barreira impermeável entre modelos explicativos atemporais e práticas temporais, parece mais útil reconhecer sua coexistência: em outras palavras, o modelo do antropólogo de um ciclo de intercâmbio pode ser possuído pelo agente, não como um gráfico, mas como um mapa de tempo cognitivo da série-B. Práticas podem ser sedimentadas nessa forma, ou seja, como conhecimento codificado indexical não simbólico, e o fluxo temporal de "práticas" tão enfatizado por Bourdieu surge não tanto da forma lógico-temporal do conjunto subjacente de representações quanto do processo sempre contingente de "localizar" a situação atual à luz desse conhecimento codificado ou desse mapa cognitivo.

É possível dar substância a essa ideia considerando a consciência estratégica exibida pelos operadores mais bem-sucedidos, nos tipos de sistemas de intercâmbio concorrentes da Melanésia a que nos referimos anteriormente. Tomemos, por exemplo, o Kula, cujo mecanismo fundamental – o intercâmbio orientado de colares de conchas que se desloca como os ponteiros do relógio ao redor do "anel" das comunidades Kula na Província de Milne Bay (Papua Nova Guiné) contra o movimento ao contrário dos ponteiros do relógio das pulseiras de conchas – foi descrito tantas vezes que não deveria ser necessário especificá-lo ainda mais. Muitos livros foram escritos sobre esse sistema clássico e competitivo de intercâmbio por antropólogos estrangeiros e, no entanto, continua a ser verdade que o discurso mais lúcido sobre a estratégia do Kula não é um modelo acadêmico ou um exame da prática indígena "irrefletida" ou "erroneamente reconhecida" e sim um guia inflexivelmente instrumental para o *wabuwabu* (ou fraude) ditado para Reo Fortune por Kisian de Tewara. Relata-se que esse Homem Grande dobuan disse o seguinte:

> Suponhamos que eu, Kisian de Teware, vou [para o norte] para as Ilhas Trobriandesas e consigo uma pulseira chamada Monitor Lizard. Depois vou [para o sul] para Sanaroa, e em quatro lugares diferentes consigo quatro colares de conchas diferentes, prometendo a cada homem que me dá um colar de conchas, a Monitor Lizard em retribuição, mais tarde. Eu, Kisian, não tenho de ser muito específico na minha promessa. Ela será transmitida em grande medida por insinuação e suposição. Mais tarde, quando quatro homens aparecem na minha casa em Tewara, cada um deles espe-

rando a Monitor Lizard, só um deles irá obtê-la. Os outros três não serão fraudados permanentemente, no entanto. Eles ficam furiosos, é verdade, e seu intercâmbio fica bloqueado por um ano. No ano seguinte, quando eu, Kisian, for outra vez para as Trobriandesas, declararei que tenho quatro colares em casa esperando por aqueles que me derem quatro pulseiras. Obtenho mais pulseiras do que fiz anteriormente e pago minhas dívidas com um ano de atraso... Tornei-me um homem grande aumentando meus intercâmbios a custo de bloquear [os intercâmbios de outros] por um ano. Não posso bloquear seus intercâmbios por tempo demais, ou ninguém jamais irá confiar em meus intercâmbios outra vez. Sou honesto na questão final (FORTUNE, 1932: 215).

"Essa explicação da política kula", comenta Uberoi (1962: 93), "é a melhor que temos". O único antropólogo que se igualou a Kisian de Tewara a esse respeito foi Shirley Campbell (LEACH & LEACH, 1983: 201ss.). Esse texto extraordinário, em um nível, inteiramente confirma tudo que Bourdieu tem a dizer sobre intercâmbio. As instruções de Kisian sobre *wabuwabu* confirmam a ideia de que, no intercâmbio, tudo depende de usar sugestões e insinuação e de jogar com as expectativas ambiciosas de seus parceiros, e ele demonstra estar igualmente ciente de que tem de ser "honesto na questão final" para que seu crédito como um operador do Kula – seu "capital simbólico" – permaneça intacto apesar de sua racionalização e esperteza. Em termos de sua abordagem intelectual ele é um verdadeiro precursor do próprio Bourdieu. Mas aqui está a dificuldade; porque esse grau de transcendência do saber popular não escrito que orienta as práticas – essa manipulabilidade autoconsciente – é excluída pela estipulação de Bourdieu segundo a qual a prática não é baseada em conhecimento abstrato e sim em uma série de intuições irrefletidas que são evocadas no contexto da situação e que provocam a ação comportamentalisticamente sem um cálculo consciente mesmo quando o cálculo parece estar lá.

Mas não podemos deduzir que as ideias estratégicas de Kisian de Tewara vêm de práticas habituais, embora, para sua implementação eficaz, elas dependam de explorar as atitudes habituais de outros (ou seja, a ambição autodestruidora dos quatro homens de Sanaroa que ficaram tentados a competir pela Monitor Lizard quando teria sido mais aconselhável que eles tivessem formado algum tipo de coalizão). A razão pela qual o wabuwabu não é uma "estratégia prática", e sim, na verdade, construção de um intelectual, é que não há motivo para crer que só Kisian de Tewara, entre todos os operadores do círculo Kula, tem o entendimento suficiente para captar o estratagema, e nem que o próprio Kisian acredita nisso. Pelo contrário, os sócios de Kisian estarão muito provavelmente bem conscientes de todos os riscos que estão correndo ao investir seus colares nos intercâmbios de Kisian e não de outras pessoas. E, sabendo o que sabem, eles podem se retrair. E também estarão tentando ao mesmo tempo fazer o *wabuwabu* com Kisian.

É, portanto, significativo que o texto de Kisian não apresente a estratégia ou como uma "regra" instituída, nem como uma peça de sabedoria proverbial, e nem mesmo como um relato histórico de um *golpe* de Kula que foi realizado com sucesso, mas simplesmente como um modelo ideal de como a ampliação da espera de operações de um comerciante do Kula pode, em termos teóricos e não em termos práticos, ser realizada. Se nos voltarmos para as explicações circunstanciais de Campbell dos negócios do Vakuta Kula (LEACH & LEACH, 1983; cf. tb. MUNN, 1983), é claro que as possibilidades de usar uma concha para ativar mais de uma parceria de intercâmbio simultaneamente, embora bastante reais, são muito mais restritas e podem levar a penalidades muito mais pesadas do que o modelo formal de Kisian sugere. Para os objetivos da presente discussão isso não importa, já que meu objetivo é apenas mostrar que o conhecimento da estratégia do Kula adota uma forma, pelo menos na mente de Kisian de Tewara, e provavelmente na de outros também, que vai mais além do fluxo de iniciativas e reações na série-A e está incorporada, em vez disso, em um conhecimento codificado de um tipo não prático e não situacional.

Além disso, o argumento que Kisian está propondo tem uma aplicação ilimitada, não apenas no caso do Kula; isto é, o princípio comercial de que o fluxo de caixa positivo em uma organização depende de garantir que as dívidas que outros têm com a organização sejam pagas marginalmente com mais rapidez do que as dívidas que essa organização tem com outros. Exatamente a mesma estratégia forma a base do sucesso no tipo muito diferente de intercâmbio – o intercâmbio de porcos – que ocorre nas montanhas da Nova Guiné. Discutindo esse ponto em conexão com o ciclo de intercâmbio Tee dos enga, Meggitt escreve:

> [Os Homens Grandes adquirem poder e riqueza]... pagando aqueles seguidores cujo auxílio é essencial para eles, mas também retendo para si próprios os recursos que podem surrupiar em detrimento dos membros mais fracos e mais pobres do grupo, cujas reivindicações eles podem ignorar por algum tempo sem riscos.
>
> Isso é mais evidente nos principais intercâmbios de objetos entre clãs quando homens pequenos que satisfizeram as exigências de seus homens grandes de contribuir para distribuições anteriores agora descobrem que, em vez de ser reembolsados, são ou iludidos com promessas de reembolso futuro ou (com menor frequência) simplesmente ameaçados fisicamente se continuarem a reclamar. Como as transações entre grupos em todos os níveis são sistematicamente interconectadas e como os homens têm de participar delas para cumprir seus compromissos inelutáveis com parentes e afins, as vítimas dessa exploração só podem esperar, quando contribuem ainda uma vez para uma distribuição organizada por um homem grande, que eventualmente ele desviará alguns objetos para ele. De um modo geral ele o faz, mas só quando isso lhe é conveniente (MEGGITT, 1976: 190).

Meggitt continua, indicando como uma "rede interna duradoura de Homens Grandes" unidos por "solidariedade autointeressada e autoconsciente" alcançam um controle oligopolista por meio da manipulação do atraso que eles podem impor no reembolso de contribuições para intercâmbios por homens pequenos. O resultado é "camadas sociais incipientes" (p. 191).

Há dois pontos que precisam ser sublinhados aqui. O primeiro é que Meggitt deixa bem claro que as táticas de atraso dos Homens Grandes enga no Tee são tanto calculados autoconscientemente quanto subversivos da ordem moral aceita à qual todos os enga dizem obedecer, que insiste que todos os homens – especialmente todos os homens pertencentes ao mesmo clã – são iguais. A possibilidade de que o processo de intercâmbio entre grupos, que tradicionalmente fornecia o princípio organizador tanto para a constituição do clã territorial quanto para as relações globais entre clãs, devesse ser subvertida por uma oligarquia de Homens Grandes pertencentes a clãs diferentes, oficialmente em oposição, mas na realidade em alianças, oficialmente benevolentes com relação a seus "homens pequenos", mas na verdade explorando-os, parece-me apontar para um tipo de racionalidade formal na micropolítica que é incompatível com a teoria da prática, na medida em que essa teoria insiste sobre a impossibilidade de até mesmo transcendência local de ortodoxias e convenções morais convencionais que governam a ação social. O poder dos Homens Grandes depende do fato de os homens pequenos, como diz Meggitt, estarem envolvidos em "compromissos inelutáveis com os parentes e afins", mas a manipulação desses compromissos práticos faz surgir um tipo de poder que pertence a uma área diferente, isto é, pura racionalidade política. E eu argumentaria que essa transcendência local de moralidade *Gemeinschaft* não pode ser explicada na própria esfera da "prática", embora ela dependa do reconhecimento geral dos absolutos morais que a prática impõe – exatamente como, segundo o teorema de Godel, a base axiomática de um sistema lógico determinado não pode ser garantida dentro dos limites daquele sistema lógico, mas apenas por outro sistema de maior poder lógico. Da mesma forma, o poder político que vem de explorar, parasiticamente, as bases morais essencialmente não exploradoras das práticas do intercâmbio, tem de se referido a um nível de análises diferente do próprio intercâmbio.

Até aqui falamos do ponto mais geral sobre intercâmbio e práticas. O segundo ponto que quero levantar é mais estreitamente relacionado com o tempo propriamente dito. A estratégia de *wabuwabu* de Kisian e a estratégia dos Homens Grande dos enga de adiar o pagamento de dívidas internas, a fim de financiar sociedade externas com outros Homens Grandes, são essencialmente idênticas e ambas têm ver com o exercício de um controle superior sobre o tempo. Há uma conexão intrín seca entre transcendência local sobre a base moral de intercâmbio e transcendênci local sobre os ritmos das temporalidades coletivas. Na luta cerebral pelo poder, qu é baseada na rigidez da prática, mas que não pode terminar ali, as categorias práticas do tempo, do espaço e da moralidade se dissolvem:

> Nosso mestre César está na tenda
> Onde os mapas estão espalhados
> Seus olhos fixos em nada
> A mão sob a cabeça
> Como uma mosca de pernas longas sobre a corrente
> Sua mente se desloca sobre o silêncio (YEATS, W.B. *Long-legged Fly* [A mosca de pernas longas]).

A imagem de Yeats do movimento sem atrito da mosca de pernas longas expressa perfeitamente a versatilidade mercuriana do pensamento inteligente e conceitual contra a sabedoria congelada da prática, e é esse tipo de pensamento que, a meu ver, brilha a partir do texto de Kisian (e de muitos outros textos de origem diferente no corpo antropológico) – assim como a partir do registro das atividades reais dos Homens Grandes da Nova Guiné. E um componente desse pensamento sem atrito é, eu argumentaria, acesso ao tempo como uma totalidade representável, ou, mais precisamente, uma variedade de mapas do tempo em forma totalizada da série-B, que permite a computação de contingências que vão além do alcance do pensamento habitual ou refletivo. César não está olhando em seu mapa porque ele tem o mapa dentro de sua cabeça; além disso, é um mapa muito melhor do que aquele que qualquer cartógrafo poderia fornecer, estando em quatro dimensões e não em duas e mostrando não apenas um mundo, mas uma variedade modal de mundos possíveis (como na Figura 25.3, acima). É por isso que Pompeu – que confiou apenas no fato de ser um bom soldado e de ter um exército enorme – estava perdido.

No entanto, a transcendência interna do tempo não é tudo que existe no relacionamento entre o tempo e as estratégias de intercâmbio. Como Munn (1986) demonstrou, em sua explicação sutil do Kula de Gawa (Gawa é outra ilha pequena que faz parte do anel do Kula), o objetivo último do operador do Kula não é a aquisição de riqueza propriamente dita, ou do poder que a riqueza confere, mas sim a transformação do *self* em uma forma expandida espaçotemporalmente. A transcendência temporal interna da razão calculadora é voltada para a realização da transcendência do tempo aberto (ou espaço-tempo) no meio externo. O objetivo do operador do Kula é "escalar" (*-mwen*), não só adquirindo a capacidade de exercer poder ou influência sobre outros, mas também, creio eu, ser capaz de olhar de cima para baixo no mundo da ilha, de um ponto de vantagem superior e abrangente, do qual os homens comuns parecem formigas rastejantes. Para escalar devemos ser capazes de fazer com que as conchas venham sem atrito até nós. Como observa Munn (1983: 284ss.), o simbolismo dos feitiços mágicos que "mexem com a mente dos outros" (e com suas conchas) depende de o próprio operador ser investido com mobilidade ilimitada e sem atrito: "o ritualista [isto é, o operador do Kula] chicoteia seu corpo com um peixe escorregadio, e assim adquire um brilho em uma leveza móvel (*gagaabala*) que o fazem tão atraente que o sócio cede rapidamente" (p. 258). Tendo obtido com sucesso conchas famosas, o nome do operador começa a viajar pelo anel do Kula, independentemente dos movimentos mais infrequentes e restritos de sua pessoa. Isso é fama (*butu-*):

> A fama modela a expansão espaçotemporal do *self* consequente de atos de influência, dando nova forma a esses atos de influência (deslocando a mente de outro) em movimentos da circulação de nosso nome... Como um código icônico e reflexivo, a fama é uma *forma virtual de influência*. Sem fama a influência de um homem não iria, por assim dizer, a parte alguma; atos de sucesso permaneceriam na verdade trancados dentro de si próprios nos tempos e lugares determinados de sua ocorrência ou seriam limitados aos negociadores imediatos. A circulação de nomes os libera, desligando-os dessas particularidades e fazendo que eles sejam o tópico de discursos por meio dos quais eles se tornam disponíveis em outros tempos e lugares.
>
> Como a fama é a circulação de pessoas por meio de seus nomes... ela tipifica a capacidade por relocação subjetiva e reconstituição positiva do eu, que é fundamental para o processo de transação... a fama reflete os atos influentes do ator nele mesmo, a partir de uma fonte externa... o ator se conhece como alguém que é conhecido por outros (MUNN, 1986: 117 – ênfase no original).

Dessa maneira a transcendência do tempo interna associa-se à externa, e uma homologia se estabelece entre a mente, pairando sobre seu estoque de representações internas do tempo, e a *persona* social, pairando sobre o meio espaçotemporal do anel Kula e transcendendo-o. A grossura e densidade do tempo de intercâmbios, que Bourdieu corretamente enfatizou, precisa ser entendida não apenas em isolamento dentro da esfera limitada de práticas, mas como o terreno do qual o intercâmbio em sua forma ideal se desliga, como movimento sem atrito, como personalidade expandida e desincorporada, um nome e uma fama em ascensão.

28

Série-A/série-B; *Gemeinschaft/Gesellschaft*, eles/nós

Pode ser considerado irrelevante invocar o tempo que transcende as atividades dos operadores do Kula contra a teoria da prática, já que ainda poderia ser verdadeiro que a consciência temporal para a pessoa média se dedicando a seus negócios no meio social do Pacífico Ocidental, ou na Kybelia, não divergiria da forma sedimentada e irrefletida ditada pelo *habitus*. O intercâmbio competitivo é um contexto muito especial, e considerando que o próprio objetivo de intercâmbios como o Kula e permitir que homens aspirem a se tornarem radicalmente diferentes de homens "comuns" não deve causar nenhuma surpresa o fato de as práticas do Kula (como o *wabuwabu*) não se definirem em conformidade com a moralidade padrão e a imersão irrefletida no fluxo da vida diária e sim contra elas.

É necessário, portanto, voltar-nos para outros textos de Bourdieu que descrevem essa temporalidade comum, irrefletida. Em 1963 Bourdieu publicou um ensaio sobre "The Attitude of the Algerian Peasant Towards Time" [A atitude do camponês argelino com relação ao tempo] (PITT-RIVERS, 1967: 55-72). Esses camponeses argelinos são os kybele, e esse texto reaparece, com material adicional, em *Outline of a Theory of Practice* (1977). No texto de 1963, Bourdieu nos diz como o *fellah* argelino vive segundo um ritmo temporal determinado pelas divisões do calendário ritual e do ciclo de operações agrícolas. Essas atividades aparentemente técnicas não são percebidas como tal, e sim construídas de acordo a esquemas incorporados em um rico acúmulo de atitudes tradicionais: a vida prática é "mitologia em ação". O homem vive pela graça da natureza, mas apenas violando a natureza com arados e com o fogo. Essas liberdades necessárias precisam ser recompensadas com sacrifícios e a manutenção de respeito ritual com relação à terra; é importante não ser ambicioso demais ou tentar fazer as coisas com rapidez demais.

É inútil perseguir o mundo,

Ninguém jamais vai ultrapassá-lo.

Os kabyle estão imersos na natureza e são parte dela. Eles não abstraem o tempo e o separam do fluxo de eventos interligados e culturalmente predeterminados que os leva pela vida. Os momentos não são especificados cronometricamente, mas segundo convenções mais ou menos vagas. Nós nos encontraremos "no próximo mercado". A não especificidade é adequada (p. ex., ao marcar um encontro) porque, por assim dizer, se um evento já não é inevitável como parte do desenrolar do fluxo predeterminado das ocorrências socialmente esperadas, não há nenhum sentido em tomar providências para fazer com que ele ocorra – realmente, fazer isso seria quase um sacrilégio, um desrespeito pela ordem estabelecida das coisas.

Nos construtos do tempo dos kabyle não há nada que corresponda aos "planejadores", que são uma característica tão proeminente de um escritório moderno bem equipado; quadros brilhantes de melamina marcados com intervalos segundo o calendário na parte superior e dividido em linhas que correspondem a executivos específicos na parte lateral, no qual encontros, conferências, férias e coisas semelhantes podem ser escritos como uma caneta hidrográfica, para serem apagados e reconstruídos à vontade. Essa forma objetivada de duração padronizada e metrificada é precisamente o que falta à duração "vivida" que encontramos entre os kabyle:

> Os intervalos de duração subjetiva não são iguais e uniformes. Os pontos efetivos de referência no fluxo contínuo da passagem do tempo são nuanças qualitativas lidas sobre a superfície das coisas. Os pontos de referência temporais são apenas tantas experiências. Devemos evitar ver esses pontos de divisão, que pressuporiam a noção de intervalos regulares medidos, ou seja, uma concepção espacial do temporal. As ilhas de tempo que são definidas por esses marcos não são compreendidas como segmentos de uma linha contínua e sim como tantas unidades fechadas... O lapso de tempo que constitui o presente é a totalidade de uma ação vista na unidade de uma percepção, incluindo tanto o passado retido e o futuro antecipado (BOURDIEU, 1963: 59-60).

A semana ("o mercado") não é uma medida de tempo, e sim um horizonte temporal dentro de cujos limites será encontrada uma paisagem familiar unificada por uma única perspectiva. Seguindo Husserl muito de perto, Bourdieu reinterpreta os conceitos padrões de "presente", "passado" e "futuro" para que se enquadrem com esse tempo perspectivo. "O 'presente' da existência", diz ele, "não está restrito ao mero presente instantâneo, porque a consciência mantém unida em um único olhar aspectos do mundo já percebidos e a ponto de serem percebidos" (p. 60). Esse é o "presente especioso" de James expandido indefinidamente mais além dos 12 segundos putativos atribuídos a ele pelos psicólogos, para abarcar semanas, meses, anos um *presente longo* cheio de dinamismo e atividade, no entanto nunca realmente deslocado porque *este* presente é imperceptivelmente transmutado em outro, e outro todos os quais envolvem uns aos outros.

Voltando-se para uma consideração do futuro, Bourdieu é capaz de explorar o fato de o idioma francês fazer uma distinção entre "o futuro" (*le futur*) e o "porvir" (*l'avenir*), uma distinção que em inglês não é feita muito naturalmente. *L'avenir* é o "futuro" do "presente longo", a "antecipação 'pré-perceptiva'" do futuro do presente (isto é, o futuro protendido) em oposição ao *le futur*, que é o futuro captado de um ponto de vista localizado no presente, mais antecipadamente (isto é, o futuro fantasiado *modo futuro exacti*, para usar a terminologia de Schutz (1967)). O porvir é percebido da mesma maneira como o presente real ao qual ele está ligado por uma unidade orgânica. Ele é "apresentado" no decorrer da síntese que estabelece o presente junto com seus horizontes temporais: o "futuro" se encontra abaixo desse horizonte: ele é inacessível exceto como uma representação, um presente imaginário definido em oposição a este presente, proposto e simultaneamente negado. Conectada a essa distinção entre o "porvir" e o "futuro" está uma outra distinção entre o "possível" e o "potencial". As possibilidades são exploradas na atividade de "projetar", que é livre, irrestrita por "dados": as potencialidades, por outro lado, não são fantasiadas e sim percebidas exatamente como realidades são percebidas. As potencialidades estão dentro do mundo, não além de suas fronteiras como estão as meras possibilidades (BOURDIEU, 1963: 61-62).

Tendo estabelecido essas distinções, Bourdieu continua para argumentar que os kabyle são obrigados pelo seu *ethos* de subserviência respeitosa às convenções sociais disfarçadas como necessidade natural, a se ocupar inteiramente com esse "porvir", ou seja, com potencialidades incluídas dentro dos horizontes do presente concreto, e não com "o futuro" que, dizem eles, "pertence a Deus". Dessa maneira Bourdieu pode fornecer uma solução para o paradoxo que sem dúvida é observável em outros lugares entre sociedades pré-capitalistas rurais, apresentado pelo fato de os kabyle simultaneamente enaltecerem a presciência e aprovarem a poupança, enquanto, ao mesmo tempo, pregam a submissão ao tempo e negam que seu futuro de longo prazo está em suas próprias mãos e não nas de Deus. A distinção reside entre considerar uma virtude olhar para o que virá (o futuro do presente) estocando cereais contra a *potencialidade* de uma colheita má, já inscrita e evidente na cultura que orienta as práticas agrícolas, e a prática extremamente suspeita de predizer o futuro (*le futur*), que é usurpar a posição privilegiada atribuída apenas a Deus.

O "presente longo" dos kabyle (sob condições tradicionais) gera um sistema de reprodução social que mantém uma situação estável, restrita apenas no último caso por fatores técnicos e ecológicos. Os excedentes agrícolas são poupados (como se fossem depositados em um banco) na forma de gado, mas ao contrário do dinheiro no banco, as reservas de gado não podem ser acumuladas além de uma quantidade finita, em virtude das limitações impostas pela falta de pasto. A poupança é intrinsecamente autolimitante porque o acúmulo é realizado dentro dos horizontes de um padrão de práticas já estabelecido e é orientada unicamente com o objetivo de manter esse padrão. O acúmulo genuíno de capital tem como resultado fundos de capital que são liberados da necessidade predominante de perpetuar o presente e que podem ser investidos com base em "previsões" (predições) de possíveis ganhos futuros. Esse tipo de acúmulo de capital é impossível para os kabyle porque ele contradiz o *ethos* camponês de conservadorismo e ameaça o acordo entre o homem e a natureza.

Podemos resumir essa discussão fazendo um comentário sobre o fato de Bourdieu estar argumentando essencialmente que o tempo "vivido" é tempo da série-A, isto é, tempo concentrado ao redor de um presente que é integralmente um passado e um futuro e que, portanto, tem uma tendência natural a se perpetuar. O tempo "vivido" (em oposição ao tempo representado) tende a envolver o sujeito em um casulo de verdades implicitamente aceitas sobre o mundo, porque ele une o passado, o momento atual e aquilo em que vai se transformar o mundo em uma textura contínua de experiências interconectadas, um fluxo que leva o sujeito com ele. Ao mesmo tempo, deve ser enfatizado que esse fluxo não é uma questão de simples necessidade causal, e realmente não é sequer um fenômeno objetivo, mas sim o produto da subjetividade, a lacuna na natureza na qual está inserida a consciência humana. O caráter autoperpetuador do mundo dos kabyle não é o resultado de necessidades materiais, mas da inércia que domina a mente kabyle, como resultado da própria atividade dessa mente na operação de construir seu mundo. Para Bourdieu, portanto, o modelo de consciência do tempo da série-A tende a sugerir um princípio, não de novidade ilimitada, mas de equilíbrio dinâmico; tudo muda, mas tudo continua o mesmo. O passado, o presente e o futuro estão tão intimamente unidos, que a distinção entre eles – pelo menos dentro do "horizonte" imposto por atitudes costumeiras – tende a desaparecer completamente.

Implicitamente oposto ao tempo "vivido" da série-A, há outro tipo de tempo, descrito de uma maneira menos elaborada, o tempo da ciência social objetivista e do acúmulo (capitalista) e da tomada de decisão racionais. Esse é o "tempo" dos quadros de planejamento dos escritórios e das previsões econômicas, o tipo do qual os kabyle estão excluídos e que não desempenha qualquer papel em suas práticas. Essa duração objetificada, regularizada e separada do presente é o tempo da série-B.

Em outras palavras, Bourdieu está retrabalhando o contraste sociológico clássico entre o *Gemeinschaft* e o *Gesselschaft* do Toennie (solidariedade mecânica *versus* solidariedade orgânica, *status versus* contrato, pré-moderno *versus* moderno etc.) em termos de uma oposição entre a temporalidade "vivida" (série-A) e a temporalidade representada ou objetificada (série-B). Isso representa um avanço enorme com relação à tradição (que começou com Durkheim) da relatividade cultural temporal discutida na primeira parte deste livro (capítulos 1 a 8), no sentido de que ela articula regimes contrastantes de tempo social diretamente com a descontinuidade básica entre sociedades pré-modernas e modernas e, além disso, o faz de uma maneira qu é filosoficamente justificada, porque o contraste entre a temporalidade da série-A e a temporalidade da série-B é logicamente fundamental (capítulo 16).

Será possível estabelecer essa contraste global entre "nós" e "eles" com base no fato de nós operarmos segundo um conceito de tempo predominantemente objetificado ou de série-B, e "eles" operarem segundo um regime temporal de série-A, vivido ou incrustado? Em um nível, Bourdieu está claramente correto ao argumentar ao longo dessas linhas. O grau em que o tempo é representado objetivamente na forma cronológica e sujeito à manipulação consciente é evidentemente muito maior nas sociedades modernas técnicas do que entre camponeses como os kybele. Esse grau é ainda maior entre os umedas, que não têm nomes para os meses, nenhum mercado semanal recorrente, e que dependem, para os objetivos de coordenação temporal de expressões "indexicais" tais como "o dia depois do dia depois de amanhã" que têm condições de verdade da série-A e não da série-B.

Mas parece-me que a distinção que precisa ser estabelecida entre temporalidades pré-modernas e modernas não é que as sociedades pré-modernas vivenciam o tempo apenas como "vivido" na série-A, enquanto nós, modernos, transformamos o tempo em um mapa do tempo da série-B quase espacial. Isso não pode ser assim, acho eu, porque, como argumentei no capítulo 24, o próprio processo de cognição do tempo exige que as percepções da série-A do fluxo de eventos vizinhos sejam mapeados sob um conjunto subjacente de representações da série-B durante o processo de interpretação. O que é diferente entre o regime temporal pré-moderno e o moderno são as características qualitativas das representações do tempo, não seu *status* lógico como tempo de série-A, "vivido" e tempo da série-B, "representado".

Tomemos os umeda, por exemplo. Os umeda não sabem que os meses lunares têm 29,5 dias, ou qualquer número consistente de dias. Para eles, a lua é como um tubérculo crescendo em uma horta, e os tubérculos podem crescer rápida ou lentamente por razões desconhecidas que têm a ver com eles. Consequentemente, quando os umeda observam a lua crescente eles fazem comentários favoráveis a ela, como se a lua inchada fosse uma peça contingente de sua boa sorte horticultural, e não um evento astronômico absolutamente regular e previsível. Segundo a interpretação de Bourdieu, isso mostra que os umeda vivenciam o tempo subjetivamente como "nuanças qualitativas apreendidas da superfície das coisas" (cf. p. 268) e não objetivamente como duração regular metrificada. Mas ainda assim é verdade que ao interpretar o comportamento da lua os umeda estão utilizando um esquema (as crenças não indexicais da série-B sobre a lua) que eles internalizaram. A diferença entre eles e nós surge porque eles têm crenças sobre a lua diferentes daquelas que nós temos, ou seja, que a lua é um organismo vegetativo e não um corpo astronômico inerte. Seus mapas do tempo da lua estão baseados em um conjunto distinto de crenças contingentes, mas não são logicamente diferentes dos nossos. Especificamente, um mapa do tempo de um processo de crescimento e decadência vegetativos é modalizado de forma diferente, em contraste com um mapa de tempo que incorpora crenças oriundas do conhecimento astronômico. Mundos possíveis em que organismos vegetativos crescem rápida ou só lentamente são, de forma modal, extremamente acessíveis uns aos outros. Uma planta pode florescer ou não, e nenhum dos dois resultados pode ter muito valor-surpresa. Como o mapa cognitivo da lunação dos umeda não é um mapa que mostre um processo previsível e sem alternativas como o nosso (para nós, uma lunação "lenta" pertence a uma esfera muito remota de contrafactualidade), e sim um leque modal de mundos possíveis em que as lunações ocorrem em *momentos* diferentes, segue-se que sua atitude com relação a cada lunação à medida que ela ocorre é diferente da nossa. Eles estão mais fortemente preocupados com o desenvolvimento de cada lunação enquanto ela ocorre, porque cada lunação é uma realização distintiva da lunação em geral. Mas isso não é o mesmo que dizer que eles não têm um mapa do tempo da série-B, ou um modelo temporal da lunação em geral, porque, se lhes faltasse isso, não seriam capazes de dizer se a lua estava crescendo bem ou mal, e seus comentários elogiosos sobre uma lua bem madura não fariam sentido.

Eles parecem, em outras palavras, ser, por assim dizer, dominados pela série-A porque a forma adotada por seus mapas do tempo da série-B é tal que coloca uma extraênfase no fluxo temporal como uma contingência contínua e em evolução e não como eventos que ocorrem previsivelmente em duração totalizada e metrificada. Suas representações da série-B são extremamente modalizadas, não no sentido de que elas imaginam quaisquer eventos improváveis, mas por representar o campo temporal como um leque de contingências igualmente prováveis não calibradas por qualquer cronograma regularizado, tais como um calendário baseado na astronomia ou imposto oficialmente. Na ausência de um cronograma externo e público, do tipo que estrutura o tempo nas sociedades avançadas, eles devem fazer continuamente avaliações específicas e situacionais com respeito a sua localização precisa com relação a sua vizinhança temporal, enquanto para nós esse processo de localização no tempo é automático, porque cada momento desperto de nossas vidas é articulado com um cronograma que está instantaneamente disponível e que abarca tudo. Até esse ponto Bourdieu está justificado em contrastar o tempo das sociedades pré-modernas com o nosso, considerando-os ambos dominados pela série-A, no sentido de que a realização de avaliações temporais em sociedades sem relógios, sem calendários e sem cronogramas, tais como os umeda, é permanentemente problemática e não é possível recorrer a qualquer mapa do tempo da série-B definitivos e regularmente calibrado, e sim apenas a uma coleção de mapas não calibrados que mostram processos contingentes (lunações, crescimento vegetativo, mudanças de tempo sazonais, e assim por diante) em uma pluralidade de relações modais sem alternativa uma com a outra. Os umeda são dominados pela série-A no sentido de que têm severas limitações para representar a série-B. Mas isso não é a mesma coisa que dizer que eles não conceitualizam o tempo no modo da série-B nunca, porque a realização de avaliações temporais da série-A (ou seja, este é o momento correto para plantar, colher etc.) sempre depende, em última análise, da possibilidade de interpretar percepções indexicais da série-A dos fluxos temporais como "imagens" de um mapa do tempo da série-B subjacente, embora um mapa que é incerto em termos modais e metricamente não calibrado.

29

Calendários e coordenação consensual

A discussão do tempo de Bourdieu com relação à teoria da prática não é, no entanto, conduzida em termos da etnografia de uma sociedade tal como a umeda, a qual falta até mesmo o calendário mais informal. Os kabyle estão em um nível completamente diferente no sentido de que possuem um esquema de calendário agrário sofisticado, que inclui pelo menos seis meses com seus respectivos nomes (cf. BOURDIEU, 1977: 99, Figura 2) mais um número de outros termos sazonais e outros indicando fases regulares do ano agrícola. Ao nos dar um relato prolongado e excepcionalmente rico dos calendários kabyle, o alvo primordial de Bourdieu é a "ilusão sinótica" na qual caem os objetivistas (estruturalistas) ao tentar descobrir coerência lógica e não coerência prática, nos corpos de saber cultural.

O que a ortodoxia estruturalista quer, diz ele, é descobrir "uma espécie de *registro oral*, sem lacunas ou contradições, integral, do qual todos os calendários que se originam de informantes são então considerados como *performances* empobrecidas" (BOURDIEU, 1977: 98). Não só esse registro oral não existe como parte da realidade etnográfica, mas ele tampouco tem a função sociológica, a ele atribuída pelos objetivistas, de determinar o comportamento "regulamentando-o", isto é, fornecendo um conjunto de regras para o momento adequado para as atividades que deve ser seguido por tudo e todos. Esse calendário como partitura musical (o calendário como um cronograma predeterminado) é, segundo Bourdieu, um artefato do letrismo e do tipo de objetivos escolásticos – e não de objetivos práticos – que são primordiais nas mentes de etnógrafos forasteiros.

Bourdieu observa que as explicações dadas por kabyle diferentes, ou o mesmo kabyle em ocasiões diferentes, das periodizações do ano kabyle, depende de uma variedade de fatores e podem não coincidir. Alguns dizem que o ano começa em uma data determinada (1º de setembro no calendário Juliano); alguns dizem que ele começa no dia 15 de agosto ou mais ou menos nesse dia, quando a chuva começa um dia chamado de "a porta do ano" quando contratos são renovados e é feito um sacrifício; outros ainda começam o ano no primeiro dia da aradura, a transição mais importante quando se trata de atividades agrícolas.

A mesma indeterminação é vista em outras partes nas ideias dos kabyle. Consideremos apenas um exemplo: *lyali*, "o inverno do inverno". Esse é convencionalmente um período que dura quarenta dias, no inverno, que chega ao fim quando os cereais plantados nos campos brotam da terra. No meio do *lyali* encontra-se o primeiro dia de janeiro (*ennayer*) que marca um período da renovação de ritos e tabus. Não só há variabilidade nas definições formais do *lyali*, no sentido de calendário, que são dadas pelos informantes (*lyali*, como conceito só vem à tona quando as pessoas percebem o que está ocorrendo a seu redor e dizem "estamos entrando no *lyali*"), mas quando questionados os informantes podem até se comprometer com a proposição aparentemente ilógica de que "*ennayer* é no meio do inverno" e "*ennayer* é no meio do *lyali*", mas "o *lyali* não é no meio do inverno" . Essa contradição surge porque o *lyali* é o inverno do inverno, e o inverno não é no meio do ano (se o ano começa no outono, a primavera é o meio do ano, e, portanto, o *lyali* como o inverno do inverno precede o meio do inverno). Bourdieu comenta: "a percepção prática que [o informante tem] da estrutura que o leva a pensar que o *lyali* é o inverno do inverno supera a razão prudente" (BOURDIEU, 1977: 105).

O calendário kabyle não é um leque estabelecido de periodizações, e sim "uma simples escansão do tempo que passa". O que é que ele quer dizer por "escansão"? A metáfora implica que a consciência prática do tempo é análoga ao padrão internalizado das expectativas ti-tum-ti-tum-ti-tum-ti-TUM, que nos vai carregando quando escutamos os períodos ondulados de Shakespeare. Essas batidas rítmicas nos mantêm conscientemente em fase com o verso, à medida que ele se desdobra, mas não constitui um esquema estabelecido que tem qualquer significância quando separado do significado do próprio verso. Seria um verso ruim aquele que fosse simplesmente o recheio de um padrão métrico, mas a afirmação implicada por Bourdieu é que, ao constituir a ficção etnográfica do calendário-como-cronograma, isso é o que o objetivismo tenta realizar. O ano kabyle é mapeado em periodizações: "as noites brancas do *lyali*", "as noites negras do *lyali*", "os dias verdes", "os dias amarelos"... e indicadores de tempo pontuais: "a porta do ano", "a velha mulher", "a morte da terra" e assim por diante, que são reconhecidos quando eles se assomam, ocorrem e acabam, no fluxo da existência prática, como uma série de "marcos diretrizes" que passam para indicar o progresso do ano, mas que nunca sofrem *totalização* para formar uma esquematização coerente de duração homogênea (isto é, tempo da série-B):

> Assim como a genealogia substitui um espaço de relacionamentos homogêneos e inequívocos, estabelecidos de uma vez para sempre, para um conjunto de ilhas de parentesco espacial e temporalmente descontínuas... e exatamente como um mapa substitui o espaço descontínuo e irregular de trilhas práticas pelo espaço homogêneo da geometria, assim também um calendário substitui um tempo linear, homogêneo e contínuo pelo tempo prático, que é feito de ilhas incomensuráveis de duração, cada uma com seu

próprio ritmo, o tempo que passa voando ou custa a passar, dependendo daquilo que estamos *fazendo,* isto é, das *funções* que lhe são conferidas pela atividade em progresso. Ao distribuir "marcos diretrizes" (cerimônias e tarefas) ao longo de uma linha contínua, nós as transformamos em *marcas divisórias* unidas em uma relação de simples sucessão, e com isso criando, *ex nihilo,* a questão dos intervalos e correspondências entre pontos que não são topologicamente equivalentes, mas sim metricamente equivalentes...

O estabelecimento de uma única série [por meio da "falsa totalização" da "ilusão sinótica"] cria *ex nihilo* todo um bando de relações (de simultaneidade, sucessão, ou simetria, p. ex.) entre termos e marcos diretrizes de níveis diferentes, que, sendo produzidos e usados em situações também diferentes, nunca são trazidos face a face na prática e assim são compatíveis em termos práticos, mesmo quando logicamente contraditórios (p. ex., o caso do *lyali* mencionado acima). O diagrama sinótico toma todas as oposições temporais que podem ser coletadas e reunidas e as distribui de acordo com as leis da sucessão (isto é, (1) "y segue x" exclui "x segue y"; (2) "se y segue x e z segue y, z segue x"; (3) "ou y segue x ou x segue y"). Isso faz com que seja possível compreender de relance, *uno intuitu et tota simul,* como disse Descartes, *monoteticamente* como Husserl se expressou, significados que são produzidos e utilizados politeticamente, ou seja, não só um depois do outro, mas um por um, passo a passo (BOURDIEU, 1977: 103, 106-107).

Acho que todos aceitariam que as observações a partir das quais Bourdieu dá prosseguimento são totalmente válidas. Versões do "calendário" local produzidas por informantes em sociedades não letradas são vagas e incompatíveis, e os esquemas de calendário que existem são aplicados de forma prática e idiossincrática. Além disso, os aspectos técnicos da escrita e da leitura e as mudanças profundas das atitudes básicas que a alfabetização produz, significa que os antropólogos, ao transformar as declarações dos informantes em relatos etnográficos codificados, precisam fazer perguntas "que não são perguntas para a prática" e que não têm respostas (p. ex., como é possível que 12, 13 ou 20 "luas" possam caber em um ano solar). Sem disputar esses pontos, no entanto, podemos ter objeções legítimas a algumas das inferências que Bourdieu faz e em particular à posição anticognitivista e comportamentalista que esse autor prefere.

Voltemos por um momento à questão do *lyali*. O informante inconsistente de Bourdieu supostamente não tinha uma ideia do tempo em termos de "durabilidade" com a justificativa de que ele não vê qualquer contradição em afirmar simultaneamente que "*ennayer* está no meio do inverno" *e* "*ennayer* está no meio do *lyali*", *mas* "o *lyali* não está no meio do inverno". No entanto, considere o problema equivalente com relação a localização das "terras centrais" (as *midlands*) na Inglaterra. "As

Midlands são o meio da Inglaterra" – de acordo. "Northampton está no meio da Inglaterra" – de acordo. (Northampton é mais distante do litoral do que qualquer outra cidade principal na Inglaterra.) Então será que "Northampton está no meio das Midlands?" – de forma alguma: Northampton está no sudeste, na periferia da área designada como *the Midlands* em meu dialeto de inglês, bem para o leste e sul de Leicester e Nottingham, isto é, "Midlands do Leste" enquanto o "centro" das Midlands é certamente Birmingham, na Midlands do Oeste. Essa contradição aparente está presente em todo o conjunto léxico que designa as regiões no Reino Unido. Sheffield está "no norte da Inglaterra", mas está mais próxima de Londres do que da fronteira mais próxima com a Escócia. Glasgow e Edimburgo estão ambas na "Escócia Central", mas Edimburgo está na costa leste da Escócia e Glasgow na costa oeste e ambas estão duas vezes mais longe do litoral norte da Escócia do que da fronteira entre a Escócia e a Inglaterra. E assim por diante.

Todos esses são exemplos da lógica de "conjuntos difusos" – a lógica que permite dizermos que um pônei Shetland pertence ao conjunto de "pequenos" objetos (porque é um cavalo pequeno) e uma tarântula à classe de objetos grandes (porque é uma aranha grande) e ainda ser capaz de dizer, sem contradição, (1) que objetos grandes são maiores do que objetos pequenos e (2) que os pôneis Shetland não são menores que tarântulas, nem as tarântulas maiores que os pôneis Shetland. As Midlands estão "no meio da Inglaterra" em termos do conjunto regional: o sul/leste/oeste/centro(Midlands)/norte, mas Northampton está no meio do mapa da Inglaterra, o que não é exatamente a mesma coisa. Da mesma forma "meia-noite" é "o meio da noite" (equidistante entre o anoitecer e o amanhecer). Mas nós não diríamos "Acordei no meio da noite com o telefone tocando" e querer dizer com isso "à meia-noite" em vez de "no meio do período durante o qual estou acostumado(a) a dormir" que normalmente começa apenas uma hora aproximadamente antes da meia-noite.

Não me parece, portanto, que o tipo de evidência de inconsistência exemplificado por Bourdieu é indicativo de uma noção de tempo não relacionada com sua durabilidade: o que é demonstrado é simplesmente a complexa textura de pressuposições da linguagem que faz distinções em áreas que não são especificáveis absolutamente, mas apenas pragmaticamente. Se isso é tudo que Bourdieu deseja afirmar (algo que alguns leitores de seu texto podem achar que é), então minhas objeções não seriam totalmente válidas. Mas o ponto sobre a "lógica difusa" é que ela é lógica e só aparentemente "difusa". O que Bourdieu deseja mostrar, no entanto, é que os kabyle são capazes de viver sem as "leis de sucessão" (isto é, as bases lógicas essenciais do tempo da série-B) pelo motivo que, sob certas circunstâncias, eles parecem se comprometer com proposições que, quando levadas a suas conclusões lógicas, contradiriam essas "leis". (Algo que os kabyle nunca fazem, porque, como diz Bourdieu, fazer isso é levantar questões "que não são questões para a prática".)

Isso parece forte demais. Podemos admitir que os kabyle operam com uma multidão de tipos diferentes de esquemas temporais, apropriados aos contextos específicos do discurso ou da ação, sem abandonar a noção de que os kabyle reconhecem o princípio lógico que se o evento x ocorre "antes" do evento y, em um certo esquema, e o evento z "após" o evento y, x ocorre "antes" do evento z. São logicamente forçados a fazer isso. A noção de "X antes de Y" leva consigo, de maneira bastante inevitável, as consequências dedutivas declaradas: ("*if* X-antes-Y *e* Y-antes-Z, *então* X-antes-Z") porque a noção de "anterioridade" invocada no primeiro termo (X-antes-Y) não faz sentido a menos que essas consequências o acompanhem. A menos que "as leis da sucessão" sejam válidas, nada pode ser afirmado em X-antes-Y, e se nada for afirmado em X-antes-Y, não há nada que essa afirmação possa concebivelmente contradizer.

Em outras palavras, se Bourdieu quer continuar afirmando que as articulações do tempo dos kabyle são múltiplas, contraditórias, contextuais etc., é necessário que ele simultaneamente afirme que as condições da lógica temporal padrão se aplicam, e, se isso não for feito, as contradições desaparecem. Podemos concordar que essas contradições não levam consigo nenhuma penalidade prática, na verdade elas fazem com que as articulações temporais mais relevantes sejam mais fáceis de codificar do que seria sem isso. Mas isso não é o mesmo que dizer que elas são inexistentes, simplesmente porque elas não são compatíveis com as funções do conhecimento organizado. Essas contradições aparecem apenas como resultado da análise. É verdade; mas a "lógica" do sistema (a mudança de marchas que ocorre à medida que nos deslocamos de uma moldura prática de referência para outra) também só aparece como resultado da análise. Uma "totalização falsa" que tenta reconstruir o calendário kabyle de uma maneira compatível com a cronometria consistente iria, realmente, traduzir esse sistema, mas a menos que a "totalização" de algum tipo seja tentada, e as descontinuidades lógicas que essa totalização produz sejam identificadas no contexto de um modelo abstrato, as verdadeiras características desses sistemas continuarão para sempre obscuras. As sutilezas da coordenação consensual surgem, não em função de uma atitude ilógica com relação aos significados de tais conceitos fundamentais como "antes" e "depois" (que são absolutamente indispensáveis para a construção de qualquer tipo de articulação temporal), mas sim das complexidades dos critérios pragmáticos que, sob controles contextuais diferentes, determinam a aplicação de esquemas temporais de um tipo série-B a um fluxo da série-A que se tornou aparente à percepção.

A lógica desses esquemas da série-B não é, em minha opinião, afetada por considerações do tipo defendido por Bourdieu. Esse autor deseja, por razões que já discutimos, enfatizar o lado teórico A das coisas em detrimento do lado teórico B, e seu argumento segundo o qual "o calendário" como um construto no tempo da série-B é um artefato de análise é destinado a promover essa última meta. A série-B existe para a "ciência", para os intelectuais burgueses, mas não para o povo da *gemeinschaft*, como os kabyle.

Por motivos que já tentei esclarecer, não concordo totalmente com essa análise. Bourdieu está inteiramente justificado em demonstrar que o calendário dos kabyle (com seu número insuficiente de meses e sua dependência do progresso contingente das operações agrícolas) não é o "equivalente local" do calendário gregoriano, e não constitui um esquema cronométrico "imposto" na programação da vida dos kabyle a partir do mundo externo, e sim um artifício para "reconhecer" a chegada das periodizações agrárias à medida que elas assomam, localmente, e sem considerar os eventos celestiais. Apesar disso, ele é totalizado porque é apenas com relação ao esquema de calendários como um todo que a passagem contingente de periodicidades reconhecidas tem qualquer significado. O calendário é primordialmente agrário em vez de celestial, e por causa disso ele não é calibrado em períodos quantitativamente iguais.

Mas isso não faz com que ele deixe de funcionar, logicamente, como um calendário, da mesma forma que um "mês" lunar umeda ainda é um "mês", embora os umeda aceitem a possibilidade (que nós não aceitamos) de que algumas luas crescem rapidamente, outras de maneira mais lenta.

A fim de compreender o funcionamento dos calendários "primitivos" (anômalos) é necessário fazer algo mais do que colocar a ênfase exclusivamente na prática, como faz Bourdieu. É necessário também considerar as características do saber cultural; as formas das representações em que o conhecimento abstrato é mantido, e a lógica dos procedimentos através da qual esse conhecimento é aplicado em situações práticas. Bourdieu não nos dá qualquer descrição da formação de avaliações sobre "que época do ano é agora" no ano kabyle, apenas observando que essas avaliações são baseadas na sabedoria proverbial e tendem a variar de informante para informante. Felizmente, um estudo etnográfico detalhado desse problema em conexão com os mursi da Etiópia foi publicado por Turton e Ruggles (1978).

Os mursi, uma tribo de pastores e horticultores que ocupam o vale e a escarpa do Rio Omo no sul da Etiópia, têm um calendário de 23 *bergus* (luas) enumerados, associados com atividades específicas, mais um *bergu* sem nome que não é associado a qualquer atividade, mas determinado para coincidir com a enchente do Rio Omo, o evento mais importante na ecologia mursi no começo/fim do ano. As atividades são:

Bergu 1: O Rio Omo baixa; desloca-se para as hortas ribeirinhas.

Bergu 2: Limpando as hortas ribeirinhas.

Bergu 3: Plantando o sorgo nas hortas ribeirinhas.

Bergu 4: Plantando sorgo e milho, arrancando ervas daninhas.

Bergu 5: Colhendo o sorgo, arrancando ervas daninhas, assustando os pássaros.

Bergu 6: Colhendo, queimando os arbustos nas hortas.

Bergu 7: Armazenando a safra do Omo, preparando as hortas de arbustos.

Bergu 8: Chuva forte, plantando as hortas de arbustos.

Bergu 9: Arrancando as ervas daninhas das plantas jovens.

Bergu 10: Arrancando as ervas daninhas, assustando os pássaros.

Bergu 11: Colhendo arbustos, colhendo mel, enfrentando-se em duelos rituais.

Bergu 12: Armazenando a safra de arbustos, bebendo, enfrentando-se em duelos rituais.

Na maior parte dos casos, para os mursi é suficiente presumir que o *bergu* atual é aquele associado com a atividade específica que ele ou ela está realizando no momento. No entanto, os mursi, que não têm pretensões de ser especialistas sobre o calendário, contentam-se em admitir que, pessoalmente, podem não estar corretos em sua identificação do *bergu* atual. Por outro lado, normalmente eles não gostam muito de ceder a autoridade nessas questões a seus sócios imediatos na aldeia, dependendo, em vez disso, do depoimento (indisponível) de especialistas sobre calendários, distantes ou até já mortos, como ilustra o diálogo que se segue:

Antropólogo: Que número é o *bergu* agora?

Mursi: Não me pergunte.

A: Você não sabe?

M: Eu não. Apenas escuto o que as pessoas dizem sobre o *bergu*.

A: Bem, e o que é que as pessoas estão dizendo neste momento, então?

M: Alguns dizem que é 5 e alguns dizem que é 6.

A: Qual você acha que é?

M: Eu já disse. Eu só escuto o que eles dizem, não sou um especialista sobre o *bergu*.

A: E quem é, então?

M: Bem, tem... [pausa para pensar] tem aquele homem gongwi que morreu outro dia... Como era mesmo o nome dele?... Chuah: ele era um verdadeiro especialista sobre o *bergu*. Se ele estivesse vivo poderia lhe dizer.

A: Tem alguém vivo agora que poderia me dizer?

M: Bem, tem... o Girimalori [um homem que mora a uns 100km de distância] (TURTON & RUGGLES, 1978: 588).

Mas essa recusa generalizada por parte dos mursi de se comprometerem com ideias rígidas sobre o número atual do *bergu* não é meramente evidência de uma atitude "prática" e dominada pela séria-A com relação ao tempo, e sim, na verdade-essencial para o funcionamento do sistema. Isso surge porque, como um cronograma, o calendário mursi está conectado, embora de formas diferentes de um ano para outro, às condições meteorológicas, e assim ao ano solar (de 365,25 dias), mas como um dispositivo para marcar o tempo ele é construído a partir dos meses lunares, dos quais existem mais de doze, mas menos de treze, em um ano solar. (Em média, como o ano solar é onze dias mais longo do que qualquer doze períodos lunares sucessivos entre 29 e 30 dias cada.) Portanto, se houvesse um consenso estabelecido entre os mursi identificando a lua, e se esse se mantivesse por um período prolongado, o ano solar/sazonal e a associação entre o *bergu* e as atividades sazonais em pouco tempo estariam em descompasso. Nenhum especialista em calendários cometeria a gafe elementar de não considerar a lua, no entanto isso é precisamente o que deve ocorrer periodicamente para que o sistema não fique desequilibrado. O sistema funciona porque o povo pode ser inconstante, não tanto sobre qual é o número do *bergu* atual, mas sobre que número eles acham que o último *bergu* foi. Aqui o mês da enchente do Omo, sem atividade, entra na história. O fato de o Omo ter transbordado no último *bergu*, ou dois, três ou mais *bergu* passados, fornece um ponto de referência definitivo à luz do qual as crenças mantidas sobre qual *bergu* foi exatamente antes das enchentes do Omo podem ser silenciosamente reavaliadas. Tomemos os *bergu* 11 e 12, por exemplo.

11	12	13
Coleta de mel	Bebendo e combatendo	Nenhuma atividade

_____[a enchente do Omo] ⇨

Se reconstruirmos o quadro durante o segundo quarto de lunação 12, é provável que a opinião dos mursi sobre o número do *bergu* estará dividido em dois grupos, os "líderes" que afirmarão que é o *bergu* 12 e os "seguidores" que talvez ainda estejam coletando o mel e que afirmam que é o *bergu* 11. Outros, como o informante de Turton, podem dizer que estão indecisos. No momento em que o Omo efetivamente transborda, como faz a essa altura, não há qualquer motivo para resistir ao consenso de que a lunação subsequente é *bergu* 13. Os coletores de mel irão beber e duelar durante esse *bergu*, enquanto aqueles que já estavam bebendo e combatendo irão continuar a fazê-lo. O próprio fato de o 13º *bergu* não estar associado com qualquer atividade em particular, especialmente não com qualquer atividade produtiva, faz com que seja possível reconciliar a inserção arbitrária desse *bergu* no esquema – que de outra forma seria relativamente fixo – das atividades do *bergu*. Esse *bergu* identifica, *ex post facto*, o fim do ano velho e o começo do novo. Quando o ano começa a passar, no entanto, parece que o consenso se rompe outra vez, já que não são mantidos registros ou contagens da passagem das lunações. Há motivo uma vez mais para desacordo entre os seguidores que dizem que é o *bergu* 6 e seus oponentes que dizem que já é o *bergu* 7.

Para fornecer uma maneira adicional de estimular esses debates aparentemente intermináveis, os mursi inventaram alguns métodos astronômicos e aparentemente sofisticados de conferir o progresso do ano solar. De despenhadeiros sobre o vale do Omo, são feitas observações para determinar a aproximação do solstício do inverno "quando o sol entra em sua casa". Embora os mursi sejam tecnicamente bastante capazes de identificar o solstício, Turton e Ruggles avisam que isso não deve nos levar a superestimar o grau de sistematização do calendário mursi. Não há qualquer regra rígida especificando o *bergu* do solstício do inverno. Às vezes é o *bergu* 5, outras o *bergu* 6; mas o comportamento do sol a esse respeito é contingente. Se o sol entra em sua casa no *bergu* 5, isto é no *bergu* que qualquer mursi específico considera ser o *bergu* 5, então isso é considerado como um sinal nefasto de uma má estação chuvosa, quando vier o *bergu* 8. Por outro lado, outro mursi, que tem a opinião de que o atual *bergu* não é 5 de forma alguma, e sim 6, não será levado a fazer as mesmas inferências.

Em outras palavras, o sol é observado, como o tempo, para dar as indicações de que *bergu* é aquele, principalmente, sem dúvida, para confirmar preconceitos a que os mursi já chegaram, mas não é a fonte do arbítrio final ou evidência que seja, de qualquer maneira, mais forte do que outra evidência fornecida pelo tempo, o progresso do ano agrícola, ou as tentativas de contar lunações. Tudo é uma questão do parecer da aldeia, não havendo um único argumento decisivo além da chegada anual da enchente do Omo, que identificaria o *bergu* de uma vez por todas. Cada um pode interpretar as indicações disponíveis como desejar. Os autores corretamente comparam o cálculo mursi do tempo à divinação, um procedimento igualmente experimental, e igualmente influenciado pelas correntes de opinião pública.

Mas por que, de qualquer maneira, os mursi sequer têm um calendário lunar? Não é dizer que existem quaisquer razões técnicas para restringir atividades específicas a períodos lunares específicos, já que é o ciclo de mudanças nas condições sazonais e não a passagem dos meses que determina se uma atividade particular é viável em qualquer momento específico. Do ponto de vista organizacional, o sistema de nomear um *bergu* não tem qualquer função. No entanto, parece que os mursi têm um interesse permanente em saber qual *bergu* é aquele, mesmo que esse conhecimento seja incerto. A sugestão de que a manutenção do calendário é como divinação, isto é, uma forma de saber oculto, é esclarecedor aqui. A divinação não muda o mundo, na forma de intervenções ocultas ativas tais como a mágica da fertilidade da horta ou a feitiçaria. Em vez disso, ela dá acesso passivo a um mundo que desempenhou seu papel, e irá desempenhar seu papel mais além de nossa experiência direta e sem nossa intervenção (GELL, 1975). A divinação confere poder ao conferir conhecimento. Se o conhecimento do calendário é como a revelação divinatória, então ele também é um meio de obter uma transcendência indireta. Conhecimento sobre o calendário do tipo que os mursi constroem coletivamente, por meio do debate constante sobre o *bergu*, difere da revelação divinatória só no sentido de que ele busca transcendência mundana e não a transcendência sobrenaturalmente garantida. E essa transcendência mundana tem um aspecto prático, porque ao avaliar o grau de convergência entre o progresso do ciclo anual ideal – aquele que é encapsulado na cultura do *bergu* – e o desdobramento realmente vivenciado do ciclo produtivo em um ano determinado, os mursi recebem uma retroalimentação sistemática com relação as suas dificuldades atuais. O calendário não dita a prática – só as condições sazonais é que fazem isso –, mas o calendário diz aos mursi como eles estão se desempenhando bem com relação à totalidade das tarefas produtivas que precisam ser realizadas no decorrer do ano. Monitorando progressos e atrasos, eles sabem quando esforços extras podem ser necessários, ou quando eles podem relaxar; e sabem quando prever a redução das expectativas normais, ou o começo de condições de prosperidade incomum. E com base nessa retroalimentação eles sem dúvida são capazes de tomar decisões estratégicas (p. ex., sobre investir gados em casamentos ou rituais) com mais vantagens. A retroalimentação do debate sobre o *bergu* é passado adiante para se transformar em tomadas de decisão racionais.

O calendário mursi, apesar de seu caráter divinatório (na verdade, por causa de seu caráter divinatório), é muito mais do que uma "simples escansão do tempo que passa". É um sistema para a produção contínua de conhecimento socialmente útil. Mas como todos os sistemas sociais para a produção e o posicionamento estratégico do conhecimento, ele tem uma tendência de gravitar na direção dos "especialistas". Em um sentido, a eficácia do sistema de calendários surge pelo fato de todos alimentarem informações no debate contínuo sobre calendários, mas esse insumo numeroso busca um caminho comum final, isto é, o resultado por meio de um porta-voz para o consenso. O papel do especialista em calendários é o resultado, não de qualquer desejo de criar hierarquia e submeter-se a ela, mas da base inclusiva e democrática na qual se apoia o debate sobre o *bergu*. A menos que esse debate possa (pelo menos de modo nocional) unir-se em uma única voz confiável, haverá apenas uma confusão de reivindicações conflitantes e a produção do conhecimento será bloqueada. A autoridade é, portanto, invocada, mesmo quando não está presente e seus pronunciamentos não estão disponíveis como na conversa reproduzida acima. Mais comumente, a autoridade está presente e institucionalizada, embora, como veremos, ela seja sistematicamente ambígua.

A essa altura surge uma questão sobre a qual Bourdieu está surpreendentemente silencioso, isto é, a natureza da conjunção entre calendários, conhecimento e poder. Bourdieu não lida com esse tema – embora ele seja excepcionalmente esclarecedor sobre o poder em outros contextos – porque ele determinou *a priori* que os calendários não são sistemas de conhecimento, mas simplesmente "marcos" que são reconhecidos à medida que se assomam a partir da série-A, passam e são deixados para trás. Como ele argumenta que apenas acadêmicos, cujos interesses escolásticos não têm nada a ver com as restrições que governam a vida prática, é que teorizam sobre calendários, ele não pode explicar por que o conhecimento sobre calendários na forma totalizada, e representada (isto é, série-B), é uma espécie excepcionalmente importante de "capital simbólico" em muitas sociedades, embora não talvez entre os kabyle. É para esse nexo entre conhecimento sobre calendários e poder que devo me voltar agora.

30

Calendários e poder

A discussão de Burman sobre o calendário em Simbo (Ilhas Salomão) nos dá um exemplo excelente do significativo papel político desempenhado pelas autoridades em calendários em inúmeras sociedades pré-modernas (BURMAN, 1981). Nessa ilha o calendário tinha relativamente se desconectado da produção de alimentos para a subsistência (sobretudo na mão das mulheres), e em vez disso estava orientado para a passagem das lunações e o crescimento e colheita de duas safras sazonais de variedades diferentes de nozes *canarium*, uma que amadurecia a partir de maio (a estação fria/seca/masculina), e outra disponível apenas a partir de outubro (a estação chuvosa, quente/feminina). O cultivo dessas nozes era de máxima importância para os habitantes das Ilhas Simbo (especialmente os homens) porque podiam ser intercambiadas, na ilha vizinha de Rembo, por anéis de conchas e porcos, dos quais faltava aos moradores de Simbo um suprimento local.

O homem que ocupava a posição central nas festas rituais financiadas pelas negociações no além-mar com as nozes era o *bangara*, um Homem Grande que também mantinha o calendário. Essa posição era hereditária dentro do clã que ocupasse o terreno mais favorável para o cultivo da noz na ilha (embora possamos presumir que havia uma competição pela posição dentro desse grupo territorial). Um homem assim, rico em porcos, anéis de conchas e nozes, controlava o próprio calendário, o *pepepopu*, ou talha de contagem de luas. Esse dispositivo tinha sido revelado ao *bangara* místico original por um deus e tinha provocado um grau tão elevado de inveja que o responsável pela talha original tinha sido assassinado por seus rivais. Mais tarde o fantasma desse guardião da talha comunicou seu segredo a um comitê de mágicos que estabeleceram a instituição em sua forma tradicional. A talha consistia em um conjunto de seis metades de cascas de coco, atadas em um barbante como as contas de um ábaco, de tal forma que podiam ser empurrados para um lado e também virados. A talha podia assim assumir doze configurações, dependendo de que lado as nozes estivessem no barbante e se estavam para cima ou para baixo (todas as nozes eram viradas na transição entre as duas estações de nozes *canarium* mencionadas anteriormente. Em cada nova lua as cascas da talha eram deslocadas apropriadamente, e assim os meses eram contados. Essa era uma operação esotérica. Só o próprio *bangara* (e presumivelmente alguns parceiros próximos) sabiam a condição da talha ou a significância das doze configurações.

O argumento de Burman é o importante argumento de que havia uma transferência direta entre o conhecimento oculto de calendários que o *bangara* tinha e o poder que lhe imputavam, não apenas para anunciar o princípio das estações, mas também para controlá-las. Ele era o mestre de eventos, no sentido de que seu clã possuía, como parte de suas coisas sagradas, cinco anéis de concha antigos, que controlavam, respectivamente, os ventos alísios do sudeste, a estação chuvosa das tempestades do norte, o fim da seca, os terremotos e as "bases da terra". Ele controlava, diz Burmam, "a própria moção do tempo" (1981: 289).

No entanto – um ponto que Burman menciona, mas não desenvolve –, a posição eminente do *bangara* não era do tipo "automático" que vem da capacidade instituída de declarar responsabilidade ritual por eventos do mundo real que aconteceriam de qualquer maneira, com ou sem intervenções mágicas. Pelo contrário, o *bangara* era regularmente confrontado com um dilema delicado sobre calendários, que a cultura popular conectada com as talhas não conseguia elucidar. Ele teria sido responsável pela inserção dos meses intercalados em intervalos entre dois e três anos, já que a talha, como foi descrito, só poderia ter lunações numeradas até doze. O fato de, em todas as situações, a inserção de meses intercalados ter de ser feita informalmente, provavelmente explica o segredo que rodeava o procedimento de manutenção da talha. A talha focalizava o problema de garantir a conjunção dos meses lunares e do ano solar, mas não podia solucioná-lo. Se o *bangara* tivesse permitido que a talha não acompanhasse o ano solar (que não é, de forma alguma, marcado tão claramente nas latitudes baixas quanto nas latitudes altas), sérias consequências teriam se seguido; eventos (tais como festas e expedições) teriam sido realizados no momento errado, e a autoridade do *pepapopu*, e a do *bangara* com a dele, teriam sido desvalorizadas. Portanto, o *bangara* tinha de manter uma guarda cerrada e independente sobre toda a variedade de atividades produtivas (especialmente sobre o progresso das duas safras das nozes *canarium*). O processo de calendários motivava uma "percepção estruturada" de processos naturais e sociais que era, por certo, vantajosa para o *bangara* tanto na direção da ação coletiva – ele tinha controle executivo sobre a produção e intercâmbio da noz, e do momento das festas a ela relacionadas – quanto para o sentido de que, ao levar a cabo suas funções executivas, ele tinha ajuda sobrenatural. A própria falta de automatismo na coordenação dos calendários lunar e solar garantia que a informação socialmente significativa era gerada e codificada dentro do círculo restrito dos especialistas em calendários – chefiados pelo *bangara* – cujo poder dependia, não de tradições de autoridade e subserviência inquestionáveis, mas da disciplina intelectual exigida pelo procedimento de acompanhar o ano e as vantagens práticas que cabiam àquele com acesso ao conhecimento codificado.

A completa convergência de papéis entre o guardião do calendário e o Homem Grande que é testemunhada em Simbo é reconhecidamente pouco comum. É mais normal descobrir que essa especialidade sobre calendários está mais amplamente disseminada entre a elite tribal de homens ricos ou mais velhos, mágicos conhecidos etc. Nas Ilhas Trobriandesas, por exemplo, o conhecimento do calendário lunar era apenas um aspecto da especialidade do *tonowi*, ou mágicos da horta, cuja posição social eminente dependia principalmente de seu conhecimento semi-hereditário de feitiços e ervas medicinais (MALINOWSKI, 1935). O calendário trobriandês é interessante de um ponto de vista ligeiramente diferente, no entanto, no sentido de que ele nos permite detectar a emergência de outro nexo entre calendários e poder; mas não, nesse caso, o poder "pessoal" do Homem Grande-e-Especialista individual, mas o poder coletivo exercido por um distrito político dominante sobre outros distritos subordinados. Essa observação, que desenvolvi a partir de uma ideia fornecida por Damon (1981), surge pelo fato de os trobriandeses serem divididos em quatro "distritos de calendários": (1) Kiriwina, o nordeste da ilha principal, o distrito dominante (cf. IRWIN, 1983); (2) Kuboma, a parte menos favorecida do centro-norte de Kiriwina; (3) Kitava, a pequena ilha à leste da ilha principal; e (4) Vakuta, a ilha adjacente ao sul da ilha principal. Todos os quatro distritos de calendários operam o mesmo calendário lunar de dez meses com nomes que seguem o mês do *milamala* (o mês do festival do Ano-Novo das Trobriandesas) mais um número indeterminado de meses que precedem imediatamente o *milamala*. Mas eles não operam o calendário em fase; os festivais do *milamala* são escalonados com um mês de diferença de distrito a distrito na ordem Kitava → Kuboma → Kiriwina → Vakuta, e o calendário lunar também é escalonado de acordo com essa ordem, ou seja, quando é lunação 1 em Kiriwina, é lunação 2 em Kuboma e lunação 3 em Kitava e lunação 12 em Vakuta e quando é lunação 5 em Kiriwina é a 6 em Kuboma, 7 em Kitava, 4 em Vakuta, e assim por diante.

Em um artigo publicado em 1950, Leach mostrou que o efeito do escalonamento do calendário de distrito a distrito era produzir um calendário lunar de doze meses consistente, embora houvesse apenas nove ou possivelmente dez nomes de meses em uso regular, como se segue

Kitava	Kuboma	Kiriwina	Vakuta
1	12	[11]	(10)
2	1	12	[11]
3	2	1	12
4	3	2	1
5	4	3	2
6	5	4	3
7	6	5	4
8	7	6	5
9	8	7	6
(10)	9	8	7
[11]	(10)	9	8
12	[11]	(10)	9

Os numerais em negrito correspondem aos nove meses com nome que estão claramente em uso regular pelo *tonowi* e por homens mais sábios, (10) é *ilaybisila*, um mês que se segue ao *utokakana* (**9**) mencionado apenas por uns poucos especialistas, e [11] é o mês que precede imediatamente ao *kuluwasasa* (**12**) que, segundo Leach, ficava propositalmente sem nome. Malinowski uma vez afirmou que esse mês era chamado de "Yakoki", mas isso parece ter sido o resultado de uma confusão com *yakosi* (o mês **2**). O significado desse sistema é bastante evidente: há nove ou dez lunações reconhecidas, mais um pedaço vago entre meses **9** e **12**. Ao mesmo tempo, embora um ou dois dos quatro distritos de calendários pudessem estar vivenciando o pedaço vago entre **9** e **12**, os dois ou três outros distritos de calendários estariam vivenciando a parte "estruturada" da sequência do calendário, entre **1** e **9**, de tal forma que havia sempre a possibilidade de fazer uma referência cruzada do tempo local "vago" contra o tempo "determinado" em algum outro distrito.

Mas como é que o sistema (lunar) inteiro era mantido em coordenação com o ano solar? Havia dois sistemas independentes (e possivelmente competitivos). O mais significativo deles, aos olhos dos informantes kiriwinianos de Malinowski, era o aparecimento do verme palolo (*milamala*) na superfície do mar que banhava Vakuta, bem ao sul (não se podia pescar o palolo ao norte de Kiriwina). Segundo a teoria de Kiriwina, a chegada do festival de *milamala* de Vakuta – que, ao contrário do festival do mesmo nome em Kiriwina, realmente incluía a cerimônia de comer os vermes *milamala* (palolo) – estabelecia os meses Kiriwina como *yakosi* (**2**). Alternativamente, havia certos homens na aldeia de Wawaela, no litoral da Kiriwina Central e área de nenhuma importância política ou horticultural, que faziam observações do surgimento da estrela Altair sobre Kitava (que se lançava ao mar diretamente oposta a Wawela), que identificariam o mês como a lunação entre 9 de janeiro e 8 de fevereiro, que era estabelecido como o Wawaela (Kuboma) *gevilavi* (**6**) correspondendo ao Kiriwina **5,** ao Vakuta **4** etc. As investigações estelares feitas pelos homens de Wawaela foram completamente descartadas por Malinowski, mas foram consideradas muito mais importantes pelo administrador-antropólogo Leo Austen (1939) por razões que irão emergir em breve.

O ponto principal de Leach é que a intercalação em Kiriwin ocorreu prolongando o *milamala*, que era uma estação e não apenas um mês, para que seu fim coincidisse com o começo do *milamala* de Vakuta, fosse quando fosse que ele ocorresse. Poderia haver dois meses de *milamala*, mas a intercalação do mês extra não era determinada por avaliações sofisticadas sobre o progresso relativo do ano solar *versus* os meses lunares, mas sim bastante automaticamente, porque quaisquer atrasos em postergar o *milamala* de Vakuta eram a responsabilidade dos vermes palolo e não das cogitações de quaisquer especialistas em calendários. Infelizmente, há um pequeno obstáculo aqui, no sentido de que os vermes palolo têm problemas próprios de intercalação, já que eles, exatamente como os trobriandeses, têm problemas para coordenar seu ciclo reprodutivo (que é provocado por uma lunação) e sua dependência das temperaturas do mar, que são determinadas pelo ano solar. Portanto, na verdade, os vermes palolo não sobem à tona para reproduzir em apenas uma lunação e sim em duas lunações sucessivas, aproximadamente em novembro e dezembro, e normalmente em números maiores em uma lunação do que na outra, dependendo das condições. Em consequência, parece-me que os vakutanos poderiam ter tido alguma reserva ao determinar o momento da *milamala* e/ou ter ficado em dúvida se o surgimento dos vermes palolo era o "principal" ou o "secundário". E, por isso, havia provavelmente menos automatismo no sistema trobriandês do que Leach sugere, e exigências maiores feitas ao *tonowi* com relação à determinação do mês do que as que ele presume.

Quero, no entanto, prosseguir com o argumento em uma direção diferente. Leach afirma que o escalonamento dos calendários por distrito está lá a fim de produzir um calendário consistente de doze meses com a matéria-prima que consiste em apenas nove ou dez meses com nomes. Mas o mesmo resultado poderia ter sido obtido por meio de um calendário de doze meses – apenas mais dois nomes teriam que ser instituídos, um feito não tão difícil intelectualmente. Esse calendário seria aplicável a todos os distritos e o tempo determinado pelos vermes palolo ou pelas observações estelares dos homens wawaela, que realmente ocorreram. Mas parece-me que o objetivo do escalonamento do calendário não é facilitar a determinação da época do ano e a intercalação, embora ela possa ter contribuído para isso, mas sim para fazer exatamente aquilo que parece fazer, isto é, impor uma espécie de atraso no cronograma entre distritos políticos separados.

Eu argumentaria que esse atraso no cronograma era uma vantagem política para o distrito de Kiriwina. Com efeito, o escalonamento do calendário significava que os intercâmbios de colheitas de inhames e outros produtos alimentícios feitos após a colheita e que ocorriam durante a estação do *milamala*, convergiriam para Kiriwina, "o lugar central" na geografia política das Trobriandesas (IRWIN, 1983). Uma "onda" itinerante de intercâmbios de colheitas se iniciaria em Kitava, depois se deslocaria pelos distritos politicamente subordinados de Sinaketa-Kuboma, para culminar em Kiriwina, e as doações de colheita que enchiam as casas-de-inhame do chefe tabalu de Omarakana. O *milamala* de Kiriwina então iria continuar possivelmente por mais de um mês, até que fosse terminado pelo começo do *milamala* de Vakuta. Vakuta, no entanto, não estava dentro do sistema de intercâmbios de comida que tinha como centro a elite tabalu de Kiriwina, de tal forma que a "onda de intercâmbio" não viajaria para o sul assim que chegasse a Omarakana, e sim, efetivamente, terminava lá. Assim, durante o período em que ocorria o *milamala* de Kiriwina, havia sempre quantidades máximas de inhames e outros itens doáveis circulando no sistema (o resíduo de prévios festivais de *milamala* em Kitava e Kuboma-Sinaketa) que, então, poderiam gravitar na direção da própria Omarakana. A certeza de que fariam isso era garantida pela estratégia de aliança da elite tabalu, que, antes de qualquer outra coisa, enviava as mulheres tabalu para fazer casamentos estratégicos nos distritos subordinados, e também estabeleciam "postos avançados" lá, eles próprios, como focos subordinados do privilégio e poder dos tabalu. Assim, embora o chefe omarakana não exercesse nenhuma autoridade política reconhecida fora de seu próprio distrito, ele podia, (em conjunção com o resto da elite tabalu) impor seu poder por meio dessa posição centrípeta na área de intercâmbios. Consequentemente, parece-me correto interpretar o escalonamento dos calendários distritais tanto como um reflexo da posição superior do chefe tabalu quanto como um dos mecanismos que sustentavam essa superioridade, garantindo que suas doações de colheita seriam sempre as maiores, vindo, como vinham, na culminação de um ciclo que extraía recursos de cada distrito por sua vez, mas que terminava nas casas-de-inhame de Omarakana e não iam mais adiante. Com esse desenvolvimento saímos da transcendência pessoal do *bangara* de Simbo sobre o calendário para a dominação instituída de um grupo social restrito (os tabalu) que tinham conseguido impor um ritmo na vida coletiva que opera em seu benefício específico. Mas essa história tem uma mudança repentina.

O leitor se lembrará de que Leo Austen, o administrador das Ilhas Trobriandesas na década de 1930, dava muita ênfase às atividades dos observadores de estrelas de Wawela. Wawela é um lugar sem muita importância e é muito pouco provável que os tonowi de Kiriwina prestassem qualquer atenção a seus conselhos sobre calendários, embora seja possível que a população de Kitava e Kuboma-Sinaketa, seus vizinhos imediatos, realmente os promovessem como os "verdadeiros" especialistas sobre calendários, em oposição ao todo-poderoso povo de Kiriwina e dos distantes vakutanos. Mas Austen os levou a sério por outro motivo, e isso é que, a seus olhos eles pareciam oferecer a melhor esperança de "reformar" o calendário trobriandês.

que, na opinião de Austen, não funcionava nada bem. Na maneira típica dos oficiais de distrito coloniais, Austen achava que os kiriwinianos demoravam muito a começar suas operações hortícolas e consequentemente produziam menos alimentos do que poderiam produzir. E isso era porque seu calendário não funcionava bem, e o resultado disso eram estações de *milamala* prolongadas que causavam grande desperdício. A intercalação durante o tempo do ano sem atividades produtivas, e não durante a estação de trabalho, parecia-lhe apenas uma desculpa para "vagabundear".

Com isso, ele instituiu, por decreto administrativo, um novo calendário "nativo", baseado nos doze meses lunares mais a intercalação determinada por observações astronômicas feitas em janeiro-fevereiro (usando as observações tradicionais da Altair feitas pelos homens de Wawela). A intercalação ocorria naquele momento do ano, quando o trabalho da horta estava em seu auge, e não durante o *milamala*. Esse calendário para promover a diligência foi substituído, pouco depois, pela introdução geral do calendário gregoriano, de tal forma que não é possível verificar se o novo calendário tradicional de Austen jamais funcionou eficazmente. Mas esse episódio, além de dar um fim irônico à história do domínio do calendário por parte dos kiriwinianos, também serve para mostrar como o entrelaçamento de calendários e do poder não se limita aos domínios dos primitivos, mas igualmente se estende aos processos de subjugação colonial. Não é sem motivo que os antigos burocratas chineses diziam, quando tinham incorporado alguma região nova ao império, que seus habitantes tinham "recebido o calendário" (PELLIOT, 1929: 208).

31

Conclusões

Essa discussão da antropologia do tempo chegou agora a seu fim esperado, embora não seja nem necessário dizer que ela poderia ter sido muito prolongada e muito mais poderia ter sido dito sobre muitos tópicos que mencionei apenas de passagem, ou nem sequer mencionei. Eu disse muito pouco, por exemplo, sobre a história, as tradições e as lembranças. Concentrei-me em vez disso no quadro de referência da ação e no tempo superficial da vida cotidiana. Isso pode ser resultado de uma característica pessoal minha, isto é, concentração no presente, e uma tendência meio de caçador-coletor, aliada a uma certa indiferença com relação ao passado e ao futuro. E certamente não tentei nada parecido a uma cobertura abrangente da literatura sobre o tempo, mesmo a limitada literatura antropológica sobre o assunto. Peço desculpas por essas omissões, e alego a exaustão mental em minha defesa. Mas ainda é necessário juntar os fios e tentar algumas "conclusões" gerais.

No decorrer deste livro, um dos meus objetivos primordiais foi dissipar a aura de mistério e paradoxo que envolve o tempo. Não há nenhuma necessidade de ter medo do tempo, que não é mais misterioso do que qualquer outra faceta de nossa experiência do mundo. Em particular, espero ter dito o bastante para dissuadir qualquer um de se aventurar a estudar a antropologia do tempo (especialmente em contextos etnográficos exóticos) como um caminho para algum tipo de liberação do mundo ordinário e familiar. Não que à prática da etnografia esteja faltando suas epifanias, durante as quais o mundo subitamente parece reordenado e revalorizado. Mas esses momentos de entusiasmo não surgem dos distúrbios na lógica que governa a experiência ordinária, inclusive a experiência temporal, e sim de nossos devaneios sobre o real, o racional, o prático, que estão cheios de surpresas. O objetivo não é, portanto, transcender a lógica do mundo familiar e cotidiano, e sim simplesmente estar em uma posição que nos permita ver o que há para ser visto.

Não há nenhum mundo encantado em que as pessoas vivenciam o tempo de uma maneira que é acentuadamente diferente da maneira em que nós próprios o fazemos, em que não existe nenhum passado, presente e futuro, onde o tempo fica imóvel, ou corre atrás de seu próprio rabo, ou balança para frente e para trás como um pêndulo. Todas essas possibilidades foram seriamente investigadas na literatura sobre a antropologia do tempo, revistas na primeira parte deste livro, mas elas são todas paródias, produzidas no processo de reflexão acadêmica (capítulos 1 a 7). Existem apenas outros relógios, outras agendas com os quais ficar em condições de igualdade, outros atrasos frustrantes, felizes antecipações, sucessões inesperadas de eventos e longos períodos de monotonia opressiva. Não há nada de novo sob o sol, no sentido, pelo menos, de que não há nada lá fora que influencie nossa avaliação das possibilidades lógicas inerentes no mundo com o qual já estamos familiarizados; por outro lado, a maior parte daquilo que está "lá fora" é simplesmente desconhecida, nunca observada, nunca descrita, nunca pensada, nunca colocada no papel. Isso deve ser suficiente.

A antropologia do tempo, como eu a vejo, consiste no desenvolvimento de meios de representar, imparcial e criticamente, as inúmeras maneiras em que o tempo se torna relevante nos negócios humanos. Uma das ideias principais que subjazem o argumento deste trabalho é que não existe nenhuma contradição entre permitir que o tempo possa ser estudado em muitos contextos culturais e etnográficos diferentes e possa ser compreendido com a ajuda de muitos arcabouços analíticos diferentes, enquanto simultaneamente afirmando que o tempo é sempre um e o mesmo, uma propriedade dimensional familiar do ambiente que vivenciamos. Todo o ímpeto deste livro foi insistir sobre uma distinção entre o tempo e os processos que ocorrem no tempo. Opus-me à tendência de pensamento que distingue espécies e variedades diferentes do tempo com base nos tipos de processos diferentes que ocorrem nele.

A meu ver não há qualquer diferença teórica entre tempo "físico", "biológico", "social" ou "psicológico", embora possamos facilmente distinguir eventos físicos, biológicos, sociais e psicológicos, e interpretá-los como momentos em processos físicos, biológicos, sociais ou psicológicos. Mas a questão fundamental de uma categoria abstrata tal como "tempo" é precisamente que ela fornece os meios para a unificação relativa de categorias de processo que, sem ela, seriam diversos. O tempo – que é intrinsecamente unitário e unificador – permite a coordenação de processos diferentes; processos biológicos com processos sociais, psicológicos ou subjetivos com processos objetivos, marcados pelo relógio, e assim por diante. E é isso que é interessante. Por exemplo, o fato de tarefas diferentes produzirem estimativas subjetivas diferentes do tempo que passou só é cientificamente interessante (ou interessante de um modo geral) porque as expansões e contrações do tempo assim produzido são ilusões, e aqueles que as vivenciam estão conscientes disso (capítulo 11). A subjetividade temporal não pode ser expressa em outros termos que não sejam os contrastantes, ou seja, em contraste com processos do mundo real que, como sabemos, são regularmente periódicos. Mas precisamente esse contraste se perde se é feita uma distinção entre o tempo "psicológico", que é bom para processos subjetivos mas não para os objetivos, e o tempo "físico" ao qual o oposto é aplicável. Então poderíamos dizer que as ilusões de durações alongadas e contraídas não eram ilusões de forma alguma, e sim a verdade. Nesse caso, no entanto, não há nada para ver, nada para dizer, nada que possa sequer nos surpreender, exceto a multiplicação das dimensões temporais.

Impor fronteiras nocionais entre a temporalidade de tipos diferentes de processo não só é logicamente injustificável, mas também em termos científicos é autodestrutível porque é ao longo dessas dimensões abstratas, tais como o tempo e o espaço, que os esquemas-transferências formativos e analógicos que subjazem o progresso científico tendem a se formar. Assim, nas ciências naturais tais como a física, objetos muito grandes são compreendidos por meio da construção de analogias com objetos muito menores, e, inversamente, objetos muito pequenos são compreendidos construindo-se analogias com outros muito maiores, e o mesmo se aplica para os eventos e processos temporariamente muito estendidos e temporariamente muito comprimidos. Só a falta de conteúdo do espaço-tempo permite a possibilidade de um conceito científico relativamente unificado do cosmos e a manobra intelectual pela totalidade de escalas temporais possíveis que é essencial para chegar a esse modelo cosmológico. O mesmo se aplica, embora em uma escala reduzida, às ciências sociais, que são igualmente dependentes da unificação relativa de modelos construídos sobre áreas diferentes, sobre transferências analógicas entre várias "ordens" de temporalidade. O *momentum* da história "de longa duração" é construído no próprio desenho, o tabelamento do tempo, das semanas, dias, até mesmo horas; e, inversamente, os eventos de um dia não são de forma alguma imunes ao fato de dias semelhantes terem desempenhado seu papel durante os últimos quinhentos anos, e de esperarmos que também continuem a fazê-lo pelos próximos quinhentos.

Só uma abordagem minimalista ao "tempo como tal" é compatível com o projeto fundamental de incluir a diversidade "daquilo que existe" sob categorias explicativas gerais. É por esse motivo que ainda tenho minhas dúvidas sobre o dualismo temporal bergsoniano, embora as ideias de Bergson sobre o tempo, particularmente seu conceito de duração, terem sido promovidas no célebre Tratado de Ingold (1986) sobre o papel do conceito da evolução no pensamento antropológico. Seguindo Bergson, Ingold considera essencial distinguir entre tempo "abstrato" (que pertence à física) e tempo "real" que pertence a "ser", isto é, tempo que é cumulativo, que corresponde ao fluxo da consciência e ao movimento progressivo irreversível do avanço evolucionário (concebido de forma vital, à maneira de Bergson, e não de forma mecânica, à maneira dos biólogos mais intelectualmente cuidadosos). Tudo isso está a serviço da tese primordial de Ingold, que é impor uma forte distinção entre a evolução da consciência, a vida evolvida de agentes conscientemente sociais e a evolução como um processo mecânico que afeta a espécie.

Obviamente está fora do arcabouço da atual discussão fazer uma avaliação da tese de Ingold sobre a distinção fundamental entre a ciência social subjetivista e a ciência natural objetivista, a não ser para dizer que sou cético com relação à distinção que ele tem a intenção de estabelecer. Mas sim acho que é necessário assinalar que nenhuma descoberta biológica de qualquer relevância foi jamais estimulada pela teoria evolucionária de Bergson e que, ao contrário, a voga da virada do século para "vitalismo" produziu alguns dos mais notórios disparates científicos que jamais emanaram do mundo acadêmico desde a Idade Média, por exemplo, as obras de Teilhard de Chardin. A intenção de Bergson era soprar "vida" nas ciências vitais, um objetivo que ele perseguiu com uma habilidade literária extraordinária, mas nenhum acúmen lógico, e é por isso que suas ideias estão, do ponto de vista da filosofia das ciências, completamente superadas.

Bergson escreveu *Creative Evolution* [Evolução criativa] a fim de reformar a biologia, um empreendimento no qual ele não teve sucesso; os verdadeiros avanços biológicos do século XX foram produzidos precisamente pelo tipo de pessoas que ele teria desaprovado com maior vigor, ou seja, os biomatemáticos, os geneticistas populacionais etc. Parece-me igualmente questionável que a "duração" bergsoniana (ou de outra forma, a temporalidade conectada com o processo vital) possa ser ressuscitada como uma ideia importante, não na biologia vitalista, mas na antropologia social "vitalista". Ingold quer promover a duração bergsoniana porque essa temporalidade com um objetivo especial parece subscrever sua convicção de que os seres conscientes (humanos/sociais) são, de alguma forma, *absolutamente* diferentes de outros organismos por terem objetivos, intuições, entendimentos etc.

Certo ou errado, acho que o projeto de Ingold de definir a especificidade do ser social contra todos os outros tipos de existência no mundo é prejudicado pela dependência da distinção feita por Bergson entre o tempo "abstrato" matemático-com-físico, que é meramente um construto mental e a "duração" que é "real", vivenciada, vivida através do tempo. O leitor perceberá (à luz dos capítulos 16 a 18, acima) que a distinção de Bergson é apenas uma variante da distinção de McTaggart entre o tempo da série-A e o tempo da série-B, expressa em termos excessivamente imbuídos de valor. Bergson era um excelente teórico A cujo trabalho exerceu uma influência formadora em teóricos A contemporâneos, tais como Mead e o próprio McTaggart. Despido das imagens da evolução criativa, Bergson está argumentando pela primazia do tempo da série-A, que só pode ser deduzido a partir da consciência com relação ao tempo da série-B que é um construto de raciocínio matemático, e não da "vida". Espaço suficiente foi dedicado a demolir a forma logicamente purificada da teoria A proposta por McTaggart, portanto nenhum objetivo será alcançado se tentarmos recapitular o mesmo argumento em termos do aparato conceitual muito mais obscuro colocado por Bergson. E isso não é o que quero assinalar aqui, de qualquer forma. O que quero é tratar da natureza autodestrutiva do apelo de Ingold à duração bergsoniana no contexto de seu projeto antropológico que é identificar o alcance da antropologia com a elucidação da ação consciente e intencional em oposição ao "comportamento".

De que maneira, pergunto, esse projeto é realmente aprimorado se insistirmos sobre a natureza especial do tempo vivenciado pelos humanos em oposição a qualquer outro tipo de tempo? Como iremos ampliar o que sabemos com respeito a quem fez o que a quem e por que, se rodearmos esses feitos e pensamentos com um tipo especial de tempo cujas características primordiais são sua inefabilidade, seu fluxo e refluxo que nunca irá se repetir, e assim por diante? É muito positivo assinalar o fato de nossa experiência incerta do mundo, e a confusão de nossos pensamentos e motivos, à medida que lutamos com o mundo, não nos dá exatamente qualquer motivo para confiança na adequação de nossos esforços incessantes para impor a ordem e exercer controle na vida prática. Mas o que é certo é que sempre tentamos impor ordem e exercer controle e só vivemos na medida em que temos sucesso em fazer isso. Pode muito bem ser, como Schutz mostrou brilhantemente em "Choosing among Projects of Action" (1967) [Escolhendo entre projetos de ação] que, em última instância, nós simplesmente passamos pelos momentos de decisão, em vez de decidir com base em uma "ponderação" objetiva de cada fator pró e contra. Mas isso não altera o fato de só entendermos o processo decisório (mesmo antes do momento decisório) na medida em que ele é suscetível a uma análise *ex post*, e de não entendermos nada mais sobre ele (na verdade não entendemos coisa alguma), referindo-o à evolução espontânea do fluxo da consciência.

Privilegiar a série-A como "real" e subestimar a série-B como "reconstrução intelectual" ignora o fato de as estruturas de interpretação que nos orientam através do fluxo da série-A serem, precisamente, "reconstruções" internas (isto é, mapas do mundo) de um caráter de série-B. E ignora também o fato ainda mais importante de essas estruturas de interpretação só serem eficazes na medida em que elas são compatíveis com a verdade do mundo (embora elas mesmas possam não ser verdadeiras) e de essa "verdade do mundo" ser a verdade da série-B, porque somente a série-B é capaz de suster qualquer sistema de verdade e inferência seja ele qual for. Teoricamente, a série-A não nos leva a parte alguma, a não ser por um beco sem saída lógico. A única consequência do subjetivismo bergsoniano é reduzir a própria possibilidade de sequer descrever o mundo, já que fazê-lo é sempre envolver-se em artifícios, construindo modelos e colocando figuras leigas em movimento em um palco mental, em vez de se comunicar em um nível de espontaneidade inefável com "realidade" do Outro.

Além disso, da mesma forma que é impossível conceber as atividades de antropólogos como outras coisas senão a recriação da realidade social no tempo da série-B (o tempo de mapas e modelos, em oposição à corrente de consciência), é igualmente impossível conceber a vida mental de agentes, vivendo sua própria vida normal (ao contrário dos antropólogos que falam sobre as vidas de outras pessoas) como se ela corresse inteiramente dentro da temporalidade "vivenciada" da série-A. Podemos ser persuadidos intelectualmente de que as pessoas que encontramos na vida cotidiana não são "atores", mas possuem o mesmo núcleo espontâneo de individualidade que nós mesmos sentimos possuir, mas não deixa de ser verdade que nós somos obrigados a tratá-los como atores. Isso surge do princípio fundamental da reciprocidade de perspectivas: para mim, o "outro" é a pessoa que eu estaria desempenhando se me tivessem atribuído o seu papel para desempenhar, e ela o meu. Mesmo no fluxo da vida cotidiana, o outro é sempre uma criação artificial minha, e tenho também de lidar com o fato de, para o outro, eu ser também sua criação artificial, de tal forma que para os objetivos da determinação de minha própria conduta, tenho de me considerar como um ator, eu também, já que sou considerado como tal pelos demais. Ter (como ser humano) uma intenção com relação aos outros seres humanos é ter uma intenção com relação a um modelo do outro, não do outro como ele é para si próprio. Esse modelo do outro é (em termos de sua temporalidade inerente) um construto da série-B, a partir do qual imagens da série-A podem ser desenhadas, como com qualquer outro tipo de mapa; e o mesmo se aplica a nossos modelos dos modelos que os outros presumivelmente têm de nós. Nesse sentido, até mesmo nossa vida interior é um construto da série-B, não um diálogo interior.

Os construtos que são evocados e intercambiados no fluir da interação cotidiana são extraídos do conhecimento codificado da vida social mantida pelo agente, que é um sociólogo simplesmente em virtude de ter uma vida social. Quanto mais abstrato, organizado e abrangente for o conhecimento sociológico do agente, mais bem posicionado ele estará para levar a cabo seus projetos no mundo social, como espero que a discussão de intercâmbio no capítulo 27 possa ter servido para ilustrar. Mas a vida social, que é na realidade um jogo de construtos, imagens discursos e modelos, conduzidos no espaço e no tempo, virtuais do mundo sintetizado não pela experiência imediata e sim pela inteligência reflexiva, não pode ser explicada insistindo na primazia do tempo (experiencial) da série-A. A série-A, eu argumentei, é apenas um estágio no caminho entre as duas séries-B, a externa do mundo real e a interna dos modelos e mapas mentais. A experiência, em outras palavras, é apenas mediatória; o que conta e o que merece ser chamado verdadeiramente de "real", é a série-B.

Os argumentos contra privilegiar a série-A como tempo "humano" já foram tentados o suficiente. O que precisa ser feito agora é esclarecer as consequências da abordagem filosófica adotada aqui (a posição "moderada" da série-B originada de Mellor) para a prática da descrição e da análise etnográfica. Em particular, quais são as implicações investigativas da demonstração teórica de que é possível demonstrar que a série-B abarca a série-A, dando lugar à teoria da cognição do tempo esboçada nos capítulos 24-25? Eu teria esperança de extrair uma lição bem específica disso ou seja, que o progresso está na direção de criar uma ponte sobre a separação entre as abordagens da teoria B "puras" (como a geografia do tempo do estilo Hägerstrand, capítulo 20) e abordagens mais culturais/cognitivas do tipo mais comumente preferido pelos antropólogos. A meu ver, parece inútil censurar os geógrafos por se amor pelos exercícios cartográficos "objetivistas" e por não serem fenomenológicos ou "experienciais" naquilo que fazem. É muito mais provável, parece-me, que os mapas dos geógrafos tenham implicações profundas, mas inexploradas, para os processos da cognição humana. Examino as descrições temporal-geográficas da coreografia da vida cotidiana com um forte sentido de familiaridade interna, por mais que eles representem dados que poderiam ter sido encontrados por meio do estudo dos movimentos do seres humanos como se eles fossem formigas em um formigueiro. A metodologia da coleta de dados – entre entrevistas "subjetivas", testes projetivos etc. e a lista de verificação objetiva de movimentos, horários etc. – não importa, porque, em última análise, o que está internalizado e percebido é pragmaticamente compatível com o que está objetivamente lá. Pode parecer que isso não ocorre sempre, ou sequer normalmente, mas o descompasso muito propagado entre o mundo humano/subjetivo e o mundo científico/objetivo é primordialmente uma ilusão que vem do fato de modelos do mundo não precisarem ser "absolutamente" verdadeiros. Eles podem muito bem ser falsos, mas como premissas falsas podem ser compatíveis com inferências verdadeiras, os modelos só precisam ter consequências inferenciais verdadeiras em seus contextos de aplicação específicos, isto é, os práticos.

Consequentemente, acredito que as bases da antropologia do tempo devem começar na área da geografia do tempo e da economia do tempo, compreendidas "objetivamente". É por isso que não ignorei essas disciplinas neste livro, embora esteja ciente de que ao fazê-lo perdi a aprovação de não poucos antropólogos, particularmente dos mais imaginativos e intelectualmente ambiciosos, que entraram para a antropologia especificamente a fim de evitar estudar economia e geografia, e na esperança de fazer algo muito mais parecido com estudos literários. Estou ciente também de que (como me foi assinalado pelo editor desta série) aos capítulos deste livro que tratam da antropologia objetivista do tempo e conomia do tempo lamentavelmente faltam exemplos e comentários reconhecidamente "antropológicos". Isso leva a uma apresentação digressiva dessas disciplinas, pela qual peço desculpas. Mas esse defeito em minha apresentação é resultado da verdadeira escassez de estudos que integram um sentido de fundamentação cultural etnográfica com a flexibilidade conceitual que, apesar da propaganda ao contrário, é abundantemente apresentada os estilos de análise objetivistas. Insisto que não há qualquer contradição de objetivos aqui, e sim uma enorme – e até o momento inexplorada – série de oportunidades intelectuais.

Não existem fronteiras fechadas entre abordagens intelectuais, apenas mentes fechadas que se recusam a atravessá-las. Isso significa que os antropólogos do tempo do futuro devem tomar modelos como os de Becker e Hägerstrand (capítulos 20 22) e desenvolvê-los no mesmo estilo rigoroso, assim como aprender a coletar as categorias apropriadas de dados empíricos. Segue-se que os estudos do orçamento tempo devem permanecer como a base do aspecto investigativo da antropologia do tempo. O problema no momento é que nenhum esforço real está sendo feito para reduzir a distância entre os estudos de orçamentos do tempo (uma disciplina bastante monótona aos olhos da maioria dos antropólogos que conheço) e tópicos "fascinantes" que têm a ver com representações coletivas e a mediação de processos sociais.

Creio que a ideia principal que permitirá que essa união ocorra é a ideia de custos de oportunidade, atualmente só em uso frequente entre economistas, mas que merece ser considerada tão importante na teoria social quanto, digamos, a legitimidade. O conceito de custo de oportunidade não tem qualquer lugar nas teorias sociais que não levam em conta as características calculadas e inteligentes da ação social. Isso se aplica às formulações mais extremas da teoria da prática (capítulo 26). O custo de oportunidade também parece implicar um individualismo metodológico ingênuo e uma teoria igualmente ingênua de autointeresse dos atores em maximizar as vantagens individuais. No entanto, não há qualquer conflito inerente entre os objetivos da teoria da prática (coletividade, *habitus*, socialidade etc.) e o conceito de custos de oportunidade, porque é uma questão de princípio lógico, não de desenho cultural, que todas as ações têm custos de oportunidade e são significativas para o agente à luz desses custos percebidos. Não podemos fazer *isso* sem deixar de fazer *aquilo*, e "isso" (o significado, valor, dado ao ato que é conectado com a própria ação) não pode ser captado, a não ser em conjunção com seu correspondente "aquilo" – da mesma maneira que não podemos dizer "cão" sem dizer não gato, não cavalo etc.

O conceito de custo de oportunidade é para a teoria da ação aquilo que o conceito de contexto é para a teoria de significado. Ou, para conectá-las, o significado de uma ação é seu resultado antecipado no contexto de seu custo de oportunidade antecipado. Custos de oportunidade são aquilo que faz com que as ações sejam decisivas e definitivas. Além disso, se pensarmos sobre as ações sempre à luz dos custos de oportunidade, seremos capazes de vencer algumas das aporias do livre-arbítrio e do determinismo que dividem os cientistas sociais em campos de deterministas *versus* voluntaristas. Porque é aparente que qualquer ação, por mais voluntária que seja, tem determinados custos de oportunidade que não podem ser evitados por qualquer ato de livre-arbítrio, seja ele qual for, e, inversamente, qualquer ação, por mais que tenha sido coagida por fatores outros que não a volição do agente – como por exemplo, o trabalho escravo –, tem um caráter voluntário apenas em virtude do contraste com ações a que renunciamos, ações nas quais (sob outras circunstâncias) nós teríamos nos envolvido livremente. Como agentes livres estamos enredados nas consequências de nossas ações, que operam sempre de forma a limitar nossa liberdade de ação subsequente, de tal forma que, mesmo sem estar escravizados por outros, escravizamo-nos a nós mesmos; e, inversamente, como criaturas obrigadas a agir sob restrições que não foram criadas por nós, só estamos livres até o ponto de que essas restrições tenham alternativas – em outros mundos viáveis – que nos são acessíveis ao atribuir significado (isto é, custo de oportunidade) a nossas ações, mas que não são realizadas.

O custo de oportunidade fornece o conceito que faz uma ponte entre a subjetividade e a objetividade na interpretação sociológica da ação no mundo. Se não houvesse apenas um mundo real, não haveria custos de oportunidade porque não poderíamos ao mesmo tempo desempenhar e não desempenhar a mesma ação. Mas igualmente é só porque, do ponto de vista da teoria de ação significativa, este mundo se encontra no centro de uma penumbra de mundos alternativos possíveis que surgem os custos de oportunidade, porque as "possibilidades de que abrimos mão" (que determinam a natureza e a magnitude dos custos de oportunidade) são computadas não em termos de um mundo, mas sim em termos de um mundo (real) e de todos seus mundos alternativos disponíveis (não realizados). A noção de custos de oportunidade implica tanto a primazia do mundo real (e a textura causal inescapável desse mundo primordial) e, ao mesmo tempo, a proposição fundamental de que, como um objeto do pensamento, isto é, como o lugar onde habitamos, no qual nos deslocamos, e no qual realizamos projetos de ação, o mundo "real" é apenas um membro de um conjunto de mundos (na verdade, não sabemos sequer que membro do conjunto de mundos possíveis é o mundo "real").

Os estudos de orçamento do tempo, a geografia do tempo e a economia do tempo fornecem a base para uma análise objetivista da antropologia do tempo, mas no momento em que os custos de oportunidade são introduzidos, o estudo objetivo das possibilidades de alocação dos "recursos" espaciais e temporais vai se transformando no estudo de conjuntos de mundos possíveis culturalmente construídos e com bases etnográficas. Como Bourdieu mostrou, atitudes convencionais restringem a definição que o agente tem da extensão das possibilidades acessíveis a ele. A definição do sujeito etnográfico do possível (para ele) pode estar perfeitamente em desacordo com a definição de suas possibilidades a que chegou um observador externo que percebe possibilidades que o próprio sujeito parece eliminar *a priori*, enquanto o sujeito pode antecipar a iminente possibilidade de situações consideradas como contingências remotas pelo observador. A explicação dos motivos do sujeito etnográfico tem de ser conduzida em termos de seu esquema de possibilidades porque esse esquema estabelece seus custos de oportunidade subjetivos, e, portanto, o valor e significado subjetivos de seu ato; mas o entendimento sociológico dos resultados de atos é conduzido em termos do esquema de possibilidades operadas pelo observador, e não pelo agente, porque esse esquema estabelece os custos de oportunidade de ações que têm consequências no mundo real. O entendimento subjetivo dos motivos da ação nunca é suficiente, porque a premissa na qual a compreensão subjetiva do mundo está baseada é que o mundo é objetivo e que as proposições que se têm com relação a ele são realmente verdadeiras ou realmente falsas.

O fato de o mapa das possibilidades inerentes do sujeito etnográfico de seu mundo não ser congruente com o mapa do observador, é a fonte do problema do relativismo cultural que veio à tona repetidamente no decorrer dessas páginas. Mas o fato igualmente importante de o mapa do sujeito etnográfico e do mapa do observador ambos terem como objetivo ser verdadeiros em um mundo, isto é, o mundo real, é o motivo pelo qual a relatividade cultural não gera um problema insolúvel. É necessário fornecer uma explicação objetivista do mundo temporalmente acessível (ou espaçotemporalmente acessível) do sujeito etnográfico a fim de aplicar a análise dos resultados em termos do custo de oportunidade objetivo a suas ações. O mapa do mundo do sujeito etnográfico só pode ser avaliado (visto por aquilo que é) à luz do mundo ao qual ele supostamente se refere, que é o mundo real, não um mundo imaginário que seria real se o mapa do sujeito etnográfico fosse verdadeiro (capítulo 6). É meramente uma forma de paternalismo deixar os exóticos modelos etnográficos do mundo sem serem criticados, como se seus possuidores fossem crianças a quem deixássemos jogar para sempre em um jardim encantado que eles mesmos planejaram. Na prática, esses mapas sobrevivem porque as únicas imagens que são extraídas deles em seus contextos relevantes de aplicação são aquelas que são validadas experiencialmente, mas os custos de oportunidade implicados pelos esquemas de ação que esses mapas geram ainda ocorrem.

A compreensão sociológica de ações empreendidas à luz de mapas culturalmente constituídos do mundo sempre implica uma crítica da cultura, seja ela admitida ou não. Não podemos fazer uma escolha entre uma explicação "amigável" de esquemas culturais de interpretação que os aceite exatamente como eles são (subjetivos) e uma explicação inflexível que os confronte com alguma realidade definida externamente pelo motivo de não haver qualquer esquema cultural de interpretação que não tenha como meta produzir resultados objetivos. A esse respeito o observador externo nunca está em uma posição de ser mais inflexível do que seus sujeitos etnográficos são eles próprios. Mas o observador externo de posse de conhecimento codificado acumulado por meio de estratégias de pesquisa objetivistas está em uma posição não exatamente de transcender o ponto de vista nativo, porque essa não é uma questão de metafísica, mas de oferecer uma crítica racional das "razões culturais" de um ponto de vista inacessível àqueles que simplesmente operam premissas culturais de forma prática.

Idealmente, a antropologia do tempo deve, portanto, seguir uma estratégia dupla de investigações "alocacionistas" das possibilidades coreográficas inerentes de ações sociais em sua moldura espacial-temporal, por um lado e, pelo outro investigações que levem à reconstrução, em forma de modelo, dos esquemas de interpretação temporal, ou de mapas do tempo internalizados dos sujeitos etnográficos. Mas nesse plano de pesquisa, qual é o *status* das representações coletivas? Os primeiros capítulos deste livro, ao lidar com a antropologia do tempo inspirada por Durkheim, tinham como objetivo criticar os exageros metafísicos da escola durkheimiana, que se originaram de sua tentativa equivocada de reformular Kant em termos sociológicos (capítulos 1 a 3). A ideia de que a categoria tempo é criada para nós pelos ritmos dos processos sociais é enganosa. Isso é identificar o tempo com aquilo que o calibra e o mede, como Bloch (1977) justificadamente comentou. Mas isso não é dizer que as representações coletivas do tempo não diferem acentuadamente em contextos culturais (e históricos) diferentes. Regimes produtivos diferentes, por exemplo, aqueles que implicam flutuações agudas na demanda por mão de obra ou por outros recursos em momentos específicos do ciclo anual, *versus* regimes uniformes que não o fazem, resultam no desenvolvimento de tipos muito distintos de aparatos culturais para lidar com o tempo. Acredito que essas diferenças podem ser mais bem explicadas, como foi enfatizado anteriormente, relacionando-as com uma noção de custo de oportunidade e com os esquemas e valores culturais à luz dos quais esses custos de oportunidade são avaliados. Mas a análise não pode prever a descrição etnográfica, e quando se trata de representações coletivas, uma fonte importante de dificuldade é estabelecer seu conteúdo e significância precisos desde o início. Como é que o etnógrafo pode identificar o "conceito de tempo" nesta ou naquela cultura?

Até um ponto considerável, a antropologia durheimiana esteve preocupada com conceitos de tempo que surgem no contexto de festivais de ritual, principalmente de calendários e com ritos de crises vitais. Como a análise do ritual umeda no capítulo 5 demonstrou, embora seja certamente verdade que os rituais dramatizam o tempo, e até mesmo o manipulem (ao apresentar modelos de processos vitais que podem ser modificados ou até mesmo invertidos), isso não significa que os festivais do calendário criam o tempo ou o modificam, exceto retórica ou simbolicamente. A característica interessante de rituais que parecem evocar, à vontade, o tempo anômalo ao mostrar processos anômalos é a relação dialética que eles têm com a temporalidade mundana, na qual, em contraste com o quadro de referência ritual, processos nunca ocorrem a não ser contra resistência e com consequências funestas que o ritual procura obviar. O tempo elusivo que emerge da análise de categorias rituais, em outras palavras, não pode ser separado do tempo entrópico e cansativo dos eventos do mundo real. Do ponto de vista do método, a investigação das categorias rituais não deve preceder, e sim seguir, a investigação da coreografia do processo social mundano que forma o pano de fundo contra o qual o ritual reconstrói o mundo à imagem dos desejos humanos. Representações rituais do tempo não fornecem uma "visão do mundo", e sim uma série de comentários com propósitos especiais sobre o mundo, que não podem ser definidos *a priori* ou de uma vez por todas, e que têm de ser compreendidos prática e não metafisicamente.

Como as representações rituais coletivas do tempo só têm coerência à luz de sua relação implícita com o prático, elas não podem ser selecionadas como se constituíssem as representações únicas, culturalmente válidas do tempo, operadas pelos membros de uma sociedade específica. Em vez disso, a análise das representações coletivas do tempo deve prosseguir ao longo de uma frente ampla, continuamente mapeando o *interplay* entre fatores sistêmicos, que se originam do desenho espaçotemporal do mundo prático e a ampla variedade de construtos simbólicos que agentes movimentam quando tratam de seus negócios. Esse *interplay* exige o desenvolvimento de uma teoria de cognição do tempo. Nos capítulos 23 e 24 apresentei um modelo desse tipo vindo de Husserl e Neisser, mas, é claro, eu não afirmaria que esse modelo é definitivo, especialmente já que a psicologia cognitiva é um campo de rápido desenvolvimento cuja verdadeira significância para a antropologia ainda não foi plenamente compreendida ou explorada. Muito mais trabalho ao longo dessas linhas precisa ainda ser feito, especialmente com relação à construção de modelos de processos cognitivos que sejam mais "realistas" (isto é, verdadeiros com relação à mecânica real dos processos de pensamento) do que o quadro muito idealizado que apresentei aqui. Suspeito também que mais trabalho seja necessário sobre o relacionamento entre a aquisição e o uso da linguagem com relação à cognição do tempo. Lidei com essas questões apenas sumariamente (capítulos 14 e 15), mas acho que qualquer pessoa que tenha a experiência de aprender uma língua estrangeira estaria inclinada a concordar comigo que o tempo, o aspecto e a modalidade verbais estão entre as características gramaticais mais complexas das línguas naturais, que sempre exigem estudo detalhado e são muitas vezes, também culturalmente, esclarecedoras. Isso não é dar apoio à hipótese "forte" de Whorf, segundo a qual a linguagem determinaria a cognição do tempo, mas é certamente demonstrável que linguagens diferentes parecem enfatizar relacionamentos específicos temporais/aspectuais/modais entre eventos em detrimento de outros. E o princípio histórico, discutido no capítulo 15, de que construções gramáticas são o resíduo cristalizado daquilo que em um determinado momento eram alegorias retóricas, significa que a gramática em perspectiva diacônica, nunca está sem as raízes e a significância cultural próprias.

Assim a abordagem recomendada à antropologia do tempo ao longo de uma frente ampla, estendida entre a economia e a geografia do tempo, por um lado, e os processos simbólicos do ritual, por outro, devem incluir a análise da linguagem e da cognição. Essas estruturas díspares de temporalidade precisam ser integradas. Uma maneira particularmente promissora de abarcar essa diversidade é por meio do estudo da emergência das estruturas diferenciadas da temporalidade em várias áreas durante o curso de socialização. Christina Toren (1990) enfatizou corretamente natureza emergente e processual dos conceitos de hierarquia fijianos, e a mesma abordagem poderia, e deveria, ser aplicada à cognição social do tempo. Não tentei fazer isso aqui, exceto em conexão com a obra de Piaget (capítulo 13) e com relação à aquisição da linguagem (capítulo 15). No momento nos faltam ainda estudos etnográficos (a não ser o de Piaget) que focalizem especificamente a construção passo a passo das categoriais espaçotemporais culturalmente estabelecidas da criança

Parece haver espaço para muito mais pesquisa sobre esse tópico. Isso exigiria não apenas observação naturalista, mas o uso maior de testes projetivos e outros métodos emprestados da psicologia experimental. O uso da manipulação experimental não precisa ser orientado para a descoberta de "leis de crescimento cognitivo" mecanicistas, mas pode ser implementado simplesmente para lançar dados observacionais mais ricos e mais interessantes que possam ser interpretados de muitas maneiras diferentes.

Onde, finalmente, tudo isso deixa a abordagem fenomenológica ao tempo? Atualmente, talvez, ela seja a abordagem que desperta mais interesse entre antropólogos e sociólogos imaginativos interessados no "tempo humano" que podem encontrar, nas muitas vezes obscuras páginas de Husserl e Heidegger, uma sensação de imediação e relevância que simplesmente não emerge das páginas equivalentes de Mellor ou Lucas, sejam quais forem as vantagens que os filósofos analíticos tenham na questão de perspicácia lógica. Minha posição já foi declarada e é impossível fazer uma análise fenomenológica do tempo humano exceto à luz do resultado da análise lógica de conceitos temporais. Não sou de forma alguma contrário à fenomenologia, mas sim estou contra a fenomenologia confusa na qual as boas intenções "humanistas" são confundidas com denúncias obscurantistas e antirracionais da objetividade científica. Nisso tenho certeza de que estou mais alinhado com as intenções originais de Husserl e Schutz do que muitos daqueles que subsequentemente ergueram a bandeira da fenomenologia com mais energia do que eu. Eu diria, com efeito, que toda análise é implícita, se não explicitamente, fenomenológica, e que meu modelo psicológico se origina diretamente de Husserl. Comecei este projeto sob o estímulo direto de Schutz, Husserl e Merleau-Ponty. Embora o resultado final possa não parecer muito fenomenológico na superfície, os bem-informados não serão iludidos a acreditar que eu fui um discípulo totalmente infiel deles.

Em suma, creio que a antropologia do tempo do futuro deve ser aberta, eclética, empírica, nem subserviente ao prestígio do método científico nem tão paranoica com relação a ciência a ponto de não ver as virtudes da objetividade, da lógica e do argumento com bases sólidas, lucidamente colocado no papel. Só porque, como disse Lucas, o tempo é "tênue", isso não nos dá o direito de ser obscuros e confusos naquilo que escolhemos dizer sobre ele. Tentei, com muito esforço, não ser nem uma coisa nem outra, embora deva deixar a avaliação do grau de meu sucesso para os demais.

Referências

ALTMAN, J. (1984). "Hunter-gatherer subsistence in Amheim land". *Mankind*, 14, p. 199-221.

ANTONUCCI, F. & MILLER, R. (1976). "How children talk about what happened". *Journal of Child Language*, 3, p. 167-189.

APPADURAI, A. (1984). *The problem of time among peasants in India* [Trabalho apresentado na Universidade de Nova York].

ARROW, K. (1951). "Alternative approaches to the theory of choice in risk-taking situations". *Econometrica*, 19: 4, p. 195-279.

ATTALI, J. (1982). *L'Histoire du temps*. Paris: Fayard.

AUSTEN, L. (1950). "A note on Dr. Leach's primitive calendars". *Oceania*, 20, p. 333-335.

_____ (1939). "The seasonal gardening calendar on Kiriwina". *Oceania*, 9, p. 237-253.

BARNES, J. (1971). "Time flies like an arrow". *Man*, 6, p. 531-552.

BARNES, R. (1974). *Kedang*, Oxford: Clarendon.

BARTH, F. (1959). "Segmentary opposition and the theory of games". *Journal of the Royal Anthropological Institute*, 89: 1, p. 5-23.

BECKER, G. (1965). "A theory of the allocation of time". *Economic journal*, 75, p. 493-517.

BERGER, T. & LUCKMANN, J. (1966). *The Social Construction of Reality*. Harmondsworth: Penguin Books.

BERLIN, B. & KAY, P. (1969). *Basic Color Terms*. Berkeley: University of California Press.

BICKERTON, J. (1981). *The Roots of Language*. Ann Arbor, MI: Karoma.

_____ (1975). *Dynamics of a Creole System*. Londres/Nova York: Cambridge University Press.

BLOCH, M. (1989). *Ritual History and Power*. Londres: Athlone.

_____ (1977). "The past in the present and the past". *Man*, 12, p. 278-292.

BORGES, J. (1970). *Labyrinths*. Harmondsworth: Penguin.

BOURDIEU, P. (1977). *Towards a Theory of Practice*. Cambridge: Cambridge University Press.

_____ (1963). "The attitude of the Algerian peasant towards time". In: PITT-RIVERS, J. (org.). *Mediterranean Countrymen*. Paris: Recherches Mediterraneennes.

BOVET, C. (1975). *Étude interculturelle de processus de raisonnement* – Notions de quantité et relations spatio-temporelles. Genebra: Universidade de Genebra [Tese de doutorado].

BRADLEY, R. & SWARTZ, N. (1979). *Possible Worlds*. Oxford: Basil Blackwell.

BRONCKART, J. & SINCLAIR, H. (1973). "Tense, time, and aspect". *Cognition*, 2, p. 107-130.

BROWN, R. (1973). *A First Language*. Cambridge, MA: Harvard University Press.

BRUNTON, R. (1980). "Misconstrued order in Melanesian religion". *Man*, 15 p. 112-128.

BURMAN, R. (1981). "Time and socioeconomic change on Simbo". *Man*, 26 p. 251-267.

CAMPBELL, S. (1983). "Kula in Vakuta". In: LEACH, J. & LEACH, E. (orgs). *Th Kula*. Cambridge: Cambridge University Press.

CARLSTEIN, T. (1982). *Time Resources, Ecology, and Society*. Londres: Allen & Unwir

CARLSTEIN, T.; PARKES, D. & THRIFT, N. (orgs.) (1978). *Human Activity an Time Geography*. Londres: Edward Arnold.

CARROLL, J. (org.) (1956). *Language, Thought and Reality*: Selected writings c Benjamin Lee Whorf. Nova York: Wiley.

CARTER, C.; MEREDITH, G. & SHACKLE, G. (orgs.) (1957). *Uncertainty an Business Decisions*. Ed. rev. Liverpool: Liverpool University Press.

CHURCH, J. (1976). *Language and the Discovery of Reality*. Nova York: Random House.

COMRIE, B. (1985). *Tense*. Cambridge/Nova York: Cambridge University Press.

_____ (1976). *Aspect*. Cambridge/Nova York: Cambridge University Press.

COSERIU, E. (1958). *Sincronia, diacronia e historia*, Montevidéu: Universidad de la Republica.

COTTLE, T. (1974). *The Present of Things Future*. Nova York: Free Press.

DAMON, F. (1981). "Calendars and calendrical rites of the northern side of the Kula ring". *Oceania*, 52, p. 221-239.

DAVIS, R. (1976). "The northern Thai calendar and its uses". *Anthropos*, 71, p. 3-32.

DUMMET, M. (1978). *Truth and other Enigmas*. Londres: Duckworth.

DUMMET, M. & LEMMON, E. (1959). *Modal Logics between S.4 and S.5* – Zeitschrift fur mathematische Logik. Berlim: VEB Deutscher Verlag der Wissenschaften Berlin III.

DURKHEIM, E. (1960). *The Division of Labor*. Glencoe, IL: The Free Press.

_____ (1915). *The Elementary Forms of the Religious Life*. Londres: Allen & Unwin.

ENDICOTT, K. (1979). *Batek Religion*. Oxford: Clarendon.

EVANS-PRITCHARD, E. (1965). *Theories of Primitive Religion*. Oxford: Clarendon.

_____ (1940). *The Nuer*. Oxford: Clarendon.

_____ (1939). "Nuer time reckoning". *Africa*, 12, p. 189-216.

FINDLAY, J. (1975). "Husserl's analysis of the internal time consciousness". *The Monist*, 69.

FLEISCHMAN, S. (1982). *The Future in Thought and Language*. Cambridge: Cambridge University Press.

FORTES, M. (1945). *The Dynamics of Clanship*. Londres: International African Institute.

FORTUNE, R. (1932). *Sorcerers of Dobu*. Londres: Routledge.

FRAISSE, P. (1964). *The Psychology of Time*. Londres: Routledge.

FRAZER, J. (1978). *Time as Conflict*. Basle: Birkhauer Verlag.

GALE, R. (1968). *The Language of Time*. Londres: Routledge.

GALE, R. (org.) (1967). *The Philosophy of Time*. Nova York: Doubleday.

GARFINKEL, H. (1967). *Studies in Ethnomethodology*. Englewood Cliffs, NJ: Prentice-Hall.

GEERTZ, C. (1973). *The Interpretation of Culture*. Nova York: Basic Books.

GELL, A. (1985a). "Style and meaning in Umeda dance". In: SPENCER, P. (org.). *Society and the Dance*. Nova York: Cambridge University Press.

_____ (1985b). "How to read a map". *Man*, 20, p. 271-286.

_____ (1982). "The market wheel". *Man*, 13.

_____ (1975). *The Metamorphosis of the Cassowaries*. Londres: Athlone Press.

GIRARD, P. (1968-1969). *Les notions de nombre et de temps chez les Buang*. Paris: Societé d'Ethnographie de Paris.

GIVON, T. (1982). "Tense-aspect modality; the Creole prototype". In: HOPPER, P. (org.). *Tense-Aspect*. Amsterdã: Benjamin.

GOFF, T. (1980). *Marx and Mead*. Londres: Routledge.

GOULD, P. & WHYTE, R. (1974). *Mental Maps*. Harmondsworth: Penguin.

GREGORY, C. (1982). *Gifts and Commodities*. Londres: Academic Press.

GURVICH, G. (1961). *The Spectrum of Social Time*. Dordrecht: Reidel.

HALBWACHS, M. (1925). *Les cadres sociaux de la mémoire* – Travaux de l'année sociologique. Paris: Bibliothèque de Philosophie Contemporaine.

HALLIDAY, M. (1975). *Learning How to Mean*. Londres: Edward Arnold.

HALLPIKE, C. (1979). *Foundations of Primitive Thought*. Oxford: Clarendon.

_____ (1972). *The Konso of Ethiopia*. Oxford: Clarendon.

HARCOURT, G. (1972). *Some Cambridge Controversies in the Theory of Capital*. Cambridge: Cambridge University Press.

HEIDEGGER, M. (1962). *Being and Time*. Londres: Macmillan.

HÉRITIER, P. (1981). *L'Exercise de la parente*. Paris: Gallimard.

HINTIKKA, K. (1969). *Models for Modalities*. Dordrecht: Reidel.

HOBART, M. (1975). "Orators and patrons: two types of political leaders in Balinese village society". In: BLOCH, M. (org.). *Political Oratory in Traditional Society*. Londres: Academic Press.

HORTON, R. & FINNEGAN, R. (orgs.) (1973). *Modes of Thought*. Londres: Faber.

HOWE, L. (1981). "The social determination of knowledge: Maurice Bloch and Balinese time". *Man*, 16, p. 220-234.

HUSSERL, E. (1966). *The Phenomenology of Internal Time Consciousness* (1887). Bloomington, INA: Midland.

INGOLD, T. (1986). *Evolution and Social Life*. Cambridge/Nova York: Cambridge University Press.

IRWIN, G. (1983). "Chieftainship, Kula and trade". In: LEACH, J. & LEACH, E. (orgs.). *The Kula*. Cambridge/Nova York: Cambridge University Press.

JAMES, W. (1963). *Principles of Psychology* (1890). Chicago: Great Books.

JUILLERAT, B. (1980). "Correspondence". *Man*, 15, p. 732-734.

JUST, P. (1980). "Time and leisure in the elaboration of culture". *Journal of Anthropological Research*, 36, p. 105-115.

KANT, I. (1929). *Critique of Pure Reason*. Londres: Macmillan [trad. de N. Kemp-Smith].

KELLY, R. (1977). *Etoro Social Structure*. Ann Arbor, MI: University of Michigan Press.

KRIEGEL, J. (1970). *The Theory of Capital*. Londres: Macmillan.

LEACH, E. (1961). *Rethinking Anthropology*. Londres: Athlone Press.

_____ (1950). "Primitive calendars". *Oceania*, 20, p. 245-262.

LEACH, J.W. & LEACH, E. (1983). *The Kula*. Cambridge: Cambridge University Press.

LE GOFF, J. (1980). *Time, Work and Culture in the Middle Ages*. Chicago: Chicago University Press.

LEWIS, D. (1973). *Counterfactuals*. Oxford: Basil Blackwell.

LEVY-BRUHL, L. (1966). *Primitive Mentality* (1922). Nova York: Beacon Press.

LEVI-STRAUSS, C. (1969). *The Elementary Structures of Kinship*. Boston: Beacon Press.

_____ (1966). *The Savage Mind*. Londres: Weidenfeld & Nicolson.

_____ (1963). *Structural Anthropology*. Nova York: Basic Books.

_____ (1961). *Tristes tropiques* [*A World on the Wane*]. Londres: Hutchinson [trad. de J. Russel].

_____ (1948). *Race et histoire*. Paris: Unesco.

LINDER, S. (1970). *The Harried Leisure Class*. Nova York: Columbia University Press.

LUCAS, J. (1973). *A Treatise on Time and Space*. Londres: Methuen.

LYONS, J. (1977). *Semantics*. Vol. 2. Cambridge: Cambridge University Press.

MALINOWSKI, B. (1935). *Coral Gardens and their Magic*. Vol. 1. Londres: Allen & Unwin.

_____ (1922). *Argonauts of the Western Pacific*. Londres: Routledge.

MALOTKI, E. (1983). *Hopi Time*. Berlim: Mouton.

MARCUS, G. & FISHER, J. (1986). *Anthropology* as *Cultural Critique*. Chicago: Chicago University Press.

MARR, D. (1983). *Vision*. Cambridge, MA: MIT.

McCLOSKEY, M. (1983). "Intuitive physics". *Scientific America*, abr., p. 114-122.

MEAD, G.H. (1959). *The Philosophy of the Present* (1925). La Salle: Open Court.

_____ (1924). *Mind, Self and Society*. Chicago: Chicago University Press.

MEGGITT, M. (1976). "Pigs are our hearts!" *Oceania*, 44, p. 165-203.

MELLOR, D. (1981). *Real Time*. Cambridge: Cambridge University Press.

MILLER, G.; GALANTER, E. & PRIBRAM, K. (1960). *Plans and the Structure of Behavior.* Nova York: Holt, Rinehart & Winston.

MIMICA, J. (1989). *Intimations of Infinity*. Oxford: Berg.

MOUNTFORD, R. (org.) (1960). *Records of the Australian-American Expedition to Arnheim Land*. Vol. 2. Sydney: Sydney University Press.

MUNN, N. (1986). *The Fame of Gawa*. Chicago: Chicago University Press.

_____ (1983). "Gawan Kula". In: LEACH, J. & LEACH, E. (orgs.). *The Kula*. Cambridge/Nova York: Cambridge University Press.

NEEDHAM, R. (1974). *Remarks and Inventions*. Londres: Tavistock.

NEISSER, U. (1976). *Cognition and Reality*. São Francisco: W.H. Freeman.

NEWTON-SMITH, W. (1980). *The Structure of Time*. Londres: Routledge.

ORNSTEIN, R. (1969). *On the Experience of Time*. Harmondsworth: Penguin.

PALM, R. & PRED, A. (1978). "A time-geographic perspective on problems of the inequality of women". In: BURNETT, K. (org.). *A Social Geography of Women*. Chicago: Maarouta.

PARKES, D. & THRIFT, N. (1980). *Times, Spaces, and Places*. Chichester: Wiley.

PELLIOT, P. (1929). "Neuf notes sur questions d'Asie centrale". *T'oung Pao*, 26.

PIAGET, J. (1970). *The Child's Conception of Time*. Londres: Routledge.

PITT-RIVERS, J. (1963). *Mediterranean Countrymen*. Paris: Recherches Mediterranéennes [Études 1].

PRIOR, A. (1968). *Collected Papers on Time and Tense*. Oxford: Clarendon.

_____ (1966). *Past, Present, and Future*. Oxford: Clarendon.

PRYCE-WILLIAMS, D. (1961). "A study concerning concepts of conservation among primitive children". *Acta Psychologica*, 18, p. 142-154.

REICHENBACH, H. (1947). *Elements of Symbolic Logic*. Berkeley: University of California Press.

RESCHER, N. (1968). *Topics in Philosophical Logic*. Dordrecht: Reidel.

RESCHER, N. & URQUHART, A. (1971). *Temporal Logic*. Viena: Library of Exact Philosophy [n. 3].

RYLE, G. (1949). *The Concept of Mind*. Oxford: Clarendon.

SAHLINS, M. (1985). *Islands of History*. Chicago: Chicago University Press.

_____ (1972). *Stone Age Economics*. Chicago: Aldine.

SCHNEIDER, D. (1963). "Some muddles in the models". *The Relevance of Models for Social Anthropology* (ASA 1). Londres: Tavistock [org. de M. Banton].

SCHUTZ, A. (1967). *The Phenomenology of the Social World*. Chicago: Northwestern University Press.

_____ (1962). *Collected Papers*. Vols. 1 e 2. The Hague: Martinus Nijhoff.

SHACKLE, G. (1965). *A Scheme of Economic Theory*. Cambridge: Cambridge University Press.

_____ (1958). *Time in Economics*. Amsterdã: North-Holland.

SMITH, C. (1980). "The acquisition of time-talk". *Journal of Child Language*, 7, p. 263-278.

SOROKIN, P. & BERGER, C. (1939). *Time Budgets of Human Behavior*. Cambridge, MA: Harvard University Press.

SOULE, G. (1955). *Time for Living*. Nova York: Viking.

SPERBER, D. (1985). "Anthropology and psychology – Towards an epidemiology of representations". *Man*, 20, p. 73-89.

SPENCER, P. (1965). *Samburu*. Londres: Routledge.

SRAFFA, P. (1960). *The Production of Commodities by Means of Commodities*. Cambridge: Cambridge University Press.

STEWART, F. (1977). *Fundamentals of Age Group Systems*. Nova York: Academic Press.

STRATHERN, A. (1971). *The Rope of Moka*. Londres/Nova York: Cambridge University Press.

STREHLOW, T. (1947). *Aranda Traditions*. Melbourne: Melbourne University Press.

SZALAI, A. et al. (orgs.) (1972). *The Uses of Time*. The Hague: Mouton.

TANNENBAUM, S. (1988). "The Shan calendrical system and its uses". *Mankind*, 18, p. 14-26.

TAYLOR, C. (1955). "Spatial and temporal analogies to the concept of identity". *Journal of Philosophy*, 52, p. 599-612.

THOMPSON, E.P. (1967). "Time, work-discipline, and industrial capitalism". *Past and Present*, 38, p. 56-97.

TIVERS, J. (1977). *Constraints on Activity Patterns*. Londres: University of London, Department of Geography, King's College [Occasional Paper, n. 6].

TOREN, C. (1990). *Making Sense of Hierarchy*. Londres: Athlone.

TURTON, D. & RUGGLES, C. (1978). "Agreeing to disagree – The measurement of duration in a southwestern Ethiopian community". *Current Anthropology*, 19, p. 585-593.

UBEROI, J. (1962). *Politics of the Kula Ring*. Manchester: Manchester University Press.

WERBNER, R. (1984). "Masking in a lowland New Guinea community". *Man*, 19.

WEYL, H. (1949). *The Philosophy of Mathematics and the Natural Sciences*. Princeton, NJ: Princeton University Press.

WHITE, B. (1976). "Population, involution, and employment in rural Java". *Development and Change*, 7, p. 267-290.

WILKERSON, T. (1976). *Kant's Critique of Pure Reason*. Oxford: Clarendon.

WILLIAMS, B. (1957). "Shackle's Ø-function and gambler indifference map". In: CARTER et al. *Uncertainty and Business Decisions*, p. 122-133, esp. figuras 1a e 1b.

WILSON, B. (1971). *Rationality*. Oxford: Basil Blackwell.

WOODBURN, J. (1980). "Hunters and gatherers today and the reconstruction of the past". In: GELLNER, E. (org.). *Soviet and Western Anthropology*. Londres: Duckworth.

ZERUBAVEL, E. (1981). *Hidden Rhythms*. Chicago: University of Chicago Press.

Horton, R. 61
Howe, L. 76s.
Husserl, E. 144
    consciência da modificação e temporal 212
    consciência interna do tempo 207-219
    pré-filosofia da "atitude natural" 247s.
    "protensões" e "retenções" 208s.
    psicologia cognitiva 214-218

Ilhas Trobriandesas (Nova Guiné)
    calendário 285-289
    coordenação 286s.
    distritos políticos defasados 285s.
    reformadas por Leo Austen 288s.
    vantajoso para o Distrito Omarakana 288
ilusão sinótica (Bourdieu) 84, 272, 274
Ingold, T. 293s.
irrealis (modalidade) e tempo 122
Irwin, G. 285, 288

James, W. 18
    sobre "fluxo de consciência" 208
Juillerat, B. 55
Just, R. 201

Kant, I. (kantianismo) 14s., 17-19, 21, 60
Kay, P. 82, 94s.
kédang (Indonésia) 39-42
    ideia cíclica do tempo 42
    medo do tempo "invertido" 42
Keeler, W. 77
Keynes, J. 167s., 173
Kreigel, J. 167
kula (sistema de intercâmbio) e o tempo 259-261
kybele (Argélia)
    calendário 272-277
    atitudes temporais 265-268

Leach, E. 22, 256, 260s.
    sobre o calendário trobriandês 285-287
    sobre o tempo que alterna 37-42
        crítica 40-42
Leach, J. 256, 260s.

CULTURAL

Administração
Antropologia
Biografias
Comunicação
Dinâmicas e Jogos
Ecologia e Meio Ambiente
Educação e Pedagogia
Filosofia
História
Letras e Literatura
Obras de referência
Política
Psicologia
Saúde e Nutrição
Serviço Social e Trabalho
Sociologia

CATEQUÉTICO PASTORAL

Catequese
Geral
Crisma
Primeira Eucaristia

Pastoral
Geral
Sacramental
Familiar
Social
Ensino Religioso Escolar

TEOLÓGICO ESPIRITUAL

Biografias
Devocionários
Espiritualidade e Mística
Espiritualidade Mariana
Franciscanismo
Autoconhecimento
Liturgia
Obras de referência
Sagrada Escritura e Livros Apócrifos

Teologia
Bíblica
Histórica
Prática
Sistemática

REVISTAS

Concilium
Estudos Bíblicos
Grande Sinal
REB (Revista Eclesiástica Brasileira)
SEDOC (Serviço de Documentação)

VOZES NOBILIS

Uma linha editorial especial, com importantes autores, alto valor agregado e qualidade superior.

VOZES DE BOLSO

Obras clássicas de Ciências Humanas em formato de bolso.

PRODUTOS SAZONAIS

Folhinha do Sagrado Coração de Jesus
Calendário de Mesa do Sagrado Coração de Jesus
Agenda do Sagrado Coração de Jesus
Almanaque Santo Antônio
Agendinha
Diário Vozes
Meditações para o dia a dia
Guia Litúrgico

CADASTRE-SE
www.vozes.com.br

EDITORA VOZES LTDA.
Rua Frei Luís, 100 – Centro – Cep 25689-900 – Petrópolis, RJ
Tel.: (24) 2233-9000 – Fax: (24) 2231-4676 – E-mail: vendas@vozes.com.br

UNIDADES NO BRASIL: Belo Horizonte, MG – Brasília, DF – Campinas, SP – Cuiabá, MT
Curitiba, PR – Florianópolis, SC – Fortaleza, CE – Goiânia, GO – Juiz de Fora, MG
Manaus, AM – Petrópolis, RJ – Porto Alegre, RS – Recife, PE – Rio de Janeiro, RJ
Salvador, BA – São Paulo, SP